Aventure dans les Rocheuses

ELIZABETH LOWELL

Elizabeth Lowell

Aventure dans les Rocheuses

Traduit de l'américain
par Catherine Plasait

Éditions J'ai lu

Titre original :

ONLY HIS
Published by arrangement with Avon Books

1

L'homme paraissait dangereux.

Grande, large, sombre, sa silhouette irradiait une puissance contenue et la parfaite coordination de ses gestes était plus inquiétante qu'harmonieuse.

« Mon Dieu, pensa Willow Moran en le regardant traverser dans sa direction le hall du tout nouvel hôtel Denver Queen. Ça ne peut pas être Caleb Black, l'ancien soldat que M. Edwards a trouvé pour me conduire jusqu'à mon frère ! »

La contrariété de Willow ne fut trahie ni par ses yeux noisette, ni par son attitude. Elle ne recula pas d'un pouce malgré les battements indisciplinés de son cœur. La guerre lui avait appris que lorsqu'une jeune femme ne pouvait éviter le danger, il lui fallait tenir bon avec toute la dignité possible... et un pistolet Derringer à deux coups dans la poche secrète de sa jupe.

Le contact de l'acier dissimulé dans les plis de soie la rassurait, comme si souvent par le passé. La main posée sur la crosse, elle observa l'inconnu. Et ce qu'elle vit n'était guère réconfortant. Sous le large bord du chapeau plat, des yeux couleur d'ambre la fixaient avec une acuité glaciale.

— Madame Moran ?

Sa voix était intensément virile, comme la moustache et la barbe de plusieurs jours qui ombraient ses joues creuses. Pourtant l'intonation n'était pas dure, mais profonde, irrésistible. Une femme pourrait facilement se noyer dans cette voix grave, ces yeux fauves, dans la force que dégageait cet homme.

— Oui, je suis Mlle... euh, Mme Moran, répondit Willow qui se sentit rougir sous le mensonge.

Willow Moran, oui ; Mme Moran, non.

— Vous êtes venu me chercher pour me conduire auprès de M. Black ? poursuivit-elle.

Willow savait que sa voix était un peu rauque, un peu haletante, mais elle n'y pouvait rien. Elle avait soudain toutes les peines du monde à parler.

— Je suis Caleb Black.

Willow parvint à esquisser un sourire.

— Pardonnez-moi de ne pas vous avoir reconnu. D'après la description de M. Edwards, j'attendais un gentleman plus âgé. M. Edwards vous accompagnet-il ?

Elle avait légèrement appuyé sur le mot « gentleman », et les lèvres de Caleb Black s'incurvèrent en une mimique qui aurait pu, avec beaucoup d'indulgence, passer pour un sourire. Il eut un geste du pouce pardessus son épaule.

— Dans ces montagnes, madame, un gentleman n'est pas plus utile qu'une poignée de sable. Cependant il est normal qu'une dame raffinée comme vous l'ignore. Nous connaissons tous l'importance des bonnes manières pour les gens du Sud.

Il regarda en direction de l'autre porte, derrière Willow.

— Eddy et la veuve Sorenson nous attendent là-bas.

Les joues de Willow se teintèrent délicatement de rose. Elle était embarrassée par sa grossièreté involontaire envers cet homme. Elle n'avait pas voulu être blessante, c'était pure étourderie de sa part. Le long voyage depuis sa ferme en ruine de Virginie l'avait sans doute perturbée.

Malheureuse, Willow dut bien reconnaître qu'elle méritait en partie la triste appréciation qu'elle lisait dans les yeux d'ambre.

Sa robe avait été faite en 1862, avant que la guerre ne ravageât les domaines et la fortune de sa famille. A l'époque, elle mettait en valeur ses formes naissantes. Quatre ans plus tard, Willow était plus épanouie, et la soie bleu-gris était tendue sur ses seins.

Pourtant c'était la seule robe un peu élégante qu'elle possédât, et elle l'avait choisie car elle s'attendait à rencontrer un gentleman. Or elle se trouvait face à un aventurier mal rasé qui la considérait avec dédain. Elle releva légèrement le menton pour l'affronter.

— La guerre est terminée, monsieur Black.

— Et vous l'avez perdue.

Willow ferma brièvement les paupières, les rouvrit.

— Oui.

Caleb fut surpris de cet aveu, comme de l'assombrissement soudain de ses yeux noisette. Il était étonné aussi que sa proie, Matthew « Reno » Moran, eût une femme. D'ailleurs, cette jeune personne à la robe trop juste et aux lèvres si sensuelles n'était sans doute pas tout à fait ce qu'elle prétendait. La maîtresse de Reno, sans doute. Mais son épouse ? Rien de ce qu'il avait appris sur Reno depuis qu'il le pourchassait n'indiquait qu'il fût du genre à se marier.

Caleb observa Willow tout à loisir et fut intrigué de la voir rougir à nouveau. Les femmes comme elle ne s'offraient généralement pas le luxe de posséder des sentiments ou de l'orgueil ; or celle-ci, visiblement, en avait.

Une fois de plus, Caleb se demanda à quoi pouvait bien ressembler son prétendu mari — quel genre d'individu était capable à la fois de séduire une innocente comme Rebecca, la sœur de Caleb, et de provoquer chez quelqu'un comme Willow une passion telle qu'elle n'hésitait pas à le poursuivre au fin fond de l'Ouest sauvage...

Caleb haussa les épaules. Peu importait de savoir si Willow était madame ou mademoiselle. Peu importait aussi de spéculer sur l'insaisissable Matthew « Reno » Moran, le séducteur que Caleb recherchait depuis onze mois.

Quand il l'aurait trouvé, il le tuerait.

— Nous y allons ? demanda-t-il. A moins que vous n'ayez renoncé à chercher votre... mari ?

Ses yeux froids fixaient la main gauche de Willow, fine et sans bague. Elle rougit encore. Elle détestait mentir, mais dans ses lettres, son frère avait été clair : il vivait dans un pays brutal, barbare, où une jeune fille seule serait en danger. Une femme mariée, c'était une autre histoire : elle était protégée par son époux.

Willow s'éclaircit la voix.

— Oui, répondit-elle en croisant le regard de Caleb avec un mélange d'embarras et de défi. Mon mari... Auriez-vous entendu parler de lui, par hasard ?

— Vous savez, beaucoup d'hommes changent de nom quand ils franchissent le Mississippi. Même des hommes honnêtes.

Willow ouvrit de grands yeux.

— Comme c'est curieux !

— La plupart des gens ne trouvent pas l'honnêteté curieuse.

Le mépris qui perçait dans son intonation pétrifia Willow.

— Ce n'est pas ce que je voulais dire.

Caleb parcourait la jeune femme du regard, depuis sa chevelure d'or bruni jusqu'aux délicats souliers de cuir qui pointaient sous sa jupe.

— Je n'ai jamais rencontré d'homme appelé Matthew Moran. A-t-il un surnom?

— Si c'est le cas, il ne m'en a pas parlé.

Caleb plissa les yeux.

— Vous en êtes sûre?

— Certaine.

— Depuis combien de temps êtes-vous... mariés?

La voix de Caleb trahissait son scepticisme, son regard aussi. Willow détestait le mensonge, mais la guerre lui avait enseigné que pour survivre il fallait parfois agir contre ses principes.

— Est-ce important? biaisa-t-elle.

Caleb eut un sourire sardonique.

— Pas pour moi. Mais vous semblez un peu jeune pour être une épouse. A peine sortie de vos langes, en fait.

— J'ai vingt ans! déclara-t-elle distinctement. Beaucoup de femmes sont déjà mères, à mon âge.

— Et quel âge a votre mari?

— Vingt-cinq ans, répondit Willow, heureuse de pouvoir enfin dire la vérité. Matt est le plus jeune de mes... Je veux dire, se reprit-elle vivement, il est le plus jeune d'une famille de cinq fils.

Après un bref silence, Caleb haussa un sourcil et offrit son bras à la jeune fille, qui préféra ignorer le sarcasme caché sous ce geste galant. Car certainement Caleb n'était pas homme à agir par courtoisie. Malgré cela, elle posa la main sur sa manche avec toute la grâce qu'on lui avait enseignée.

— Merci, monsieur Black, murmura-t-elle.

Le très léger enrouement de sa voix fit à Caleb l'effet d'une caresse. Et le contact de ses doigts le troubla étrangement. Il sentit le désir monter en lui avec une violence qui le stupéfia, car jamais il ne laissait ses instincts se débrider ainsi. Que lui arrivait-il ?

Malgré lui, il ne put s'empêcher de se demander si Willow était du genre à se donner avec sincérité, ou si ce n'était qu'une petite pimbêche prête à coucher avec un homme pour quelques pièces. Caleb avait horreur des prostituées, professionnelles ou non.

De l'autre côté du hall, un homme trapu se leva, leur fit signe. La veste de son costume était d'une couleur indéfinissable, sa chemise délavée et, comme beaucoup d'hommes dans l'Ouest, il portait un pantalon d'uniforme militaire.

— Voici M. Edwards, dit Willow.

— Vous semblez soulagée...

— Il m'a dit le plus grand bien de vous.

— Et vous pensez qu'il mentait...

Willow s'arrêta, et Caleb en fit autant.

— Monsieur Black... commença la jeune femme.

Elle s'interrompit quand ses yeux d'ambre se fixèrent sur elle. Elle prit une profonde inspiration avant de poursuivre :

— Je vous présente mes excuses pour vous avoir offensé. Je ne le voulais vraiment pas. J'ai simplement été surprise par votre apparence. Je m'attendais à voir un homme deux fois plus âgé, un ancien militaire aux cheveux gris, aux manières démodées...

— Un gentleman ? ironisa Caleb.

— ... un homme élevé dans la crainte de Dieu, termina Willow.

— Et qui vous dit que je ne le suis pas ?

— Je ne pense pas que vous ayez peur de qui que ce soit. Même pas de Dieu.

Caleb eut un sourire, un vrai sourire cette fois, qui changea complètement l'expression de ses traits durs.

Willow retint son souffle. Quand Caleb souriait, il était beau comme le diable en personne. Impulsivement, elle posa de nouveau la main sur son bras et répondit à son sourire.

— Nous y allons? proposa-t-elle.

La courbe douce de ses lèvres ranima brusquement le désir de Caleb. La réaction de son corps à cette femme le rendait fou de rage, et il serra les dents.

— Gardez les battements de cils et les sourires pour votre mari, jeune femme. Chaque fois que je regarde votre jolie robe et vos cheveux de soie, je pense au nombre d'hommes qui sont morts à la guerre pour que les gens comme vous puissent garder ce luxe qu'ils considèrent comme un dû.

Le mépris qui perçait dans sa voix glaça Willow. En vérité, elle n'était ni riche, ni gâtée. Mais l'avouer à cet homme n'attirerait pas sa pitié, peut-être même refuserait-il le travail qu'elle lui offrait. S'il apprenait qu'elle ne pourrait le payer avant d'avoir retrouvé son frère, il risquait purement et simplement de tourner les talons.

Ce qui serait une catastrophe. M. Edwards avait été formel : Caleb était l'un des rares hommes de la région — et le seul dans la petite ville de Denver — à qui l'on pût confier en toute sécurité la vie de Willow, sa vertu et ses précieux chevaux.

En silence, la jeune fille se détacha de Caleb pour se diriger vers M. Edwards, sans remarquer les murmures d'admiration qui saluaient son passage à travers le hall. Elle n'avait pas l'habitude d'être considérée comme une femme. Après le départ de son père à la guerre, elle s'était contentée de veiller sur sa mère, sans jamais s'occuper d'elle-même.

Mais si Willow en était inconsciente, Caleb ne manqua pas de remarquer les regards appréciateurs, et il fusilla plus d'un homme d'un coup d'œil meurtrier. Pas pour protéger l'illusoire vertu de la jeune femme, se dit-il. Seulement afin de pouvoir régler son compte à Reno. N'importe lequel des jeunes gens qui la fixaient avec tant d'avidité aurait été heureux de gagner cinquante dollars en conduisant la belle Willow dans ce pays sauvage.

— Je vous remercie, monsieur Edwards, d'avoir arrangé cette entrevue, dit Willow de sa voix douce.

Eddy, souriant, s'inclina sur sa main avant de présenter sa compagne, une petite femme ronde d'une bonne trentaine d'années aux cheveux bruns, aux joues rouges et aux yeux très bleus.

— Voici Mme Sorenson, madame Moran. Rose, c'est la jeune femme dont tu entends sans cesse parler depuis trois semaines.

Willow sursauta.

— Trois semaines ? Mais je suis arrivée à Denver il y a à peine trois heures !

Eddy fit une petite grimace.

— Depuis l'invention de ce sacré télégraphe, les nouvelles vont si vite qu'on en a le tournis. Nous avons appris que vous êtes montée dans la diligence à Saint-Joseph et que vous y avez attaché vos cinq pur-sang.

Rose se leva et tapota affectueusement la main de Willow.

— Ne faites pas attention, madame Moran. Dans l'Ouest, on n'a pas beaucoup de sujets de conversation. Alors tout ce qui sort de l'ordinaire nous met en ébullition.

Il y avait beaucoup de bonté dans l'expression de la femme. Et aussi une certaine tristesse, une tristesse semblable à celle que Willow avait vue sur les traits de sa propre mère, après que la guerre eut emporté son mari.

— Ne t'inquiète pas, Rose, intervint Caleb. Une

femme qui pourchasse un beau jeune homme comme Matthew Moran doit être habituée à ce que les langues aillent bon train à son sujet.

Rose pouffa avant de lui tendre la main.

Bien que Caleb se fût abstenu de partager son lit depuis qu'il avait présenté Rose à Edwards quelques mois auparavant, il était toujours ravi de la voir lorsqu'elle venait à Denver. Il admirait le courage et l'humour de la jeune veuve, qui avait élevé ses cinq enfants sans l'aide d'un époux. Si les contributions discrètes de quelques hommes l'avaient soutenue depuis trois ans que son mari était mort, Caleb n'y voyait aucun mal. Cet argent était destiné à ses enfants, non à l'achat de robes de soie ou de chevaux de prix.

Il ôta son chapeau pour baiser les doigts de Rose avec élégance, et ce geste indiqua à Willow en quelle piètre estime il la tenait. Cet homme avait de parfaites manières, pourtant, pas une fois il ne s'était découvert en sa présence.

— Je croyais que vous ne connaissiez pas mon fr... mari, dit-elle, froide.

— C'est vrai.

— Alors, comment savez-vous qu'il est beau ?

— Jamais je n'ai vu une femme se lancer à la recherche d'un monstre, sauf s'il est très riche. Votre époux est-il riche ?

— Non, répondit-elle vivement, en pensant au filon d'or que Matt avait découvert et qu'il tentait de protéger. Il n'a pas un dollar en poche !

Caleb, sans l'écouter, s'était détourné pour serrer la main à son compagnon :

— Salut, Eddy ! Content de te voir sur pied après ta mésaventure avec ce fichu étalon.

Edwards prit mollement la main de Caleb puis se rassit, visiblement soulagé.

— Il était moins une, bon sang! Ma main et ma jambe droites sont encore tout endolories. La prochaine fois, je te laisserai dresser ce satané canasson!

— Non, merci! A ta place, je me débarrasserais de lui comme je l'ai eu — en le jouant au poker. Il a une superbe crinière dorée, ajouta Caleb avec un coup d'œil aux cheveux de Willow, mais il est fourbe. Même s'il te donne de jolis poulains, tu ne pourras jamais leur faire confiance. Quand le sang est pourri, la beauté n'a aucune importance.

Non, il n'était pas en train de l'insulter, se persuadait Willow, il parlait simplement d'un cheval... Elle se le répétait encore quand Caleb aida Rose à s'asseoir, avec tant d'attentions qu'Eddy se crut obligé de se relever pour s'occuper de Willow.

— Non, ne bougez pas, protesta-t-elle en voyant qu'il avait de la peine à se redresser. Je suis parfaitement capable de me débrouiller seule.

— Merci, madame, soupira Edwards avant de marmonner : Depuis que ce sale cheval m'a désarçonné, je n'ai plus grand-chose d'un homme!

Willow sourit et lui dit à voix basse, pour ne pas être entendue :

— La valeur d'un homme n'a rien à voir avec l'âge, ni avec une blessure. Vous m'avez été d'une aide inappréciable!

Caleb, avec son oreille fine, perçut les paroles de la jeune femme, et il lui lança un coup d'œil inquisiteur. Mais il ne lut sur son visage qu'une sincère compassion.

Les sourcils froncés, il s'installa sur le dernier siège libre. Il s'était attendu que Willow fît toute une histoire pour qu'on lui trouvât un fauteuil, en enfant gâtée, mais elle s'était contentée de mettre gracieusement Edwards à l'aise... Décidément, la petite amie de Reno réservait bien des surprises.

Or Caleb n'aimait pas être surpris. Il avait vu trop d'hommes mourir avec une telle expression sur le visage.

— N'avez-vous pas eu trop de mal à venir jusqu'ici? demanda aimablement Rose.

— Ç'a été toute une aventure! avoua Willow avec un sourire. Les lettres de Matt parlaient du Mississippi, mais je n'avais pas réalisé à quel point ce fleuve est vaste et impressionnant. Lorsque nous l'avons traversé, j'ai eu l'impression de monter un cheval fougueux.

Rose frissonna.

— Ça ne m'étonne pas! Je me rappelle avoir été terrorisée quand nous l'avons franchi, mon mari et moi, il y a des années, et pourtant nous avions attendu la saison favorable. En mai, il doit sacrément secouer!

— Oh, oui! Des troncs d'arbres plus gros que des chariots étaient ballottés comme des fétus de paille. A un moment, un chêne s'est écrasé contre le bac, et quelques chevaux sont passés par-dessus bord. Heureusement, nous étions assez près de l'autre rive, ils ont pu la rejoindre à la nage.

Pensif, Caleb se souvint de sa propre expérience. Il avait alors cinq ans, mais l'immense barrière bouillonnante l'avait plus enthousiasmé qu'effrayé.

— Et le trajet en diligence? questionna Rose. J'avais envie d'aller dans l'Est, mais je me suis juré de ne plus jamais utiliser ce moyen de transport, et je suppose que je serai morte avant que le chemin de fer n'arrive jusqu'ici.

Willow hésita un moment avant de reconnaître :

— La voiture cahotait, tressautait, le cocher faisait claquer son fouet en jurant à tue-tête, et le bruit des roues aurait réveillé un mort... En fait, après quelques jours, j'ai commencé à me demander si nous n'étions pas en route pour l'enfer!

Rose sourit.

— Cela doit être dépaysant de voyager ainsi.

— Moins que toutes ces étendues de terre déser-
tiques, rétorqua Willow. Pas un seul arbre! Les relais
de poste sont creusés à même les collines. Matt me
l'avait raconté, mais j'ai cru qu'il exagérait.

Eddy se mit à rire en secouant la tête.

— Ne dites pas que je ne vous avais pas prévenue,
madame Moran...

— Oh, c'est vrai! Lorsque j'ai trouvé votre nom dans
le courrier de mon p... de mon beau-père et que je vous
ai écrit au sujet de Matt, vous avez tout fait pour me
décourager.

— Il doit y avoir pas loin de mille kilomètres depuis
Saint-Joseph. Un long et dur voyage, pour une jeune
femme seule.

— C'est vrai, mais j'avais mes chevaux. Ishmael est
plus confortable que tous les sièges de diligence.
Quand il ne pleuvait pas, je le montais. Certains passa-
gers ont fait un voyage bien pire que le mien, sans
argent pour s'offrir des arrêts la nuit afin de se reposer.
J'ai rencontré de pauvres diables qui accomplissaient le
trajet en deux fois moins de temps que moi.

— Pourquoi n'avez-vous pas attendu que votre
homme vienne vous chercher? demanda Rose.

Puis elle eut un petit rire gêné :

— Mon Dieu, je parle à tort et à travers! Je suis
désolée, madame Moran. Je suis tellement avide de
toutes les nouvelles qui arrivent de l'Est que j'en perds
mes bonnes manières. La plupart des gens qui viennent
ici ne veulent pas parler de ce qu'ils ont laissé derrière
eux, ni de la raison de leur départ, parfois même ils
refusent de dire leur vrai nom.

Avant que Willow pût répondre, Caleb intervint d'un
ton sec :

— Ne t'inquiète pas pour les bonnes manières, Rose. Mme Moran est une Sudiste si raffinée qu'elle ne s'attend certainement pas à grand-chose de notre part en matière d'éducation.

— Caleb Black! s'indigna Rose, stupéfaite. Quelle mouche te pique? Ce n'est pas ton genre de te soucier de savoir de quel côté étaient les gens pendant la guerre. Et tes manières sont meilleures que celles de n'importe quel homme — de l'Est, du Sud ou du Nord! En tout cas, elles l'étaient...

Elle se tourna vers Willow, lui tapota le bras.

— Ne vous tracassez pas pour Cal. Il plaisante. Il ne déteste pas les gens du Sud. D'ailleurs, Eddy vient du Texas!

— De toute façon, dit Edwards, Mme Moran est une Yankee. La Virginie de l'Ouest a pris parti pour le Nord.

Caleb regarda Willow, les yeux plissés.

— Alors pourquoi m'avoir dit que vous aviez perdu la guerre?

Willow aurait peut-être dû ne pas répondre, mais il était trop tard. Elle considéra Caleb avec froideur:

— Nos fermes se trouvaient à la frontière. Quand les Sudistes venaient, ils nous traitaient de Yankees et s'emparaient de tout ce qu'ils pouvaient emporter et manger. Lorsque c'étaient les Yankees, ils nous traitaient de sales Sudistes et agissaient de la même façon. Pendant cette guerre, mon père a été tué, ma mère est morte de chagrin. Tout a été volé ou « réquisitionné » par l'un ou l'autre camp, sauf cinq de nos chevaux. Nos récoltes ont été brûlées, nos arbres abattus. Nous avons perdu nos fermes l'une après l'autre jusqu'à ce qu'il ne nous reste plus rien, pas même un jardin potager. Alors dites-moi, monsieur Black... comment pourrais-je ne pas être du côté des perdants dans cette guerre?

— C'est pourquoi vous êtes venue dans l'Ouest, intervint vivement Rose pour apaiser la tension presque palpable qui passait entre la jeune femme et Caleb. Vous serez chez vous à Denver, ma chère. Beaucoup de gens ont émigré ici, laissant leur passé derrière eux, comme le serpent quitte sa vieille peau. Voilà à quoi sert l'Ouest : à repartir du bon pied quand tout le reste va mal. Votre mari et vous, vous avez l'intention de monter un ranch ?

Willow se détourna de Caleb pour revenir à Rose. Elle aurait aimé avouer à la charmante veuve toute la vérité, mais Matt avait été ferme : il ne fallait faire confiance à personne, et surtout ne pas montrer la carte qu'il lui avait envoyée. La perspective d'un filon d'or pouvait changer les gens les plus honnêtes. Voilà pourquoi Matt avait écrit chez lui. Il espérait que l'un de ses frères l'aiderait à exploiter la mine. Mais quand la lettre était arrivée, ils étaient tous disséminés aux quatre coins du pays. Seule Willow était disponible.

— Quoi que décide Matt, répondit-elle enfin, j'aimerais élever des chevaux. Ishmael est un excellent étalon, et mes quatre juments ont été suivies avec soin.

— Où vous établirez-vous ?

— Je ne sais pas encore. La loi sur les concessions autorise une femme à...

— Les concessions ! coupa Eddy. Vous n'y pensez pas, madame Moran ! Vous êtes une dame trop respectable pour vous abîmer les mains en travaillant cette terre aride ! Vous devez laisser votre mari s'occuper de vous.

— C'est très gentil, mais je préfère ne dépendre que de moi-même. Les hommes changent si souvent d'avis ! Agitez un drapeau sous leur nez, prononcez les mots d'or ou d'aventure, et ils s'en vont, laissant leur femme se battre pour assurer sa subsistance et celle des enfants dont ils avaient tellement envie !

Rose jeta à Willow un coup d'œil stupéfait, puis elle éclata d'un rire sonore.

— Ça, c'est la vérité vraie! Mon Joe n'était pas plus mauvais qu'un autre, Dieu ait son âme, mais quand un de nos voisins est parti dans ces montagnes du Diable il y a quatre ans, sûr qu'il y trouverait de l'or, Joe lui a emboîté le pas sans se soucier des quatre petits accrochés à mes jupes, ni de celui qui était encore dans mon ventre! Et il n'en est jamais revenu...

— Je suis désolée, madame Sorenson, murmura Willow. Ç'a été dur pour moi alors que je n'avais que Mère à charge. Je ne sais pas ce que j'aurais fait avec cinq enfants!

— Oh, il n'y avait pas que du mauvais, mon petit. Les hommes sont des créatures fantasques, mais charmantes. La vie sans eux ne vaudrait pas la peine d'être vécue, ajouta la veuve en souriant à Eddy.

Un étrange sentiment d'envie s'empara de Willow en voyant le regard qu'échangeaient Rose et Eddy. Il y avait bien longtemps qu'elle-même n'avait pas rêvé de partager sa vie avec quelqu'un. Et encore, à seize ans elle était trop jeune pour en comprendre le sens profond. Elle avait simplement éprouvé l'impatience et l'enthousiasme de cet âge.

Puis la guerre était venue, son fiancé Steven avait été tué, et Willow avait appris que la vie était une lutte perpétuelle.

— Vous oublierez tous les mauvais moments, lui promit gentiment Rose. Votre homme vous fera des enfants, et vous ne penserez plus à cette folie d'avoir une concession et de subvenir vous-même à vos besoins. Le bon Dieu savait ce qu'Il faisait lorsqu'Il a créé la femme pour être la compagne de l'homme.

Caleb s'appuya au dossier de son siège.

— Garde ta sympathie pour ceux qui en ont besoin,

Rose. Mme Moran cherche seulement un guide capable de la mener à Matthew Moran.

— Tu vas t'en charger ? demanda Eddy.

— Sans doute, répondit Caleb, l'air indifférent. De toute façon, je vais vers les monts San Juan.

— Tant mieux ! s'écria Eddy, soulagé. Je l'aurais fait volontiers, sans cette maudite blessure... Je suis heureux que mon message te soit parvenu. J'ignorais si tu te trouvais dans le Nord, à Yuma ou vers le Sud.

— Je chassais avec Wolfe quand un chaudronnier ambulant est arrivé au camp et a dit que tu me cherchais pour conduire Mme Matthew Moran à son époux.

— Wolfe ? grommela Eddy. Pas étonnant que tu aies été prévenu si rapidement. Qu'un insecte rampe n'importe où dans le pays, et ce métis est au courant.

Il sortit sa montre-gousset.

— Si nous n'allons pas tout de suite à la salle à manger, Rose, on va nous chiper notre table.

Il se tourna vers Willow :

— Maintenant que vous avez rencontré Cal, madame Moran, êtes-vous satisfaite de cet arrangement ?

Après une imperceptible hésitation, Willow hocha la tête. Elle ne voulait pas révéler sa contrariété. Non qu'elle doutât de la compétence de Caleb, ou de son honnêteté. C'était l'effet qu'il produisait sur elle qui l'inquiétait. Il lui rappelait avec intensité qu'elle était une femme, pourtant il ne cachait pas son antipathie envers elle. Ce mélange était affreusement déconcertant.

« Je suis seulement lasse, se dit-elle pour se rassurer. Un bain chaud, une bonne nuit de sommeil, et tout ira bien. Je ne suis pas venue jusqu'ici pour renoncer sous prétexte qu'un individu grossier me donne l'impression d'être une adolescente. En outre, je n'ai pas le choix... Maman avait raison : les rêves que papa et elle avaient formés ont disparu en même temps que leurs terres. Je n'ai plus de foyer, plus rien. Il faut que je trouve une nouvelle maison, que je me construise un nouveau rêve. »

Eddy se leva avec précaution.

— Je vous laisse en de bonnes mains, madame Moran, dit-il.

— Merci. Si jamais je peux vous rendre service à mon tour...

— Sottises! coupa fermement Eddy. Le père de votre époux m'a vendu le meilleur cheval que j'aie jamais possédé. Il m'a sauvé la vie plus d'une fois. Je suis heureux d'aider ses enfants.

Il ferma un bouton de sa veste avant de s'incliner sur la main de Willow. Puis il s'adressa à Caleb :

— Je te recommanderais bien de t'occuper avec soin de cette jeune dame, mais c'est inutile : si je n'avais pas été sûr de toi, jamais je ne t'aurais appelé. Et si j'entends parler d'un chercheur d'or nommé Reno, je te le ferai savoir.

Caleb jeta un regard en biais à Willow. Elle ne réagit pas. Ce qui signifiait que soit elle était une excellente actrice, soit elle connaissait son « mari » seulement sous le nom de Matthew Moran.

— Entendu, Eddy.

Caleb baisa la main de Rose.

— Soigne-le bien. Et empêche-le de s'approcher de ce satané cheval !

Silencieux, Caleb et Willow regardèrent le couple s'éloigner, Eddy raide de douleur.

— Il guérira ? demanda doucement la jeune femme.

— Si ses vieux ennemis ne le trouvent pas avant qu'il soit tout à fait remis, ça ira.

— Des ennemis?

— Eddy a porté l'insigne de shérif dans quelques endroits chauds. Ça lui a attiré pas mal d'ennemis... Où sont vos chevaux?

— A l'écurie au bout de la rue.

— Laissez-les là. Je vous fournirai une monture qui ne renâclera pas à la première difficulté.

— C'est fort aimable à vous, mais...

— Je ne suis pas aimable! coupa sèchement Caleb. Je suis pratique. Là où nous allons, un animal délicat, nerveux, ne nous causera que des problèmes.

— Mes pur-sang ne sont pas délicats, ils valent certainement mieux que n'importe quel autre cheval.

Caleb jura entre ses dents.

— Dans quelle partie de la région voulez-vous aller?

— Celle où il y a des montagnes.

— Dans ce pays, madame, il y a des montagnes partout, dit-il, ironique. A laquelle pensez-vous particulièrement?

— Je vous le dirai quand nous y serons.

— Si nous prenons vos jolis chevaux, jeune femme, nous n'y arriverons jamais.

2

Avant que Willow pût répondre, on entendit un brouhaha en provenance de la salle à manger. Une voix tonitruante s'éleva au-dessus des autres:

— Toi et ta femelle, vous avez qu'à attendre qu'une autre table soit libre, vieux débris. En fait, vous pouvez bien attendre que moi et mes potes on ait fini de manger. Je veux pas de cette garce dans les parages.

Stupéfaite, Willow se tourna vers la salle de restaurant, et elle vit que Rose et Eddy étaient menacés par quatre voyous, tous armés. Il y eut un murmure parmi les autres convives, qui reculèrent prudemment. La jeune femme saisit quelques mots au sujet de Rose qui avait refusé d'accueillir dans sa pension de famille le petit frère de Slater.

Caleb, lui, savait exactement de quoi il s'agissait. Si Eddy s'était trouvé dans son état normal, il se serait contenté de s'approcher pour jouer les arbitres, s'assurer que les amis du gamin n'intervenaient pas entre l'ancien représentant de l'ordre et le jeune hors-la-loi.

Mais Eddy était blessé, et Johnny Slater le savait. Eddy avait le choix entre laisser insulter Rose sans réagir, ou tenter de dégainer son arme de sa main abîmée. Ou encore essayer de la saisir de la main gauche, mais c'était perdu d'avance.

— Non! s'écria Rose en venant se placer entre les deux adversaires, tournant le dos au gredin qui l'avait injuriée. Tu ne peux même pas tenir ta fourchette, Eddy. Alors un pistolet...

Rose avait à peine terminé sa phrase que la main de Caleb s'abattait sur l'épaule de Johnny Slater.

— Tu parles mal, petit. Nous autres ici, à Denver, on en a assez de t'entendre. Maintenant, tu peux offrir tes excuses à Mme Sorenson et quitter la ville, ou alors essayer de dégainer ces beaux joujoux que tu aimes tant.

La surprise laissa vite la place à la contrariété quand Johnny lut la sombre menace dans les yeux de Caleb. Vociférer contre un homme diminué était une chose. Mais se trouver nez à nez avec un individu qui n'avait pas peur et qui se moquait comme d'une guigne de sa réputation de tireur...

Johnny se mit à transpirer. Il jeta un coup d'œil à ses

amis pour s'apercevoir qu'ils assistaient à la scène les bras croisés, bien résolus à le laisser se débrouiller seul.

— Décide-toi, gamin, insista Caleb.

La froide impatience qui perçait dans sa voix fit frémir Johnny. Sa main avança vers son arme, s'arrêta, avança encore. Le regard de Caleb le fit renoncer à aller plus loin.

Celui-ci eut une grimace de dégoût.

— Ton frère est peut-être un véritable loup, mais toi tu es tout juste un coyote. Présente tes excuses à la dame, Kid Coyote.

— Pas question de m'excuser auprès d'une...

La gifle arriva si vite qu'il eut à peine le temps de la voir. Avant qu'il comprît ce qui se passait, Caleb lui en envoya une deuxième.

— Ça, Kid Coyote rampant, c'est pour tous les hommes à qui tu as tiré dans le dos.

Paf !

— Et ça, pour toutes les femmes que tu as injuriées.

Paf !

— Pour les enfants à qui tu as volé leurs bonbons.

Paf !

— A présent, donne-moi tes armes, Kid Coyote.

— Quoi ? demanda Johnny en secouant la tête, totalement hébété.

— Défais tes holsters.

Les doigts tremblants de peur et de rage, Johnny obéit.

— Qui que vous soyez, vous êtes un homme mort ! grinça-t-il. Mon frère vous tuera !

La première ceinture tomba par terre.

— Le jour où il se sentira en forme, répondit calmement Caleb, dis-lui de demander Caleb Black.

Le second holster heurta le plancher.

— Si ce nom ne lui dit rien, qu'il cherche l'Homme de Yuma, poursuivit Caleb. Quant à toi, Kid Coyote, tu ferais mieux de ne plus jamais porter d'arme. Ceux qui vivent par l'épée meurent par l'épée. Et tu mourras, petit. Si je te vois une seule fois avec un pistolet, où que ce soit, quand que ce soit, je t'abats sur place. C'est bien compris ?

Johnny hocha la tête, maussade.

— C'est mon premier et seul avertissement. Tu n'en méritais pas tant.

Caleb se tourna pour faire face aux amis de Johnny. Il les regarda un long moment, gravant dans sa mémoire les visages de ses nouveaux ennemis. Il reconnut un chasseur de primes des monts San Juan.

— Débouclez vos ceinturons, les gars.

D'autres holsters allèrent rejoindre ceux de Johnny.

— Vous êtes en mauvaise compagnie, mais chacun est libre dans ce pays. Pourtant, je ne sais pas comment vous supportez ce putois...

Caleb eut un signe de tête en direction de la rue.

— Sortez, ordonna-t-il.

Écarlates de rage et de frustration, les jeunes bandits s'exécutèrent.

Dès que la porte se fut refermée sur eux, les conversations enthousiastes allèrent bon train, chacun commentant l'événement, qui ajoutait encore à la gloire grandissante de l'Homme de Yuma.

Willow ne dit rien. Elle se contenta de respirer un grand coup et relâcha la crosse du Derringer caché dans les plis de sa jupe.

Caleb se tourna vers Rose.

— Désolé que tu aies dû entendre toutes ces saletés.

Rose eut un sourire tremblé et murmura :

— Tu es un homme bon, Caleb Black. Il y aura toujours une place pour toi à ma table.

Caleb sourit et effleura la joue de la jeune veuve avec une tendresse qui surprit Willow.

— Merci, dit simplement Eddy à son ami. Je n'oublierai jamais cette dette envers toi.

Caleb secoua la tête.

— Tu es ce qui pouvait arriver de mieux à Rose. C'est une récompense largement suffisante.

— Un de ces jours, Johnny essaiera de te tirer dans le dos, insista Eddy. Tu aurais dû le tuer quand tu en avais l'occasion.

— Il y avait trop de femmes dans la pièce pour tirer. Une balle perdue...

— Ce n'est pas ton genre!

Caleb haussa les épaules et entreprit de ramasser les armes.

— Johnny est un sale petit vaurien, mais il n'a jamais tué un des miens. Il a insulté Rose, je l'ai insulté. En ce qui me concerne, nous sommes quittes.

— Œil pour œil... murmura Willow. Est-ce votre loi, dans l'Ouest?

Il se redressa avec une vivacité féline.

— Pas la mienne, dame du Sud. Celle de Dieu. « Tu rendras vie pour vie, œil pour œil, dent pour dent, main pour main, pied pour pied, blessure pour blessure, coup pour coup. »

Willow frissonna tant il y avait d'intensité dans la voix de cet homme.

— Et le pardon? demanda-t-elle. Tendre l'autre joue?

— C'est un luxe réservé aux gens qui ont suffisamment de policiers pour les protéger des gredins comme Kid Coyote. Denver ne connaît pas cette chance. Et là où je vais vous emmener, c'est encore pire. Si un homme tend l'autre joue, il sera frappé de nouveau, encore plus fort, jusqu'à ce qu'il décide de se battre ou renonce à s'appeler un être humain. Dans les montagnes, un homme doit faire justice lui-même, car personne d'autre ne s'en chargera.

— Et une femme ? Que fait-elle ?

— Elle reste en ville ! déclara fermement Caleb. Si elle ne le peut pas, elle trouve un homme assez fort pour la protéger. C'est ainsi que cela se passe, par ici, jeune dame du Sud. Rien de très élégant. Vous tuez votre gibier, vous le dépouillez, vous le faites cuire, vous le mangez, puis vous repartez chasser.

Caleb s'approcha de Willow, les yeux plissés, et lui demanda très bas, afin que personne n'entendît :

— Toujours prête à partir à la recherche de votre... mari ?

Willow regarda ce géant tout près d'elle, tenant plusieurs revolvers dans ses mains, et elle se dit que sa première impression avait été la bonne...

Il était dangereux.

Puis elle se rappela son geste affectueux vis-à-vis de Rose. Caleb était dur comme une pierre à aiguiser, mais c'était aussi un honnête homme. Elle serait en sécurité avec lui, elle en était certaine.

— Oui, répondit-elle enfin.

Caleb eut l'air un peu étonné, mais il déclara seulement :

— Préparez-vous. Nous partons dans une heure.

— Comment ? Mais la nuit ne va pas tarder et...

— Une heure, jeune femme. Rendez-vous à l'écurie au bas de la rue. Si vous n'y êtes pas, je viendrai vous chercher moi-même.

Une heure et trois minutes plus tard, on frappa impatiemment à la porte de la chambre de Willow, à l'auberge. Elle était en train de fermer les boutons récalcitrants de sa tenue de cheval.

— Qui est là ?

— Caleb Black. Vous êtes en retard.

Cette voix basse, virile, éveilla une curieuse sensation au creux de son estomac. Elle fut prise au dépourvu, car elle n'avait jamais eu peur des hommes.

Puis elle comprit qu'elle n'était pas réellement effrayée par Caleb. Il était différent de tous ceux qu'elle connaissait, aussi était-elle incapable de prévoir ce qu'il allait dire ou faire. Ou comment elle-même allait réagir. Elle était troublée par le simple son de sa voix à travers une porte, c'était terriblement déconcertant.

— J'arrive dans quelques minutes, dit-elle d'une voix enrouée.

— Vous allez arriver dans trente secondes, sinon je viens vous chercher !

— Monsieur Black...

Willow s'interrompit en entendant le bruit d'une clé dans la serrure.

— Je ne suis pas habillée !

— Vingt secondes.

Willow ne perdit pas de temps à discuter. Elle s'appliqua à fermer ses petits boutons ; cependant elle n'en était qu'à la moitié du corsage lorsque la porte s'ouvrit.

La haute silhouette de Caleb emplissait l'embrasure, et elle fut un instant trop choquée pour faire un geste. Il devait voir la fine batiste brodée de sa camisole, et l'ombre qui se dessinait entre ses seins ronds.

Empourprée jusqu'à la racine des cheveux, elle ferma sa veste à deux mains et s'écria, furieuse autant que gênée :

— Sortez de ma chambre !

— Ne vous fâchez pas, jolie dame, dit-il en obéissant. Vous ne possédez rien que je n'aie déjà vu...

Scandalisée, elle dit la première chose qui lui vint à l'esprit :

— Comment vous êtes-vous procuré ma clé?

— Je l'ai demandée au patron. Lequel de ces sacs emportez-vous?

Willow s'efforçait de reprendre contenance. Caleb ne se souciait guère de sa pudeur, mais il ne tentait pas non plus de profiter de la situation. Il avait contemplé son décolleté avec une totale indifférence. Sans doute parce qu'il la croyait mariée, donc intouchable, et elle aurait dû en être soulagée.

Au lieu de cela, elle était irritée qu'il ne la considérât pas comme une femme, et cette stupide réaction ajoutait encore à sa fureur.

— Je les prends tous, déclara-t-elle sèchement.

Caleb secoua la tête.

— Un seul.

— Mais...

— Pas le temps de discuter, coupa-t-il, impatient. Nous partons tout de suite, et peu chargés. L'orage menace. Si nous quittons la ville assez vite, nous aurons une bonne chance que la pluie efface nos traces.

Willow se rappela les menaces de Johnny et elle fronça les sourcils.

— Croyez-vous que le frère de Slater essaiera de nous suivre?

— Jed Slater, mais aussi tous ceux qui sont à la recherche d'une femme gratuite et de bons chevaux. Cela fait beaucoup d'hommes, et ils ne sont pas du genre à aller à la messe le dimanche!

— Je ne suis pas une « femme gratuite », monsieur Black!

— D'accord, concéda-t-il en haussant les épaules. Vous êtes une femme très chère. Quel sac choisissez-vous?

Willow était trop outrée pour répondre. Elle se dirigea vers ses plus petits bagages, où elle prit quelques objets qu'elle fourra dans un sac en tapisserie.

— Celui-là, dit-elle froidement.

Caleb s'en empara et se retourna, s'interdisant de jeter un nouveau coup d'œil au corsage de Willow. Ce qu'il avait vu en entrant dans la chambre était déjà trop. Il avait dû réunir toute sa volonté pour s'empêcher d'aller écarter les petites mains de la jeune femme et enfouir son visage contre sa peau.

— Jeune femme du Sud... commença-t-il sans la regarder.

— Je m'appelle Willow Moran.

— ... nous n'allons pas à un bal, poursuivit-il, ne se souciant guère de l'interruption. Cette élégante tenue d'équitation est aussi inutile que deux cartes pour un brelan. Quand cette longue jupe sera trempée, elle pèsera plus lourd que vous. Il faut porter autre chose.

— Mais quoi ?

— Pantalon, répondit-il succinctement.

Willow cligna des yeux. Il avait vraiment le sens pratique !

— C'est impossible.

— C'est ce que portent tous les jours les Indiennes. Nous ne chevaucherons pas dans des sentiers champêtres, très chère, mais à travers les terres les plus arides que Dieu ait créées. La dernière chose à faire serait de vous encombrer de ces mètres de tissu qui voleraient au vent, se prendraient dans les branches et les broussailles.

— Il faudra juste que je fasse attention. Je n'ai rien d'autre.

Malgré ses résolutions, Caleb se tourna vers elle. La lumière de l'unique lanterne se reflétait dans ses yeux.

— Dans ce cas, ôtez au moins les jupons, conseilla-t-il.

— Je ne peux pas, ils sont pris dans les coutures.

Une rafale de pluie heurta la vitre, tandis que le tonnerre grondait au loin. Caleb secoua la tête et ouvrit la porte. Après s'être assuré que le corridor était désert, il fit signe à Willow de le précéder.

— Et le reste de mes bagages ? demanda-t-elle.

— Vous les trouverez à la pension de famille de Rose à votre retour.

Sans un mot, Willow passa devant lui, essayant de ne pas le toucher. Impossible, il était si grand ! Elle se sentit rougir.

On avait éteint les quelques chandeliers peu de temps auparavant, et l'odeur des mèches s'attardait encore dans le couloir.

— A gauche, indiqua Caleb à voix basse.

Elle obéit, tout en se demandant pourquoi ils n'allaient pas vers la droite, où se trouvait l'entrée de l'hôtel.

— Monsieur Black, où...

— Taisez-vous ! coupa-t-il doucement.

Ce n'était pas le moment de poser des questions. Vêtu des mêmes vêtements foncés que précédemment, Caleb la suivait, ombre immense. Il ne faisait d'ailleurs pas plus de bruit qu'une ombre. Sans l'éclat de ses yeux et celui du métal à l'endroit où il avait retroussé sa veste sur le holster, il aurait été presque invisible.

Mal à l'aise, Willow avança avec précaution dans le noir, lentement, essayant d'être aussi discrète que son compagnon. Hélas, ses jupons bruissaient sous la lourde étoffe de la jupe.

— Attendez, murmura Caleb.

Willow s'immobilisa comme si elle s'était heurtée à une falaise. Elle sentit dans son dos la chaleur de Caleb qui se pencha, la bouche contre son oreille :

— Je passe devant. L'escalier est étroit et les

marches inégales. Posez votre main sur mon épaule pour vous guider.

Avant qu'elle pût répondre, il l'avait précédée et il l'attendait, le dos tourné. Après une légère hésitation, elle obtempéra, et fut aussitôt douloureusement consciente de la force qui se dégageait de lui... Elle n'avait pas été aussi proche d'un homme depuis que son fiancé était parti pour la guerre.

Mais Steven ne la troublait pas à ce point ! Son cœur battait follement, ses genoux se dérobaient sous elle...

Lorsque Caleb se mit en marche, elle trébucha et tendit la main à l'aveuglette pour se retenir. Caleb se retourna en un éclair, avec cette rapidité qui avait surpris Johnny Slater, et l'agrippa par la taille. Quand il s'inclina pour lui parler, elle eut le souffle coupé.

— Si vous n'arrivez pas à faire un pas sans vous prendre les pieds dans cette satanée jupe, marmonna-t-il, je sors mon couteau de chasse et je vous la coupe aux genoux.

Instinctivement, Willow posa les mains sur les bras de Caleb.

— Vous... vous m'avez surprise, c'est tout, chuchota-t-elle. Quand vous avez avancé.

Caleb scrutait le visage de la jeune femme, forme pâle dans l'obscurité. Il fut soulagé : s'il ne voyait pas ses yeux, elle ne pouvait pas non plus lire l'avidité qui brûlait dans les siens.

Elle sentait la lavande, le soleil, sa taille était fine et douce entre ses mains... Trop douce. Il avait une folle envie de la serrer contre lui.

Il la lâcha brusquement, saisit le sac de tapisserie et lui tourna le dos. Il y eut un léger temps avant qu'il sentît la petite main se poser sur son épaule, et une bouffée de chaleur l'envahit. Jurant intérieurement, il maudit son corps qui répondait avec une telle fougue au

contact de cette femme. Et Caleb devina qu'il connaîtrait la torture des damnés avant d'extirper à Willow le
secret de la cachette de Reno...

Pourtant il y parviendrait. Il ne disposait d'aucun
autre moyen pour punir l'homme qui avait abandonné
Rebecca à une mort solitaire lorsqu'elle avait donné
naissance à son enfant. Un bébé qui était mort juste
après sa mère...

Depuis la disparition de Rebecca, Caleb avait tout
fait pour trouver Reno. En vain. Mexicains, Indiens,
exploitants ou prospecteurs restaient bouche cousue
dès qu'ils entendaient prononcer son nom. L'homme
était sans doute une canaille quand il s'agissait de déshonorer de jeunes vierges, mais il n'hésitait jamais à
aider ceux qui étaient dans le besoin. Aussi quelqu'un
qui lui voulait du mal devait-il se débrouiller seul.

Caleb l'avait pourchassé sans relâche, et cette quête
était rendue plus difficile encore par le fait que Reno
ne suivait pas les chemins habituels. Reno cherchait le
trésor espagnol... de l'or. Pour cela, il empruntait des
pistes indiennes oubliées qui passaient entre des éboulis de pierre et des pics de granit. Caleb considérait les
chercheurs d'or comme des fous, mais il partageait le
goût de Reno pour les terres sauvages. En fait, s'il
n'avait ainsi froidement séduit et abandonné sa sœur,
cet homme lui aurait plu. Mais Rebecca était morte,
Reno devait donc mourir aussi.

Vie pour vie.

— Escalier, souffla-t-il.

Willow sentit son épaule baisser, baisser encore, au
rythme des marches. Précautionneusement, elle testait
le sol du bout de sa botte. Où donc commençait l'escalier ?

Caleb descendit une autre marche, repoussa la main
de la jeune femme.

— Attendez, murmura-t-elle, je ne trouve pas la première marche.

Elle devina qu'il lui faisait face.

— Prenez ça! dit-il.

Il lui mit le sac de tapisserie dans les mains et, un instant plus tard, elle fut soulevée de terre.

— Que faites-vous?

— Chut!

Le noir tournoyait autour d'elle. On ne l'avait pas portée depuis qu'elle était enfant, et elle se sentait curieusement impuissante. Elle tourna la tête vers la poitrine musclée de Caleb, agrippée à son sac de voyage au point d'avoir mal aux mains. Si seulement elle avait pu s'accrocher à lui! Au bout de quelques marches, elle se rassura. Caleb progressait dans l'escalier avec la sûreté et la rapidité d'un chat. Avec un profond soupir, elle se détendit enfin.

Le souffle de Willow contre son torse enflamma de nouveau Caleb. Les dents serrées, il résista à l'envie de prendre ses lèvres, de goûter à sa douceur féminine.

Une fois en bas, il la posa brusquement à terre, saisit le sac et se mit en route sans un mot.

Un peu étourdie, Willow essayait de ne plus penser aux bras de Caleb autour de son dos, sous ses genoux. D'oublier aussi son odeur virile, mélange de laine, de cuir, de vent venu des montagnes... Les mains un peu tremblantes, elle lissa sa jupe, tout en se demandant où était passé son sang-froid légendaire. Elle avait affronté des soldats en armes avec beaucoup plus d'assurance.

La porte de l'hôtel s'ouvrit et se referma dans un léger grincement; ils se retrouvèrent dans une ruelle qui sentait la fumée et la pluie. Ramassant sa lourde jupe, Willow s'avança pour recevoir une bourrasque en plein visage. Elle regretta de n'avoir pour la protéger que le petit chapeau vert assorti à son costume d'équitation.

34

Caleb entra dans l'écurie par la porte de derrière et y poussa Willow avec impatience. Il n'espérait pas que leur départ resterait bien longtemps ignoré, mais il voulait distancer le plus possible d'éventuels poursuivants.

Bien que Willow eût vanté l'endurance de ses chevaux arabes, Caleb doutait que ces pur-sang aux membres fins puissent se montrer aussi résistants que les puissants chevaux du Montana.

Jed Slater et les autres hors-la-loi possédaient également des montures robustes, bien nourries, capables de battre à la course n'importe quel cheval ordinaire.

Caleb tenta d'ignorer l'odeur de lavande lorsque Willow passa devant lui pour entrer dans l'écurie, mais il n'y parvint pas. Jurant entre ses dents, il chercha les allumettes sur un petit rebord près de la porte, alluma une lanterne, éteignit soigneusement l'allumette avant de la jeter à terre.

Les chevaux s'agitèrent, tendirent le cou au-dessus des stalles en percevant la présence d'êtres humains. Avec des paroles affectueuses, Willow se dirigea vers les siens qu'elle caressa. Caleb examina les arabes avec leurs têtes délicates, leurs oreilles pointues, leurs grands yeux écartés, et il dut reconnaître qu'ils étaient fort beaux. Et bien dressés. Ils suivirent Willow sans hésiter, sans se montrer apeurés par les ombres.

Même l'étalon était docile, bien que l'on sentît en lui une intense énergie. Une tache blanche clairement dessinée allait de son front à sa bouche, contrastant avec sa robe alezane. Lorsqu'il bougeait, on avait l'impression qu'il était monté sur ressorts, tant sa force était évidente. Des siècles de sang pur coulaient dans ses veines, visible dans ses muscles racés, la finesse de son ossature.

— Sacré étalon, dit enfin Caleb. Ça pourrait vous coûter la vie, de l'emmener.

— Ishmael est aussi gentil qu'il est fort.

— Je ne parlais pas de son comportement, grommela Caleb. Tous les hors-la-loi du territoire, dès qu'ils verront votre monture, s'imagineront sur la selle à votre place !

Willow ne trouva rien à répondre. Elle avait déjà remarqué, lors du voyage en diligence, que plus elle avançait vers l'Ouest, plus ses chevaux excitaient la convoitise. Pourtant, s'en séparer serait pour elle comme se couper la main. Elle les aimait. Ils étaient tout ce qui lui restait de son passé, et son seul espoir pour l'avenir.

Elle sortit ses quatre juments en silence. Deux d'entre elles étaient alezanes comme Ishmael, les deux autres bais à crinières et queues noires. Elles se déplaçaient avec la grâce fluide des félins.

— Mon Dieu, marmonna Caleb. Emmener ces bêtes sans attirer tous les bandits qui rôdent entre ici et l'enfer, c'est comme vouloir faire venir l'aurore avant la nuit...

Toujours silencieuse, Willow vérifia les pieds de chaque animal. Ils se montrèrent remarquablement dociles, puis la jeune femme brossa le dos brillant d'Ishmael avant d'y déposer une couverture.

Quand Caleb la vit saisir la selle d'amazone, il faillit l'arrêter. Ce genre d'équipement dans un pays escarpé était dur pour une femme, plus dur encore pour le cheval. Quel que fût le talent de la cavalière, le poids n'était jamais parfaitement équilibré sur le dos de sa monture.

Pourtant, Caleb ne dit rien tandis qu'il regardait Willow sangler l'étalon. Cela l'arrangeait. Si quelqu'un les observait, on raconterait ensuite qu'une femme vêtue d'une longue jupe et montée en amazone était sortie de l'écurie au milieu de la nuit. Les poursuivants éventuels se renseigneraient sur une personne en tenue de ville avec une drôle de selle comme on en voyait rarement à l'ouest du Mississippi.

Or Willow ne s'en servirait plus au bout de quelques jours... dût-il en lacérer lui-même le cuir à l'aide de son couteau de chasse !

Caleb sortit ses deux hongres de leurs stalles, déjà prêts pour le voyage. Il jeta le sac de Willow sur une des selles, le recouvrit d'une bâche pour le protéger de la pluie, et conduisit les chevaux vers la porte. Les narines d'Ishmael palpitèrent, mais ses oreilles ne se couchèrent pas. Il était plus curieux qu'hostile.

Délibérément, Caleb agita un poncho juste sous le nez de l'étalon, qui ne broncha pas. Alors il s'en revêtit et caressa le cou de l'animal. La chair sous sa main était ferme, musclée, nerveuse.

Quand Willow eut fini de seller Ishmael et d'attacher les juments ensemble pour les mener plus aisément, Caleb alla à son tour examiner soigneusement chaque sabot, vérifier que la selle de la jeune femme était bien sanglée.

— Satisfait ? demanda Willow avec défi.

Il secoua la tête en enfilant des gants de daim souples et confortables.

— Content surtout que ça ne soit pas mon postérieur qui tressaute sur cet engin !

Avec un regard glacial, Willow passa devant lui pour se diriger vers le montoir, mais Caleb l'arrêta en saisissant les rênes d'Ishmael.

— Il n'y aura pas de tabouret en chemin, fit-il remarquer.

Il se pencha, croisa les doigts et leva vers Willow son regard topaze.

— Allez-y, ma belle. Vous avez envie de me marcher dessus depuis que vous m'avez aperçu.

Sa voix profonde, son sourire nonchalant firent

vibrer Willow qui répondit par un sourire presque timide avant de poser le pied dans ses mains croisées.

Il la souleva sans peine, et Willow passa sa jambe droite sur la corne de la selle d'amazone. C'était, avec l'unique étrier, ce qui lui permettait de se tenir sur cette selle destinée davantage aux promenades dans les parcs qu'aux longues chevauchées.

— Merci, dit-elle quand elle fut installée.

— Ne me remerciez pas! Je vais vous faire vivre la pire nuit de toute votre vie...

Il s'éloigna puis lança par-dessus son épaule :

— Vous n'avez même pas un vrai manteau, ni un chapeau convenable ?

— J'avais l'intention d'acheter le nécessaire demain.

Il jura entre ses dents.

— Mon costume est chaud, dit Willow. Il a été conçu pour l'hiver.

— En Virginie...

— Nous avons de la neige, là-bas.

— Combien de mois par an, de quelle profondeur, et avez-vous l'habitude de chevaucher des journées entières ?

— Il pleut ici, il ne neige pas, objecta la jeune femme.

Renonçant à argumenter, Caleb enleva son poncho et le lui tendit.

— Mettez-le.

— C'est très aimable, mais je ne voudrais pas...

— *Je ne suis pas aimable, je vous l'ai déjà dit!* gronda-t-il d'un ton sans réplique. Mettez-le, ou je vous enroule dedans comme une saucisse.

Furieuse, elle le fixa d'un regard noir pendant un bon moment, puis passa le poncho par-dessus ses vêtements. S'il convenait parfaitement aux larges épaules de Caleb, il était bien trop grand pour elle.

— Bon sang, vous êtes vraiment minuscule, grommela-t-il.

— Je mesure un mètre soixante-deux, très cher, et j'étais la fille la plus grande de notre vallée !

— Drôle de vallée...

Caleb sortit de sa poche un lien de cuir qu'il noua autour de la taille de Willow. Puis il fouilla dans ses sacoches de selle pour trouver un immense cache-nez de laine.

— Penchez-vous.

Elle obéit, mais n'eut guère à s'incliner, car il était vraiment exceptionnellement grand. Il lui enroula la tête dans le cache-nez, dont il noua les pans sous son menton, puis il dissimula un sourire devant l'image qu'elle offrait, avec sa peau claire et ses lèvres roses perdues dans les plis de la laine gris ardoise qui donnait à ses yeux la couleur du cristal fumé.

Enfin il retourna à grandes enjambées vers son cheval et prit une lourde veste de cuir attachée derrière sa selle. Cette veste, comme tout ce qu'il portait, était foncée, sobre et d'excellente qualité. Avec sa chemise de laine à manches longues, il n'aurait pas trop froid.

Il attacha les juments au cheval qui portait les bagages et se mit en selle avec l'aisance d'un cavalier accompli.

— Avez-vous des gants ? demanda-t-il, brusque.

Willow acquiesça.

— Mettez-les.

— Monsieur Black...

— Utilisez mon prénom, jeune dame. Nous ne sommes guère cérémonieux, par ici.

— J'ai chaud, Caleb.

Il esquissa un sourire ironique.

— Profitez-en, Willow. Ça ne durera pas.

Caleb fit sortir sa monture de l'écurie, et son autre

cheval le suivit, bien qu'il ne fût pas attaché. Après une brève hésitation, les juments se mirent aussi en marche.

Ishmael renâcla un peu, contrarié d'être séparé de ses compagnes, mais Willow lui flatta l'encolure.

— Tout va bien. Tout va bien, mon beau...

Fringant, il démarra au petit trot dans la nuit d'orage, en s'ébrouant juste un peu sous la pluie cinglante.

« Tout va bien, se répéta Willow tandis que les gouttes glaciales lui fouettaient les joues. Tout ira bien. Parce que sinon, je viens de faire la plus grosse bêtise de ma vie. »

3

Ils n'avaient pas parcouru cinq kilomètres que la jupe de Willow était trempée. Le tissu mouillé frottait ses jambes à chaque mouvement d'Ishmael, or Caleb menait bon train à travers la tempête afin de s'éloigner le plus possible de Denver avant la fin de l'averse. Avec un peu de chance, celle-ci effacerait les traces des sept chevaux.

Au trot ou au galop, au pas seulement lorsque le terrain devenait trop dur pour les sabots de leurs montures, Caleb conduisait Willow sous la pluie de ce début juin.

Au bout de quelques heures, il ne prit plus la peine de vérifier si la jeune femme suivait sans encombre. Les juments gardaient le rythme des chevaux de tête, ce qui voulait dire qu'Ishmael n'était pas loin derrière. L'étalon aurait suivi ses compagnes jusqu'en enfer.

Mais ce qui étonnait Caleb, c'était la grâce avec laquelle Willow chevauchait, malgré sa jupe trop lourde, son étrange selle et l'orage. Pourtant, elle ne devait pas se sentir à l'aise! Caleb, lui, ne l'était pas. Les gouttes glaciales dégoulinaient sur son visage, dans son cou, à l'intérieur de ses bottes, et il avait froid.

Cependant, il supportait sans problème cet inconfort. Il avait su dès le début que le voyage serait dur, long, pénible. Il avait même compté là-dessus. Les hors-la-loi étaient des hommes paresseux, soucieux surtout de prendre du bon temps. Ils mettraient un moment avant de sortir de leurs lits bien chauds et des bras de leurs compagnes.

Tandis que Caleb et Willow fendaient la nuit, l'orage s'apaisa peu à peu. Quelques éclairs sillonnaient encore le ciel, au loin, mais le tonnerre n'était plus qu'un vague grondement, et si la pluie continuait de tomber, elle était entrecoupée de rafales de vent.

La route montait de nouveau, cependant Caleb ne laissa pas son cheval se mettre au pas. Au contraire, il utilisa ses éperons de cuivre, souvenir de son bref passage dans l'armée lors des campagnes du Nouveau-Mexique. A l'époque, il en avait limé les molettes réglementaires, à la plus grande indignation de son supérieur. Un cheval brutalisé devenait nerveux, avait-il expliqué, et donc inutile dans une bataille... mais le lieutenant inexpérimenté l'ignorait.

— Allez, Diable, vas-y! l'encouragea-t-il.

Le robuste cheval, docile, se mit au trot. C'était l'allure la plus inconfortable pour le cavalier, cependant elle demandait moins d'effort à la monture.

Lorsque Ishmael accéléra pour suivre les juments, Willow retint un gémissement. Sur une selle d'amazone, il n'était pas facile de se relever comme lorsque l'on disposait de deux étriers, ou en tout cas pas longtemps. L'autre solution était de se laisser aller, mais alors elle heurterait la selle à chaque pas du cheval, ce qui serait douloureux non seulement pour elle mais aussi pour Ishmael.

Agrippée au pommeau, elle déplia sa jambe droite et la passa par-dessus le cou de l'étalon pour se retrouver à califourchon. Hélas, le soulagement fut de courte durée. La corne rendait impossible une telle monte. Pire encore, l'unique étrier la déséquilibrait. Cependant, c'était moins dur pour Ishmael.

Elle ne tarda pas à souffrir d'un point de côté, qu'elle tenta d'oublier en plongeant la main de temps à autre dans une petite boîte de bonbons dont le goût mentholé lui rappelait des étés chauds, des soleils lumineux, des cieux tout bleus...

Quand le vent tomba, elle se dit que l'aube devait être proche... Accrochée au pommeau de sa selle, elle chercha la Grande Ourse... Et elle la trouva. Pas du tout à l'endroit où elle aurait dû être avant l'aube.

En effet, il leur restait encore au moins quatre heures. Peut-être cinq.

« Grands dieux, Caleb ne laissera-t-il pas les chevaux se reposer ? Même ceux de la diligence sont renouvelés régulièrement, et ils n'ont pas sur le dos des selles qui les irritent... »

Comme si Caleb avait deviné ses pensées, il mit son cheval au pas, et Willow, reprenant sa position d'amazone, poussa un soupir de soulagement. Pourtant, ce n'était pas l'idéal. La peau fragile de ses cuisses était blessée par le frottement du tissu mouillé et de la selle.

Enfin Caleb arrêta Diable et mit pied à terre. Sans attendre d'y être invitée, Willow se laissa glisser au sol avec une telle vivacité qu'elle se fit mal au pied. Mais elle ne perdit pas de temps à se lamenter...

Aussi vite que le permettaient ses mains engourdies,

elle ôta à Ishmael la selle et la couverture avant de l'étriller à l'aide d'une poignée d'herbe. Malgré la vapeur de chaleur que dégageait l'étalon, il ne montrait aucun signe grave de fatigue, sa robe n'était pas abîmée et il ne renâcla pas sous l'énergique friction.

— Je suis contente que nous ayons parcouru tant de kilomètres depuis la Virginie, cela t'a endurci, murmura-t-elle. J'aurais été désolée que tu sois blessé par ma façon de monter. Par contre, cela m'a épuisée. La diligence était inconfortable, mais au moins on était à l'abri de la pluie...

En soupirant, elle repensa au long trajet depuis le Mississippi, et pour la première fois elle comprit qu'elle avait bénéficié d'un luxe inappréciable en pouvant chevaucher ou voyager dans la diligence selon les conditions météorologiques.

Ishmael tourna la tête et lécha les vêtements mouillés de la jeune femme.

— Vas-y, mange tout! marmonna-t-elle. Ce ne sera pas pire si je ne porte rien...

— Ne me dites pas que cette selle bizarre a blessé votre cheval après seulement quelques heures de route?

Willow sursauta. Elle n'avait pas entendu approcher Caleb. Elle lui jeta un petit regard en biais et continua à étriller l'étalon.

— La peau d'Ishmael est en parfait état, rétorqua-t-elle.

— Et la vôtre? demanda Caleb en observant les lourds plis de sa jupe.

— Excusez-moi, je dois m'occuper des juments, se contenta-t-elle de répondre.

— Elles vont bien. La petite alezane aux pieds blancs avait un caillou dans le sabot, mais pas depuis assez longtemps pour être blessée. Pourtant il vaudrait mieux ne pas la monter pendant un jour ou deux, à tout hasard.

— Elle s'appelle Penny. Merci d'avoir regardé, dit distraitement Willow en s'essuyant le front d'un revers de manche. Je monterai Colombe, l'autre alezane, quand nous changerons de chevaux.

La mèche de cheveux mouillés qu'elle avait rejetée en arrière tomba de nouveau sur son œil, et elle la repoussa. Une rafale de vent la fit frissonner tandis qu'elle se penchait pour ramasser la couverture de selle. Elle la secoua énergiquement avant de la remettre, du côté sec, sur le dos de l'étalon.

Caleb l'observait, les yeux cachés sous le large bord de son chapeau. Il était impressionné malgré lui de voir qu'elle s'occupait de son cheval avant de penser à elle. Lorsqu'elle saisit la selle, il intervint et la posa doucement sur l'échine d'Ishmael.

— Vous êtes engourdie, déclara-t-il fermement. Marchez un peu. Nous n'allons pas tarder à repartir, et nous ne nous arrêterons qu'à l'approche de l'aube.

— Je vois, soupira Willow.

Après une légère hésitation, Caleb reprit :

— Il y a du café dans ma gourde. Mais pas de tasse.

Willow comprit pourquoi sa voix était teintée d'une sorte de défi. Aucune *dame du Sud* n'accepterait de partager le contenu d'une gourde avec un étranger. Elle eut un sourire amer... Que penserait Caleb s'il savait qu'elle avait passé plus d'une nuit, pendant la guerre, à quatre pattes dans le potager, à chercher désespérément ce que les soldats avaient oublié de prendre, tellement affamée qu'elle dévorait les carottes crues sans les laver, en les essuyant rapidement sur sa jupe ?

— Du café ? Quelle merveille ! répondit-elle.

— La gourde est accrochée à ma selle, dit Caleb tout en serrant la sangle à la place de Willow. Et faites attention à Diable. Il est brave, mais votre longue jupe pourrait l'effrayer. Il n'y est pas habitué.

Willow ramassa avec soin les plis détrempés de son vêtement. Les premiers pas furent horriblement douloureux, mais ses muscles ne tardèrent pas à se réchauffer. Cependant la peau fine de ses jambes lui brûlait, et ce serait ainsi jusqu'à ce que le tissu fût sec. Elle souffrirait chaque fois qu'elle monterait en selle...

— Salut, Diable, dit-elle d'une voix basse, apaisante, en s'approchant par le côté du grand hongre. Je ne suis pas un Indien animé de mauvaises intentions, ni une panthère prête à t'attaquer. Je veux simplement un peu de café, si tu es d'accord.

Visiblement peu troublé, Diable la regardait, les oreilles dressées. Willow, sans cesser de lui parler, serra la large jupe entre ses genoux pour avoir les mains libres et dénouer les liens de cuir qui retenaient la gourde à la selle. Ses gants la gênaient, et elle s'efforça de s'en débarrasser. Elle finit par tirer avec les dents le cuir mouillé, avant de fourrer les gants dans ses poches.

Les lanières se montrèrent encore plus récalcitrantes que les gants; elle avait les doigts gelés, et elle renonça à détacher le récipient. Elle se contenta d'en ôter le bouchon et de boire directement au goulot.

Après la pastille de menthe qu'elle venait juste de terminer, le café lui sembla fort et noir comme la nuit. A une différence près, et c'était bien la plus importante : le café était presque tiède.

— Ahhh... ne put-elle s'empêcher de soupirer en sentant le liquide couler dans sa gorge.

— La plupart des femmes ne l'aiment pas si fort.

Willow sursauta.

— Est-ce une habitude, chez vous, d'arriver derrière les gens sans crier gare ?

— La discrétion est une qualité, par ici.

L'ignorant résolument, Willow but une gorgée, puis une autre, avant de se tourner vers l'homme qui la dominait, immense.

— En voulez-vous? demanda-t-elle.

Elle lui tendit la gourde autant que cela était possible avec les liens de cuir, et il but, sans la quitter des yeux.

— Prenez-en encore, dit-il enfin en la lui rendant. Il n'est guère chaud, mais cela vous donnera des forces.

Le velours de sa voix troubla étrangement Willow. Elle prit le récipient à deux mains et le porta lentement à ses lèvres. Poser sa bouche où il avait posé la sienne avait un aspect trop intime. Pourtant, un curieux frisson de plaisir la traversa.

A regret, elle referma la gourde. Comme elle allait la remettre en place, une bourrasque libéra sa jupe, toujours coincée entre ses genoux, et le tissu alla fouetter les jambes de Diable. Le cheval s'ébroua, fit un bond de côté, lui arrachant la gourde des mains. Une autre rafale agita alors la jupe, et cette fois Diable s'effraya vraiment. Sa tête vint violemment heurter la poitrine de Willow qui se retrouva à terre, le souffle coupé.

Caleb saisit les rênes de l'animal.

— Du calme, mon vieux, dit-il. C'est juste une parure féminine. Pas de quoi t'exciter.

Il regarda Willow qui, empêtrée par ses vêtements, avait du mal à se remettre debout.

— Je vous avais prévenue, non?

Willow acquiesça en silence. Elle était bien trop occupée à retrouver sa respiration pour pouvoir parler.

— Ça va? demanda sèchement Caleb.

Les yeux clos, toujours incapable d'émettre un son, elle hocha de nouveau la tête.

Soudain, le sol se déroba sous ses pieds et elle poussa un petit cri de frayeur en se rattrapant où elle pouvait... à Caleb.

— N'ayez pas peur, dit-il en la tenant d'un bras contre sa poitrine tandis que de l'autre il enroulait la jupe autour de ses jambes. Je vous enlève simplement à la vue de Diable avant qu'il ne s'enfuie, terrorisé, et ne me laisse à pied...

Willow ouvrit la bouche, mais rien n'en sortit. Caleb l'avait déjà portée comme un bébé, pourtant c'était bien autre chose de se trouver ainsi collée à lui. Machinalement, elle s'accrocha à ses épaules pour garder son équilibre. La tête lui tournait et elle ne parvenait toujours pas à respirer normalement.

— C... Caleb? souffla-t-elle d'une voix rauque, envahie d'une étrange faiblesse. Ça va. Posez-moi par terre, je peux marcher.

— Vous avez de la chance de pouvoir tenir debout dans ce satané attirail. J'aimerais...

Il s'interrompit. Il avait failli dire qu'il aimerait lui arracher ses vêtements ridicules pour l'habiller de sa chemise et de son pantalon de rechange. Il désirait tant la voir nue depuis qu'il avait aperçu ses seins sous le léger tissu de la camisole...

Non, bien plus tôt. Dès le premier instant où elle l'avait fixé de ses grands yeux anxieux, le dos bien droit, fière et divinement séduisante.

« C'est une femme légère, se dit-il avec une grimace en se souvenant comme elle avait rougi lorsqu'elle avait appelé Matthew Moran son "mari". Une femme légère à la poursuite de son amant. Pas meilleure qu'une autre, peut-être même pire. »

Chassant résolument son désir, Caleb la déposa sur sa selle sans cérémonie. Comme elle s'emparait machinalement des rênes, il s'aperçut qu'elle était mains nues.

— Qu'avez-vous fait de vos gants? demanda-t-il.

Willow fouilla dans une poche de sa jupe et trouva

un seul gant qu'elle enfila avec peine avant de reprendre les rênes.

— Où est l'autre ? insista Caleb, impatienté.

— Quelque part entre ici et Diable...

Avec un juron qui fit frémir la jeune femme, Caleb revint sur ses pas. Il n'était certes pas facile de trouver un gant au milieu de la nuit sur une terre noire et humide. Pestant entre ses dents, il craqua une allumette qu'il protégea de la main, jusqu'à ce qu'il se brûlât le bout des doigts...

Quatre allumettes plus tard, il découvrit enfin l'objet qui avait été piétiné par Diable. Il le frappa contre sa cuisse pour le débarrasser de la boue et le tendit à Willow.

— Merci, dit-elle à voix basse.

— Ne vous approchez plus de Diable, gronda-t-il. C'est un cheval d'homme.

Willow hocha la tête en se battant pour enfiler le gant mouillé. Pourvu que Caleb ne remarquât pas que ses mains tremblaient ! Elle se persuada que c'était à cause du froid, de la faim, de la fatigue. Un peu de colère aussi, sans doute. Mais certainement pas parce que la brutalité de Caleb la blessait !

Sans ajouter un mot, il se dirigea vers sa monture sur laquelle il grimpa avec une grâce féline avant de l'effleurer de ses éperons.

Aussitôt, l'animal se lança au galop, et Caleb maintint l'allure pendant une bonne demi-heure, puis le remit au pas. Dix minutes plus tard, il adopta un trot rapide.

Il alterna ainsi les allures durant les longues et froides heures qui précédèrent l'aube. Galop, pas, trot, galop... Pas de vrai repos.

Willow fit de son mieux pour épargner Ishmael, mais ce fut à son propre détriment. Au début, elle vérifiait la position de la Grande Ourse chaque fois qu'ils se mettaient au pas, puis elle y renonça. C'était trop déprimant! Les étoiles bougeaient à peine dans la voûte du ciel. Par moments, elle aurait même juré qu'elles revenaient en arrière!

Elle finit par les ignorer complètement. Elle ne remarquait presque plus la différence entre le pas et le galop; quant au trot, c'était devenu une torture. Elle s'efforçait de s'alléger sur la selle, mais ses muscles raidis n'obéissaient plus avec leur souplesse habituelle.

Quand Ishmael s'arrêta enfin, elle faillit être désarçonnée. Elle cligna des yeux, leva la tête vers le ciel et songea que même les nuits les plus longues ont une fin. Une vague lueur gommait doucement les étoiles à l'est.

Épuisée, Willow repoussa les mèches qui lui tombaient sur le front. Caleb leur avait fait quitter la route pour les amener dans une faille encaissée entre des replis de terrain.

Un petit ruisseau brillait dans la lumière naissante, bordé de bouquets de saules qui leur offriraient abri et cachette. Visiblement, c'était surtout cela qui intéressait Caleb. Il attacha les chevaux un par un en aval du cours d'eau, afin de les laisser boire et jouir des rares touffes d'herbe qui poussaient parmi les broussailles.

Il fallut qu'il s'approchât de Willow, un piquet à la main, pour qu'elle comprît qu'elle était encore sur sa selle, trop épuisée pour en descendre.

— Au travail, dame du Sud! Vous avez loué les services d'un guide, pas d'un esclave. Voyez si vous pouvez trouver des brindilles sèches, mais n'essayez surtout pas de faire un feu. Vous vous arrangeriez pour qu'on le voie jusqu'à Denver!

Il eut un geste vers les sacoches de selle dont il avait déchargé son second cheval, Trey.

— Il y a du café, de la viande, de la farine là-dedans. Vous savez cuisiner?

Willow hocha la tête.

— Alors dépêchez-vous! Quand le soleil atteindra le sommet de cette colline, j'éteindrai le feu. Tout ce qui ne sera pas cuit à ce moment-là, nous devrons le manger cru, ou pas du tout.

Willow entreprit de mettre pied à terre, mais elle constata que sa jambe droite, complètement endormie, ne lui obéissait pas. A deux mains, elle la fit passer au-dessus de la corne, et serra les dents de douleur quand le sang se remit à circuler librement.

Caleb l'observait, les yeux plissés. Il avait su que la chevauchée serait dure pour Willow, mais pas à ce point. Il eut envie de la prendre dans ses bras et de la porter au bord du ruisseau.

Il avait été plus long que prévu à trouver un bon endroit pour installer leur campement. Si elle ne se mettait pas au travail avec lui, ils seraient obligés de se contenter de quelques galettes et d'eau froide. Il pouvait survivre longtemps à ce régime — il l'avait expérimenté cent fois — mais il doutait que la jeune femme en fît autant. Elle était si lasse que sa peau semblait translucide.

Brusque, il l'enleva de sa selle. Quand ses pieds touchèrent le sol, il sentit ses genoux plier et il la retint, respirant son odeur de lavande et de pluie. Il sentait de nouveau le goût de la menthe, dont la fraîcheur l'avait embrasé lorsqu'il avait compris cette nuit-là que c'étaient ses lèvres qui l'avaient déposé sur le bord métallique de la gourde.

— Vous ne tenez même pas debout? demanda-t-il d'un ton sec, presque dur.

Comme si elle avait reçu un coup de fouet, Willow redressa le dos. Se dégageant des bras de Caleb, elle entreprit de desseller Ishmael.

— Allez chercher du petit bois, jeune dame, dit-il en la repoussant. Je m'occupe de votre cheval.

Un instant, Willow eut envie de rétorquer sur le même ton, mais elle n'en avait pas l'énergie. En outre, Caleb serait plus efficace qu'elle pour Ishmael, or le bien-être de son étalon comptait davantage que son orgueil blessé.

Elle se dirigea sans un mot vers le bosquet le plus dense et y pénétra jusqu'à y disparaître entièrement.

Alors seulement elle se battit avec la fermeture compliquée de la longue jupe-culotte qu'elle parvint enfin à faire glisser sur ses jambes, priant pour que Caleb fût assez courtois pour ne pas l'avoir suivie.

Elle eut du mal à se rhabiller, et le tissu encore mouillé râpait douloureusement la peau à vif de ses cuisses.

A petits pas maladroits, elle commença à ramasser brindilles et branches mortes. Bouger la réchauffait un peu, ses muscles s'assouplissaient.

Quand elle eut une brassée de bois, elle sortit du bosquet. Caleb avait terminé d'attacher les chevaux et, accroupi sur ses talons, il pelait l'écorce d'un petit peuplier déraciné. La lame de son poignard de chasse était aussi longue que son avant-bras, et l'acier brillait comme de l'eau dans la faible lumière précédant l'aurore.

Willow laissa tomber les branchages près de lui et se tourna vers les sacoches. Elle ne put retenir un gémissement lorsqu'elle s'agenouilla, mais elle trouva tout ce qu'il fallait pour fabriquer des biscuits au bacon.

Quand elle leva les yeux, Caleb finissait d'accrocher une cafetière sur un trépied de branches. Le feu, en dessous, était si maigre qu'il aurait pu l'étouffer de son chapeau. Le peu de fumée qui s'en dégageait était caché par l'écran de saules. Il aurait fallu s'approcher très près — et sous le vent — pour s'apercevoir que quelqu'un campait dans ce repli de terrain.

Willow en fut à la fois rassurée et mal à l'aise. Le soin

que prenait Caleb à dissimuler leur présence révélait combien il craignait d'être suivi. En outre, il s'attendait visiblement à rencontrer plus d'ennemis que d'amis dans ces terres sauvages.

Et tout cela se lisait sur son visage, éclairé par les petites flammes qui posaient des ombres dansantes sur ses traits durs, ses yeux assombris. Il n'y avait en lui rien de rassurant pour une jeune femme glacée dont les yeux se fermaient tout seuls.

« J'ai survécu à pire, se rappela Willow. Et puis je n'ai pas engagé Caleb pour qu'il me réconforte, mais pour qu'il me conduise vers Matt. Je n'ai pas à me plaindre sur ce plan, nous avons dû parcourir plus de soixante kilomètres cette nuit. Plus on va vite, plus vite on en a terminé, comme disait papa. »

Willow mélangea de la pâte et de l'eau dans une poêle jusqu'à obtenir une consistance parfaite, puis elle se redressa avec peine pour aller près du feu.

— Puis-je utiliser votre couteau? demanda-t-elle.

Caleb leva vivement les yeux, inquiet. La voix de la jeune femme était enrouée, soit parce qu'elle n'avait pas parlé depuis longtemps, soit à cause du froid. Était-elle malade?

— Le lard, expliqua-t-elle, sans comprendre pourquoi son regard était si intense.

— Asseyez-vous, dit-il en lui prenant la poêle des mains. Je vais m'en occuper.

Reconnaissante, Willow se laissa tomber au sol où elle s'étendit de tout son long, sans se soucier que la terre fût dure et mouillée sous elle. Elle était au moins immobile...

Elle s'endormit aussitôt.

Quand Caleb la regarda de nouveau, il la crut évanouie, et il se précipita près d'elle. Le cou de la jeune femme était froid sous ses doigts, mais son pouls était régulier, elle respirait normalement. Il secoua la tête, partagé entre l'irritation et l'admiration.

— Femme légère ou pas, vous ne renoncez pas facilement, marmonna-t-il.

Tout en veillant sur elle, Caleb continua à couper des tranches de lard, qu'il posa ensuite dans la poêle. Puis il fit du café. Quand le lard fut grillé, il le mit de côté sur une écorce d'arbre et le remplaça dans la poêle par la pâte à biscuits.

Pendant que celle-ci cuisait, il coupa des branches de saule qu'il débarrassa de leur écorce. Ensuite, il emplit sa gourde de café et remit de l'eau à bouillir, dans laquelle il jeta des lanières d'écorce.

— Willow, réveillez-vous.

Il parlait bas mais distinctement, pourtant la jeune femme ne bougea pas. Il la toucha doucement à l'épaule. Toujours pas de réaction. Ses vêtements étaient trempés, et il regarda le ciel, se demandant si elle aurait le temps de faire sécher sa jupe devant le feu. Non, il ne pouvait courir ce risque. Le soleil était levé à présent, et les gens devaient commencer à prendre la route. La fumée attirerait l'attention sur eux. Willow était condamnée à dormir mouillée...

Caleb éteignit le feu avant de revenir à elle.

— Réveillez-vous, ma belle! répéta-t-il en la secouant un peu plus énergiquement.

Les paupières de la jeune femme se soulevèrent lentement, mais elle n'était pas encore vraiment consciente. Ses grands yeux étonnés, mis en valeur par l'épaisse frange de cils bruns, étaient piquetés de jaune et de vert, d'argent et de bleu. Dans le contre-jour de l'aube, elle distinguait seulement un chapeau et une masse de cheveux noirs.

— Matt? murmura-t-elle en levant la main vers lui. Matt, c'est bien toi? Il y a si longtemps... j'étais si seule...

L'expression de Caleb se durcit lorsqu'il l'entendit prononcer le nom de son amant.

— Levez-vous, jeune femme du Sud, dit-il froidement. J'ai préparé le petit déjeuner, mais il n'est pas question que je vous donne la becquée.

Agacé, il l'obligea à se redresser et lui mit la gourde de café entre les mains.

— Buvez! ordonna-t-il d'un ton sans réplique.

Willow obéit machinalement. C'était brûlant, et des larmes lui montèrent aux yeux, mais elle but, heureuse de sentir le breuvage lui redonner force et chaleur. Frissonnant de plaisir, elle en avala encore quelques gorgées.

— Mangez, maintenant, dit Caleb en prenant la gourde pour la remplacer par du biscuit et du lard.

Elle regarda la nourriture distraitement. Elle était trop fatiguée pour envisager même de mâcher. Avec un soupir, elle s'allongea de nouveau.

— Non! protesta Caleb en la relevant. Il faut manger, sinon vous serez si faible, ce soir, que je devrai vous attacher sur votre selle. Et je le ferai si j'y suis obligé, croyez-moi!

Willow le croyait capable de tout... Elle soupira et eut un regard d'envie pour la gourde de café.

— Encore un peu? demanda-t-elle, la voix encore voilée.

— Quand vous aurez terminé votre repas.

— Je n'ai pas faim.

— Cela viendra en mangeant.

Caleb avait raison, Willow le savait, mais cela ne lui donnait pas envie pour autant. Les premières bouchées furent les plus pénibles. Puis son appétit s'aiguisa, et elle se mit à mordre dans le biscuit avec autant d'ardeur que Caleb; elle se lécha même les doigts discrètement, délicatement. Caleb sourit et la resservit. Le biscuit ressemblait à du pain grillé, parfumé par le lard. Jamais elle n'avait rien goûté d'aussi délicieux.

Lorsqu'elle fut enfin rassasiée, Caleb lui tendit la gourde sans qu'elle eût à la demander.

— Merci, murmura-t-elle.

Les yeux fermés, elle huma le chaud parfum. Quelle joie de se sentir le ventre plein ! Après avoir bu, elle eut un sourire de pure satisfaction.

Caleb se crispa en la regardant. Il aurait voulu venir boire aux lèvres de Willow encore tièdes et brillantes de café. Il se détourna.

— Je suis désolée, dit-elle en lui passant la gourde. J'espère que je n'en ai pas trop pris.

Caleb contempla le goulot de métal en pensant à la bouche sensuelle qui venait de s'y poser. Jurant intérieurement, il referma le bouchon sans avoir touché au café, puis il se leva.

— Je vais inspecter les environs, annonça-t-il.

Willow l'entendit à peine. Elle s'était de nouveau allongée et, en dix secondes, elle se rendormit.

Caleb escalada le flanc du petit ravin, s'arrêta juste avant le sommet, se débarrassa de son chapeau et observa le paysage. Rien ne bougeait dans le flot lumineux de l'aube, et il redescendit au fond de la faille. Quelques minutes plus tard, il avait coupé de jeunes branches bien garnies de feuilles sur lesquelles il avait posé une des bâches destinées à garder les provisions au sec.

Willow ne broncha pas lorsqu'il la porta sur cette couche improvisée. Ni quand il s'allongea près d'elle et les recouvrit tous deux d'un plaid, puis d'une autre bâche. Elle se contenta de soupirer et de se serrer instinctivement contre lui.

Furieux, il la revit tendre la main vers lui en prononçant le nom d'un autre homme. Mais comme il regardait son visage las, les cheveux blonds qui sortaient du cache-nez, il se souvint de ce qu'elle avait dit au sujet de la guerre... Et de son existence sur une terre située à la frontière des deux camps, sans homme pour l'aider, avec sa mère malade à soigner.

Dans ces circonstances, Caleb avait-il le droit de la condamner si elle était devenue une femme légère?

D'autres créatures se vendaient pour d'autres raisons que la survie. Et certaines jeunes filles écervelées, comme sa sœur, offraient leur vertu et leur vie en échange de quelques mots d'amour mensongers.

— Vous avez plus de chance que Rebecca, murmura-t-il. Vous vivez. Mais quand vous vous êtes vendue à celui qui a séduit ma sœur, vous vous êtes vendue à un homme mort.

Et Caleb sentit une étrange satisfaction l'envahir à l'idée que plus jamais Willow ne s'éveillerait dans le lit de Matthew Moran en prononçant son nom.

4

Caleb se réveilla au premier coup de tonnerre. Les nuages, tels des grands voiliers, traversaient le ciel au-dessus du ravin. Gris ardoise, surmontés de blanc, ils couraient dans le vent.

— Heureusement que je n'ai pas essayé de faire sécher la jupe, marmonna-t-il en bâillant. Aussi sûr que Dieu a créé le monde, nous allons nous retrouver trempés.

Willow ne répondit pas, mais elle poussa un grognement lorsque la chaleur de son compagnon fut remplacée par une bourrasque glacée tandis qu'il quittait leur couche.

— Debout, jolie dame, dit-il en glissant les pieds dans ses bottes raides et froides. Cet orage va nous fournir quelques heures de voyage sans risque, à la lumière du jour.

Encore tout ensommeillée, Willow remonta la couverture autour d'elle. Caleb saisit un bout du tissu et tira brutalement.

— Levez-vous, Willow!

Tout en parlant il se détourna, inquiet de sa réaction si elle le regardait, les yeux voilés, en murmurant de nouveau le nom d'un autre.

Qu'est-ce que ça peut te faire, si la maîtresse de Reno ne sait plus avec qui elle a dormi?

Caleb ne possédait pas la réponse à cette question. Il savait simplement que, à tort ou à raison, c'était important. Il avait envie de Willow. La seule chose qui l'empêchât de la courtiser était la possibilité — infime, à son avis — qu'elle fût mariée à Matthew Moran. Cela lui suffisait. Voler quelques heures de passion à une jolie femme était une chose, l'adultère en était une autre. Même si celle-ci était consentante, même si elle avait eu des pléiades d'autres hommes, jamais Caleb ne commettrait sciemment un adultère, pas plus qu'il ne trahirait une parole donnée.

Le problème était donc de déterminer si la jeune personne en question était mariée. Et trouver la solution à ce problème occupait entièrement l'esprit de Caleb tandis qu'il grimpait la pente du ravin pour observer les parages.

Personne aux alentours immédiats. A environ cinq kilomètres, un cavalier se dirigeait vers le nord par la route rudimentaire qui longeait les Rocheuses. Un chariot suivait la même direction au grand galop, futile effort pour échapper à l'orage. Personne n'allait vers le sud.

Caleb attendit encore une dizaine de minutes, mais le seul mouvement sur la terre aride était provoqué par l'ombre rapide des nuages. Parmi eux, un vautour planait dans une tache de ciel d'un bleu si intense que Caleb en fut ébloui. La lumière était vive, claire, le soleil répandait ses rayons d'or sur la terre.

Du fond du ravin montait le renâclement de l'étalon qui appelait ses juments, et Caleb sourit en s'étirant. Il savourait la paix de l'instant, l'odeur de la nature.

C'était tellement calme qu'il distinguait le léger bruit des chevaux qui arrachaient l'herbe avec leurs dents. Puis s'éleva une rafale qui fit plier herbes et saules, en murmurant comme une invisible rivière.

La caresse du vent réveilla Willow. Un instant, elle se crut en Virginie, endormie dans la prairie tandis que les chevaux broutaient près d'elle. Puis elle se rappela qu'il n'y avait plus de prairie, plus de fermes, et qu'elle n'était plus une enfant.

Elle s'assit dans l'ombre du bosquet. Elle ne se souvenait même plus s'être endormie. Et en tout cas, pas sur un lit de feuilles couvert d'une bâche.

— Caleb? appela-t-elle doucement.

Pas de réponse.

Angoissée, elle sortit de la petite clairière, sans trop se soucier des protestations de son corps endolori et de ses jambes à vif. Un bref regard lui confirma que les chevaux étaient toujours là, attachés à leurs piquets, leurs robes luisantes dans le soleil, à se tordre le cou pour attraper les derniers brins d'herbe à leur portée.

Willow tendit l'oreille, en vain. Il est vrai que Caleb ne faisait jamais beaucoup de bruit, quelles que soient les circonstances.

Alors elle alla voir ses chevaux. Les arabes bougeaient normalement, aucun caillou ne s'était glissé entre le pied et le sabot; le dos d'Ishmael n'était pas abîmé, il ne semblait pas fatigué. Il était même assez en forme pour faire semblant de ne pas la reconnaître. Il renâcla comme un poulain quand elle tendit la main vers lui, puis ses naseaux palpitèrent et il avança la tête, cherchant à jouer.

— Espèce de vieux farceur, dit-elle tendrement en effleurant sa bouche de velours. Tu savais bien que c'était moi !

Ishmael poussa de la tête contre sa poitrine, et elle tressaillit. Elle avait encore un peu mal après le coup de Diable.

Elle regarda les chevaux de Caleb de loin. Elle ne tenait pas à entendre des commentaires désagréables si elle les effrayait encore avec sa large jupe qui claquait au vent.

Après un dernier câlin à Ishmael, elle se mit en devoir de ramasser des brindilles. Caleb accepterait peut-être d'allumer un feu.

Quand il réapparut, il la trouva près d'une pile de petit bois.

— Pouvons-nous faire du feu ? demanda-t-elle.

— Un tout petit.

— De ce côté du Mississippi, je ne vois guère comment en faire un grand. Il n'y a pas d'arbres !

— Attendez que nous arrivions dans les montagnes. Vous en verrez tant que vous les détesterez.

Il regarda Willow entasser les brindilles, puis en retira la moitié. Alors seulement il craqua une allumette. Dès que le feu eut pris, Willow se releva pour aller chercher la cafetière, en s'efforçant de ne pas gémir sous la douleur.

— Buvez ce qu'il y a dedans avant de vous en servir, dit Caleb.

Elle souleva le couvercle. Le liquide était sombre, mais pas aussi noir que le café.

— Qu'est-ce que c'est ?

— Une décoction d'écorce de saule. C'est bon pour...

— ... les douleurs et les fièvres, coupa-t-elle avec une grimace. Mais ça sent horriblement mauvais !

Caleb esquissa un sourire.

— Buvez, ça vous fera du bien.

— Je ne voudrais pas vous en priver, répondit-elle. Combien dois-je vous en laisser ?

— Je n'en ai pas besoin. Je ne suis pas une petite dame du Sud.

— Moi non plus !

L'irritation de Willow parut amuser Caleb, dont le sourire s'agrandit.

— C'est vrai. Vous êtes une jolie poupée du Nord.

— Je ne suis pas une jolie poupée, rétorqua-t-elle. Ni du Sud, ni du Nord.

Il détailla d'un regard ironique ses cheveux mal peignés et ses vêtements froissés.

— En effet, se moqua-t-il. Je parie que votre gentil jeune homme sera surpris en vous voyant dans cet état.

— Matt n'est pas plus un gentil jeune homme que vous !

— Oh, c'est vrai, j'oubliais... C'est votre mari.

L'intonation méprisante de Caleb fit rougir Willow. Et elle s'en voulut de cette réaction incontrôlable chaque fois qu'elle devait mentir à ce sujet. Pourtant la lettre de Matt était claire :

Ne laissez pas Willy vous persuader de l'emmener, les garçons. Je sais qu'elle a toujours adoré l'aventure, mais ici une femme célibataire est considérée comme un gibier de choix. Nous aurons mieux à faire que de monter la garde pour protéger la vertu de notre ravissante petite sœur !

Caleb glissa un doigt dans la poche-gousset de son pantalon, et effleura le médaillon que Rebecca lui avait donné avant sa mort.

Tout ce qui lui restait de sa sœur était un nom — Matthew « Reno » Moran — et le médaillon qui contenait le portrait des parents de cet homme. Si Willow était l'épouse de Moran, elle les reconnaîtrait forcément. Si elle mentait, la photo ne lui dirait rien.

— Vous êtes mariée depuis longtemps? demanda-t-il d'un ton indifférent.

Willow hésita. Que fallait-il répondre?

— Euh...

Elle se mordit la lèvre.

— Non...

— Dans ce cas, vous n'avez sans doute jamais rencontré vos beaux-parents.

Willow s'anima, plus sûre d'elle.

— Bien sûr que si! Je les connais depuis des années!

— Des voisins?

Elle hésita à nouveau puis décida de coller autant que possible à la réalité.

— Pas vraiment. Le père et la mère de Matt... m'ont recueillie lorsque j'étais enfant. C'est la seule famille dont je me souvienne.

Caleb eut un sourire crispé. Willow n'était pas très bonne comédienne. Sans doute la plupart des hommes s'intéressaient-ils plus à ses seins ravissants et à sa taille fine qu'à la rougeur qui colorait ses joues chaque fois qu'elle mentait.

— C'est pratique de bien s'entendre avec ses beaux-parents... reprit-il.

— Hon hon...

Willow porta la cafetière à ses lèvres, préférant le goût amer de la décoction à celui du mensonge.

Un coup de tonnerre éclata. La jeune femme frissonna, posa la cafetière.

— Vous n'avez pas tout bu, déclara Caleb sans lever les yeux.

— Qu'en savez-vous ?

— Il y en a toujours trop pour une jolie dame...

Si Willow n'avait pas raconté tous ces mensonges, elle aurait protesté énergiquement ; mais, un peu honteuse, elle porta le récipient à ses lèvres et en but le contenu jusqu'à la dernière goutte. Caleb la surveillait du coin de l'œil, tout en ajoutant quelques brindilles au maigre foyer.

Ils préparèrent et avalèrent un petit déjeuner en silence. Le remède de Caleb avait fait des merveilles. Willow était toujours un peu courbatue, mais elle avait beaucoup moins mal lorsqu'elle pliait sa jambe droite. En deux temps trois mouvements, le camp fut rangé et Caleb sella ses chevaux. Cette fois, c'est Diable qui servirait de porteur, tandis que le jeune homme monterait Trey.

— Votre étalon supporterait-il d'être attaché derrière un hongre ? demanda-t-il à Willow.

— Je crois, oui.

— Nous allons bien vite en avoir le cœur net, grommela-t-il. Quelle est la plus robuste de vos juments ?

— L'une des deux alezanes. Ce sont les filles d'Ishmael. Vous pouvez seller Colombe, celle qui a une balzane.

Caleb s'exécuta, puis il aida la jeune femme à monter. Bien qu'elle ne se plaignît pas, il la vit se crisper de douleur en retrouvant le contact de la selle. La tisane lui avait fait du bien, il en était sûr, cependant rien ne pourrait réellement la soulager, sauf peut-être...

— Une gorgée de whisky ? proposa-t-il.

— Je vous demande pardon ?

— Du whisky. C'est un bon anesthésique.

— Je m'en souviendrai, dit-elle, amusée malgré la douleur. Pour l'instant, je préfère m'en tenir à la décoction, merci bien.

— Comme vous voudrez.

Le tonnerre gronda encore tandis que les nuages se rejoignaient pour cacher le soleil. La pluie se mit à tomber quand Caleb sauta en selle et prit la tête de la colonne. Diable trottait, docile, menant les quatre chevaux arabes. Ishmael renâcla durant quelques kilomètres, vexé d'avoir à suivre un hongre, puis il en prit son parti.

La chevauchée fut, comme celle de la nuit précédente, une épreuve d'endurance. Trot, pas, galop, encore un peu de trot pour faire bonne mesure... Willow s'aperçut à peine que le crépuscule devenait nuit noire.

Sur les injonctions de Caleb, elle avala du bacon et des biscuits, but du café, mit pied à terre, marcha un peu pour reposer la jument et rétablir la circulation dans ses jambes engourdies, puis monta de nouveau en selle... et la torture recommença.

Comme les heures passaient, Willow n'était plus que fatigue et douleur. Elle pensait ne pas pouvoir se sentir plus mal quand un vent glacial se leva, descendant du sommet des montagnes qu'elle avait aperçues une seule fois, depuis Denver, avec leurs pics dressés dans les nuages, leurs flancs comme des forteresses érigées contre le ciel.

Frissonnante, Willow se tassa sur sa selle et baissa la tête pour se protéger des rafales. Elle était si épuisée qu'elle s'aperçut que les chevaux s'étaient arrêtés uniquement lorsque Caleb l'enleva du dos de sa jument.

— Caleb? demanda-t-elle d'une voix enrouée. C'est l'aube?

— Non, tant s'en faut, mais j'en ai assez de cette folie!

Willow ne répondit pas. Elle n'avait même pas compris le sens de ses paroles.

La faille que Caleb avait choisie comme lieu de campement était assez profonde pour les abriter du vent coupant, et un surplomb offrait un abri naturel.

Un tronc déraciné reflétait la chaleur du feu qui pétillait gaiement, et Willow, fascinée, fixait les flammes bienfaisantes.

— Levez les bras, ordonna sèchement Caleb.

Elle obéit, et elle sentit que le poids du poncho lui était ôté. Elle en fut surprise, car elle ne se souvenait même pas l'avoir enfilé. Puis elle réalisa que Caleb déboutonnait la veste mouillée de sa tenue d'équitation. Machinalement, elle repoussa ses mains, mais en vain : elle aurait pu tout aussi bien s'attaquer aux montagnes environnantes.

— Que... que faites-vous ?

Elle claquait des dents.

— Je vous empêche d'attraper une pneumonie, grinça-t-il en arrachant le vêtement sans se soucier des rubans et des dentelles. Mon poncho ne peut vous tenir suffisamment chaud dans cette tempête, surtout si vous portez dessous des vêtements de laine si épaisse que la chaleur de votre corps ne suffit pas à les sécher. Vous êtes si frêle !

Willow leva les yeux vers cet homme qui la déshabillait avec autant d'intérêt que s'il pelait l'écorce d'un bout de bois. Son visage était fermé, trempé, couvert de barbe naissante. Sa chemise et sa veste de cuir étaient noires d'humidité.

— Vous... vous devez être ge... gelé aussi.

Pour toute réponse, Caleb poussa un grognement. Puis il sortit son couteau de chasse et fit ce qu'il avait envie de faire depuis qu'il avait vu Willow dans cette tenue ridicule : il fendit le tissu de la lourde jupe et des jupons tout au long. Quand la pointe de la lame heurta du métal, il s'interrompit pour voir ce que contenait la poche secrète.

Le Derringer à deux canons semblait minuscule dans sa main. Il vérifia que l'arme était chargée, puis la posa sur le tronc, à la portée de Willow. Ensuite, il se remit à la tâche.

Willow ne disait rien, toute à ses frissons. Quant à Caleb, il se taisait aussi : il était trop occupé à essayer de ne pas regarder les formes de la jeune femme, mises en valeur par le fin tissu mouillé du pantalon.

Pourtant, il aurait fallu être aveugle pour ne pas deviner le galbe élégant des jambes de Willow et le triangle plus foncé en haut de ses cuisses. La batiste de sa camisole, plus transparente encore, révélait la rondeur de ses seins dont le bout rose pointait de froid.

Caleb n'avait qu'une envie : se débarrasser de ses propres vêtements et la réchauffer... Les dents serrées, il enroula la jeune femme dans l'une de ses plus douces couvertures.

— Restez là pendant que je m'occupe des chevaux !

Willow ne songea pas un instant à discuter. La chaleur des flammes la brûlait, presque douloureuse. Jamais elle n'avait eu froid à ce point. Même lorsque sa mère et elle, en hiver, se cachaient dans la cave pour échapper aux soldats. Roulée en boule si près du feu que la couverture et ses cheveux fumaient, elle ne pensait à rien...

Quand Caleb eut fini d'attacher les chevaux, elle ne claquait plus des dents. Elle était parvenue à accrocher le lourd poncho à une branche basse près du foyer, ainsi que le gros cache-nez et les lambeaux de sa tenue de cheval.

Caleb jeta une brassée de bois près du feu.

— Il est humide, alors ne mettez qu'une bûche à la fois.

Il entreprit de fouiller dans le sac de toile qui contenait les ustensiles et la nourriture, pour ne pas regarder Willow, bras nus, qui prenait un morceau de bois. La couverture glissa, et il s'efforça de ne pas remarquer la courbe gracieuse de son cou, de son épaule... Ni la douceur des seins sous la camisole qui, loin de les cacher, en rehaussait encore la féminité.

Le feu craquant et sifflant n'était pas plus ardent que les pensées de Caleb. Il trancha le lard avec une sorte de sauvagerie. Fascinée, Willow l'observait, tandis qu'il travaillait rapidement, régulièrement.

— Vous êtes habile, au couteau.

Caleb eut un sourire ironique.

— On le dit, ma belle. On le dit...

Hésitante, elle répondit à son sourire.

— Rendez-vous utile, dit-il sans la regarder. Voyez si l'eau du café bout.

Au ton cassant de sa voix, elle se rappela qu'il avait déclaré ne pas être son esclave. Sortant les bras de la couverture, elle se pencha à quatre pattes vers la cafetière. Une longue mèche de ses cheveux tomba en avant, dangereusement proche des flammes. Avant qu'elle pût s'en inquiéter, Caleb, d'une violente poussée du bras, l'envoya rouler en arrière.

— Vous trouvez malin de vous approcher d'un feu les cheveux défaits ? gronda-t-il. Je vous jure, jolie dame, vous causez plus d'ennuis qu'un renard dans un poulailler !

— Je ne suis pas une « jolie dame », et mes cheveux sont trop mouillés pour brûler ! En plus, j'en ai assez d'être sans arrêt humiliée !

Caleb fixait ses yeux noisette pleins de rage, ses lèvres tremblantes, si proches...

— Vous êtes fatiguée, voilà tout, reprit-il. Quant au reste, les cheveux mouillés brûlent aussi, et j'arrêterai de faire des commentaires désobligeants quand vous serez enfin efficace.

Vif, félin, il se dirigea vers les sacoches et revint avec une chemise de laine bleu marine taillée comme celles des uniformes de cavalerie, avec deux rangées de boutons. Willow avait déjà vu des chemises de ce genre, à boutons de cuivre; mais ceux de Caleb étaient de corne sombre, à peine luisante sous la lueur des flammes.

Elle s'aperçut qu'il ne portait rien de brillant, ni de voyant. Selle, brides, vêtements, éperons, même sa ceinture. Et ce n'était sûrement pas par souci d'économie, car tout était d'excellente qualité. C'était sans doute pour traverser les terres sauvages sans plus attirer l'attention qu'une ombre.

— Je sais que ce n'est guère élégant, dit-il en lui tendant la chemise, mais cela vous évitera de feindre la pudeur lorsque la couverture glisse...

Sans comprendre ce qu'il voulait dire, Willow suivit la direction de son regard. La couverture avait en effet glissé, retenue par le renflement de sa poitrine. Avec un petit cri horrifié, elle la remonta à deux mains et tourna le dos au feu.

Caleb laissa tomber la chemise sur la jeune femme et retourna s'occuper du dîner en essayant d'oublier la vision de ses seins, la beauté de ses épaules. En vain. Il ne pensait qu'à ça!

Furieux de ne pas arriver à se contrôler, il mit le bacon à griller en silence, tandis que Willow, maladroitement, s'efforçait d'une main de préparer des biscuits. De l'autre, elle retenait la couverture autour de sa taille. La chemise la couvrait comme un manteau, mais l'encolure trop large dévoilait son cou et la ligne délicate de ses clavicules.

Après qu'ils eurent mangé, il remit du bois dans le feu, jeta une bâche sur le sol et se tourna vers Willow, qui le regardait avec prudence, le sentant en colère sans en comprendre la raison. Une femme plus expérimentée aurait deviné, mais la jeune fille se disait seulement que quelque chose tracassait Caleb.

— Savez-vous vous servir d'une arme? demanda-t-il sèchement.

— Oui.

Il tendit le bras devant elle pour attraper son fusil à répétition et sa carabine à canon court. Willow recula vivement avant de se rendre compte qu'il n'avait pas l'intention de la toucher. Il serra les dents mais ne dit rien. Avec des gestes d'expert, il ôta la carabine de son étui.

— Prenez-la.

Elle obéit. Malgré le canon court, l'arme était lourde, mais Willow s'y attendait. Elle s'assura que le canon était dirigé vers le ciel. Caleb hocha la tête, satisfait. Visiblement, ce n'était pas la première fois qu'elle avait un fusil entre les mains.

— Elle est chargée, précisa-t-il.

Willow eut un curieux petit sourire.

— A quoi servirait-elle, sinon...?

— Vous savez recharger?

— Oui.

Il lança une petite boîte sur ses genoux.

— Des cartouches. Quand je reviendrai...

— Où allez-vous?

— Il y a des gens à quelques kilomètres d'ici. Je vais voir si quelqu'un est à nos trousses.

— Comment serait-ce possible? Nous avons toujours chevauché dans le noir et la pluie.

Caleb plissa ses yeux dorés.

— Personne à Denver n'ignorait que nous nous dirigions vers les monts San Juan. Ce pays est diablement désert, néanmoins cela ne le rend pas plus facile à traverser. Il n'y a que quelques passes praticables, et toutes les pistes y mènent.

Il s'interrompit, mais Willow se taisait.

— Il existe deux façons de nous rendre où nous allons, reprit-il. Par Canyon City, en remontant un affluent du fleuve Arkansas puis la rivière Gunnison. Cela conduit au nord de la région. Ou alors parcourir une centaine de kilomètres vers le sud, traverser les monts Sangre de Cristo, rattraper le Rio Grande près d'Alamosa et prendre au nord-ouest. On aborde alors San Juan par le sud-est.

Caleb s'arrêta encore. Willow le regardait sans mot dire.

— Vous m'écoutez, belle dame ? s'impatienta-t-il.

— Oui.

— Si je sais par où passer, les autres le savent aussi. Alors, quelle route choisirons-nous, Canyon City ou Alamosa ?

Willow fronça les sourcils, se remémorant la carte que Matt avait jointe à l'une de ses lettres, et qu'elle avait cachée dans la doublure de son sac de tapisserie. Elle y avait lu le nom de Canyon City. Et aussi celui d'Alamosa, ainsi que d'autres villes. Toutes étaient suggérées comme des routes possibles, en fonction de l'endroit d'où partiraient les frères Moran. Matt avait tracé des itinéraires depuis plusieurs directions : Virginie, Texas, Californie, Canada...

Mais il n'avait pas désigné le site exact de la mine d'or. Il s'était contenté de marquer cinq pics des monts San Juan et faisait confiance à ses frères pour le trouver.

— Matt vit du côté occidental du Great Divide, dit lentement Willow. La Gunnison est la rivière la plus importante de l'endroit.

— Cette rivière arrose un bon nombre de régions, grommela Caleb. Canyon City est plus proche, mais la route d'Alamosa traverse des passes plus accessibles.

— Ne devrions-nous pas prendre le chemin le plus rapide?

— Excellente idée, apprécia Caleb, sarcastique. Si j'avais une boule de cristal, je saurais exactement quoi faire. Mais ce n'est pas le cas, alors je vais descendre un peu vers le sud pour voir si quelqu'un peut me renseigner sur l'état des pistes.

Caleb s'éloigna en continuant à parler:

— Laissez le feu s'éteindre. J'ai attaché Ishmael un peu plus haut et les juments en dessous. Si vous les entendez broncher, attrapez la carabine et cachez-vous sous les arbres. Je me signalerai à mon retour.

— Comment saurai-je qu'il s'agit de vous?

En un éclair, Caleb se retourna vers elle en sortant de sa poche arrière un objet qu'il porta à sa bouche. Un accord s'éleva alors dans la nuit, étrange et surnaturel comme le hurlement d'un loup. L'harmonica fut rangé aussi vite qu'il était apparu.

Avant que Willow pût parler, Caleb s'était fondu dans l'ombre. Elle entendit les sabots de deux chevaux s'éloigner le long du ravin, puis ce fut le silence.

Au bout de quelques minutes, les bruits habituels de la nuit reprirent — insectes, petites bêtes furtives... Le craquement du feu semblait trop bruyant, les flammes trop vives. Willow retira prudemment plusieurs bûches et les flammes diminuèrent. Seules quelques langues de feu parcouraient les braises de temps à autre, puis elles s'éteignirent aussi.

Willow s'allongea sur la bâche, la carabine à portée de main, la tête reposant sur sa selle.

Elle ne voulait surtout pas perdre conscience, pourtant elle s'endormit presque instantanément, incapable de résister à la fatigue.

5

Caleb guida prudemment ses chevaux dans la lumière grise qui précède l'aube. Même s'il y avait peu de chances pour que les hommes se promènent par ce temps, il ne voulait prendre aucun risque. Il lui fallait atteindre la demeure de Wolfe sans attirer l'attention.

« Heureusement, ce grigou n'est guère sociable, se dit-il tandis qu'il suivait le ruisseau qui menait à la cabane de rondins. Il sera certainement seul. »

Aucune lumière ne brillait à la fenêtre, personne en vue dans le corral ni les dépendances.

— Vous cherchez quelqu'un?

La voix, froide, sèche, s'élevait derrière lui.

— Salut, Wolfe, dit Caleb en levant les mains bien haut. Toujours aussi accueillant, je vois.

Il y eut le cliquètement d'un fusil qu'on désarme.

— Salut, Cal. Je ne pouvais pas savoir s'il s'agissait de toi, de Reno ou d'un autre Blanc aussi volumineux.

Caleb sourit.

— Ou d'un Indien.

— Les Indiens sont trop malins pour traîner dehors par une nuit comme celle-là!

Wolfe sortit du couvert d'un grand peuplier. Il se déplaçait avec souplesse, en silence, à la façon des gens accoutumés à vivre dans des contrées sauvages.

— Arrête-toi et reste quelques jours ici, *amigo*. A voir l'état de Diable, un peu de repos serait le bienvenu. Pour Trey aussi, d'ailleurs.

— C'est impossible.

Wolfe observa un moment Caleb de ses yeux d'obsidienne. A la lumière du jour, ses iris indigo trahissaient l'origine britannique de son père, mais la nuit, il faisait plutôt penser à sa mère cheyenne. Et c'était un homme que tous les autres abordaient avec prudence.

— Tu te rapproches de Reno? demanda-t-il enfin d'un ton neutre.

Il connaissait Caleb, il connaissait Reno, il les appréciait tous les deux. Il ignorait pourquoi Caleb pourchassait Reno. Il ne le lui avait pas dit, et Wolfe n'avait posé aucune question.

— J'ai d'autres chats à fouetter, pour l'instant. J'ai laissé une femme à quelques kilomètres d'ici. Elle a besoin de vêtements.

— S'appellerait-elle Willow Moran, par hasard?

Caleb jura entre ses dents.

— Les nouvelles vont sacrément vite!

— Il y a pas mal de types qui sont contents que Johnny Slater ait reçu une raclée, répondit Wolfe avec un mince sourire. Kid Coyote... Il n'oubliera pas ça de sitôt, il te cherche pour te faire la peau.

— Il vaudrait mieux pour lui qu'il ne me trouve pas.

— Il te trouvera si tu passes par Canyon City. Il s'est embusqué en haut de la piste pour t'attendre, avec la moitié de ses gars. L'autre moitié a filé vers le Rio Grande.

— Tu en es sûr?

— Ils ont posté un homme au carrefour. Demande-le-lui. Et demande-lui aussi le montant de la prime que Jed Slater offre pour ta tête. Quatre cents dollars à celui qui lui apportera ton scalp. Mille dollars si on te ramène vivant.

— Le fils de chien!

— Besoin d'aide? Je n'ai rien à faire, en ce moment. Le tuteur de Jessi m'a écrit pour dire que personne ne viendrait cet été.

Caleb fut un instant tenté d'accepter. Wolfe était habile à toutes les armes, y compris les poings. Mais c'était un risque qu'il ne pouvait courir. En effet, si quelqu'un d'autre que lui savait que Reno et Matthew

Moran ne faisaient qu'un, c'était bien l'Indien. Or, si Willow découvrait que Caleb était à la recherche de son amant, jamais elle ne le mènerait jusqu'à lui.

— Je te remercie, mais ce ne sera pas nécessaire, dit-il.

— Tu échapperas peut-être au gang Slater sur le Rio Grande del Norte, mais tu n'as pas la moindre chance de t'en sortir par Canyon City.

— Il existe d'autres passages.

Wolfe haussa les sourcils.

— Peu d'hommes blancs les connaissent.

— Mon père faisait partie de l'armée dans les années cinquante. Il y a d'autres passages, répéta Caleb.

Wolfe changea de sujet de conversation :

— Cet étalon qu'elle possède, est-il aussi splendide qu'on le dit ?

— La plus belle bête que j'aie jamais vue, répondit Caleb.

— « Belle » n'est pas une référence pour un cheval... ni pour une femme, ajouta Wolfe, ironique.

— Cet étalon est beaucoup plus résistant qu'il n'en a l'air. Docile et rapide aussi. Un bon cheval de piste.

— Et pour la vigueur ?

— Il tient le coup. Les juments également.

— Confie-les-moi. Ils risquent de te retarder, surtout dans les montagnes.

— Willow n'a pas voulu les laisser à Denver. Ça m'étonnerait qu'elle accepte de te les donner en pension, mais je le lui proposerai. Et attention, ces chevaux risqueraient d'attirer les Slater chez toi.

Wolfe sourit.

— Ils seraient bien reçus, fais-moi confiance !

Caleb secoua la tête en riant. C'était un des aspects de Wolfe qu'il préférait : cet homme était un combattant jusqu'à la moelle des os.

— Et la fille ? demanda le métis. Elle tient le coup, elle aussi ?

— Comme ses chevaux, reconnut Caleb. Brave et courageuse. Quand je lui aurai trouvé des vêtements secs et une selle convenable, elle suivra sans problème.

— Alors c'est vrai ? Elle monte une selle d'amazone ?

— C'est vrai, confirma Caleb dans un grognement.

— Bon Dieu ! Je n'en ai pas vu une seule depuis l'Angleterre !

— J'aimerais bien ne plus jamais en voir de ma vie. C'est de la folie !

Wolfe eut un sourire nostalgique.

— Peut-être, mais ces dames anglaises ont belle allure, perchées comme des papillons sur le dos de leurs chevaux irlandais.

— Bon sang, si j'avais su, je t'aurais apporté ce satané machin. Elle aurait pu l'utiliser la prochaine fois qu'elle te rendra visite.

— Lady Jessica Charteris préfère monter à cru et elle mène ses montures ventre à terre. (Wolfe se rembrunit.) De toute façon, sa dernière lettre parlait de mariage. Je ne crois pas qu'elle reviendra m'empoisonner l'existence avant un moment...

Wolfe se tourna vers l'est pour contempler le soleil, peiné à l'idée que Jessi envisageait de se marier.

— Tu ferais mieux de cacher tes chevaux, reprit-il. L'homme de Slater a peut-être entendu dire que tu me rendais visite de temps à autre. Il doit chercher les traces de sept animaux, pas de deux, mais on ne sait jamais...

Caleb mit pied à terre, attacha ses hongres dans un épais taillis et suivit Wolfe vers la cabane.

— Quand Jessi chevauchait avec toi, portait-elle quelque chose d'autre que des jupes qui claquent au vent, avec plus de jupons qu'il n'y a de feuilles sur un arbre ?

74

Wolfe sourit.

— Que dirais-tu d'un pantalon et d'une chemise de daim que ma tante lui a faits? A son dernier voyage, elle m'a cajolé jusqu'à ce que je lui achète ces fameux Levi's que portaient les pionniers de la ruée vers l'or. J'ai eu un mal de chien à en trouver d'assez petits, je dois dire! Pareil pour la selle.

— Cajolé, hein? J'aurais bien aimé voir ça... Est-elle du genre à se formaliser si je lui emprunte ses vêtements et sa selle pour quelques semaines?

— Je ne crois pas. D'autre part, même si elle amenait ici son fichu mari, elle ne prendrait pas le risque de choquer ce pair du royaume en s'affichant avec un pantalon et en montant à califourchon.

Caleb ne fut pas surpris par le mépris qui perçait dans la voix de son ami. A part la jeune Jessica, Wolfe ne prisait guère l'aristocratie britannique dont il était issu.

— Dans ce cas, ça m'arrangerait que tu me prêtes ses vêtements.

— Je te les donne. Elle ne les portera plus jamais... Autre chose? N'hésite pas. Il vaut mieux me demander à moi ce dont tu as besoin que d'aller le chercher à Canyon City.

— J'avais en effet l'intention d'acheter différentes choses à Canyon City, avoua Caleb.

— Que veux-tu?

— De la nourriture pour nous, du grain pour les chevaux, si tu en as suffisamment. L'herbe, cela va un temps, mais là où nous allons, nos montures auront besoin de céréales pour leur donner des forces.

— Pas de problème pour les provisions. Est-ce que cinquante kilos de grain te suffiront?

Caleb soupira, soulagé.

— Merci, *compadre*. Et pourrais-tu te passer d'une couverture ou deux? Il va faire terriblement froid.

— J'ai mieux que des couvertures... Des sacs de couchage.

Pour toute réponse, Caleb émit un grognement dégoûté.

— Jessi a insisté, expliqua Wolfe. Après la première nuit à la belle étoile, j'ai cessé de m'en plaindre. Même si tu t'agites en dormant, l'air ne passe pas.

— Tu te modernises avec l'âge, on dirait?

Wolfe sourit. Tous deux avaient fêté leurs trente ans en avril dernier.

— J'aime mon confort, c'est tout.

— Et moi je préfère les bonnes vieilles couvertures.

Caleb sortit une pièce d'or de sa poche :

— Si ce n'est pas assez...

— Range ça avant que je me mette en colère, espèce de crétin! gronda Wolfe.

Caleb lança un regard mécontent à son ami, mais il obéit. Ils se turent jusqu'à ce qu'ils soient à l'intérieur de la cabane. Dès que la porte fut refermée derrière eux, Wolfe se tourna vers Caleb :

— Je suis heureux que tu aies autre chose à faire que de pourchasser Reno. Tu ne m'as jamais dit ce que tu lui voulais, et je ne te demande rien. Ce n'est pas mon affaire. Mais je vais te dire une chose, Caleb. Si jamais tu trouves Reno, fais attention : il est sacrément redoutable.

Caleb ne répondit pas, les yeux dénués d'expression sous le bord de son chapeau.

Wolfe scruta son visage dur.

— Tu m'as entendu, *amigo*? Vous vous ressemblez beaucoup, Reno et toi.

— J'ai entendu.

— Alors?

— Ce qui doit arriver arrivera.

Willow s'éveilla en sursaut, le cœur battant, en entendant le hennissement d'Ishmael. Le soleil dardait ses rayons dans le ravin, mais elle ne prit pas le temps d'admirer le paysage. Saisissant le fusil d'une main, la couverture de l'autre, elle courut se mettre à l'abri aussi silencieusement que possible.

Une fois dans les taillis, elle s'accroupit et s'immobilisa, tendue, pour voir ce qui avait dérangé l'étalon.

Un son surnaturel résonna dans le silence, comme l'écho du hurlement d'un loup.

Une minute plus tard, elle vit Caleb arriver, monté sur Diable, Trey derrière lui. Il fallut un moment à la jeune femme pour s'apercevoir que ce dernier était différent. Il portait une selle normale au lieu de celle sur laquelle on posait les bagages. Deux sacs de grain y étaient attachés, et d'épaisses couvertures étaient roulées derrière, surmontées d'une veste de daim.

— Vous avez eu un problème ? demanda Caleb en la voyant émerger du couvert des arbres.

— Pas jusqu'à l'instant où Ishmael a senti votre odeur.

— C'est la raison pour laquelle je suis arrivé sous le vent. Afin de vous avertir.

Il mit pied à terre, s'étira et entreprit de desseller Diable.

— Il n'y a personne aux alentours. Pendant que j'étrille Diable, faites-nous du café, sur le feu le plus petit que vous puissiez allumer.

Willow, désireuse d'aider Caleb, se dirigea vers Trey, mais il l'arrêta d'un geste sec.

— Occupez-vous du feu, jolie dame. Les flammes ne craignent pas les jupes ou les couvertures qui volent. Mes chevaux, si.

Lorsque Caleb déchargea les deux sacs, l'odeur du grain parvint aux juments qui se mirent à s'agiter. Il ouvrit l'un des sacs de vingt-cinq kilos et alla d'un cheval à l'autre pour déposer devant chacun une portion de grain. Les juments mangeaient très délicatement, ce qui rappela à Caleb leur maîtresse en train de se lécher les doigts pour ne rien perdre du goût du bacon...

De nouveau le désir l'envahit, importun, et il s'efforça de se concentrer sur ce qui les attendait — pistes, défilés, orages, soleil impitoyable, épuisement... sans compter le gang Slater et l'amant de Willow.

Avec une grimace, Caleb se frotta la nuque et revint vers le feu de camp sur lequel chantonnait la cafetière. Willow était agenouillée à côté, les manches de la chemise bleu marine roulées jusqu'aux coudes, la couverture drapée autour de la taille. Elle s'était fait une natte qu'elle avait attachée avec un lambeau de la dentelle de ses jupons. Ainsi attifée, elle n'aurait pas dû être séduisante. Et pourtant...

Quand elle vint s'agenouiller près de lui, afin de lui offrir du café, Caleb eut bien du mal à ne pas la prendre dans ses bras. Malgré sa fatigue, un désir douloureux lui brûlait les reins.

Avec un violent juron, il s'empara de son quart en fer-blanc.

— Caleb ? risqua Willow, inquiète de la lueur sauvage qui brillait dans ses yeux.

— Les passes sont accessibles, à condition qu'on ne soit pas pris dans une tempête, lança-t-il sèchement. Les hommes de Slater sont divisés ; ils nous attendent quelque part au bord du Rio Grande, et aussi le long de l'Arkansas.

Il s'abstint de l'informer que Jed avait promis pour sa capture une récompense faramineuse.

— Qu'allons-nous faire ?

Le regard doré de Caleb se posa sur la selle d'amazone. Avec colère, il s'en saisit et la jeta dans le petit ruisseau qui courait près du campement. La jupe déchirée suivit le même chemin.

— Caleb! Au nom du Ciel, que...

— Ils cherchent une femme assez stupide pour chevaucher en amazone dans les Rocheuses, coupa Caleb. Moi, je n'en connais pas. Et vous?

Willow resta bouche bée.

— Parfait! approuva Caleb. Ils cherchent aussi une femme assez stupide pour porter des jupes qui volent au vent et ne parviennent pas à sécher. Je n'en connais pas. Et vous?

Les doigts croisés, Willow se taisait.

— Ils cherchent une femme assez stupide pour croire que cinq chevaux peuvent passer inaperçus, poursuivit Caleb, bourru. Je n'en connais pas. Et vous?

— Mes chevaux m'accompagnent! protesta vivement Willow. Nous étions d'accord là-dessus, Caleb Black. Reviendriez-vous sur votre parole?

A l'instant même où elle prononçait ces mots, Willow s'aperçut qu'elle commettait une erreur. Mais il était trop tard. Elle allait devoir affronter la colère de Caleb.

— Je ne suis jamais revenu sur ma parole, répliqua-t-il, glacial. Même celle donnée à une jeune dame du Sud trop gâtée.

Sans quitter Willow des yeux, il défit les sangles qui retenaient les couvertures pour libérer les vêtements pliés à l'intérieur.

— Commencez par la combinaison de flanelle, ordonna-t-il. Puis le pantalon de daim, et enfin le Levi's. En haut, vous porterez...

— Il y a des années que je m'habille seule, coupa Willow. Je sais comment m'y prendre.

Caleb lui fourra les vêtements dans les bras.

— Il y a un chapeau et une canadienne pour vous. Jessi n'avait pas d'imperméable. Désolé.

— Et vous?

— Wolfe et moi détestons ces machins.

Curieuse, la jeune femme ne put s'empêcher de demander :

— Qui est Wolfe ? Jessi est-elle sa femme ?

— Il s'appelle Wolfe. Jessi est la cousine de sa belle-mère, quelque chose comme ça.

— Où habite-t-il ? J'aimerais le remercier personnellement.

— Je doute que vous ayez grand-chose de commun avec lui.

— Pourquoi ?

— Son père était un noble britannique, mais sa mère était la fille d'une chamane cheyenne.

— Une guérisseuse ? s'étonna Willow, vivement intéressée.

Caleb l'observa, les yeux plissés, mais il ne vit que de la curiosité sur son visage, pas le mépris que beaucoup nourrissaient vis-à-vis des métis.

— Quelle importance ? dit-il enfin.

— Elle connaîtrait alors les vertus des plantes de l'Ouest, expliqua Willow. J'en ai repéré quelques-unes semblables à celles qui poussent en Virginie, mais pas beaucoup.

— Vous écouteriez les conseils d'une Indienne en matière de médecine ?

— Bien sûr ! Ils vivent ici depuis plus longtemps que moi...

— Vous êtes la plus étrange Sudiste que j'aie jamais rencontrée !

— Sans doute parce que je ne suis pas une Sudiste.

Caleb esquissa un sourire.

— Pourtant, votre accent... En vous écoutant, on a l'impression de manger du miel.

— Ce n'est pas parce que ma voix ne ressemble pas à un torrent qui charrie des cailloux que...

— Vous m'insulterez une autre fois ! coupa Caleb. Nous avons mieux à faire, pour l'instant.

Rapide, il plaça les couvertures de Wolfe sur la bâche, posa sa selle en guise d'oreiller et se glissa dans ce lit improvisé.

Willow regarda autour d'elle, ne vit pas d'autre couverture.

— Où est ma couche?

— Au même endroit que la nuit dernière, répondit Caleb en indiquant la moitié inoccupée de la bâche. Là.

L'expression scandalisée de Willow n'était pas feinte.

— J'ai dormi près de vous?

— Bien sûr!

— Mais... je ne m'en souviens pas...

— Vous étiez si épuisée que vous n'auriez pas remarqué un buffle qui serait venu vous lécher le nez. Maintenant, vous avez le choix : ou vous dormez au chaud à côté de moi, ou vous vous couchez ailleurs et vous aurez froid. A vous de décider. De toute façon, éteignez le feu après avoir changé de vêtements.

Avant que Willow pût trouver une réponse appropriée, Caleb avait baissé son chapeau sur ses yeux, mettant un terme à la conversation. Bien vite, sa respiration se fit plus profonde, plus lente.

Willow contempla un instant son torse soulevé par le souffle régulier. Il dormait. Elle envisagea d'aller se cacher pour s'habiller, mais elle n'avait guère envie d'emporter les vêtements secs sous les arbres encore ruisselants de pluie. Ni de s'éloigner de la chaleur bienfaisante des flammes.

— Caleb? murmura-t-elle.

Pas la moindre réaction.

Sa décision fut vivement prise. Rapide et silencieuse, elle ôta ses bottes et posa les nouveaux vêtements sur la bâche près de Caleb. Le dos tourné, elle se débarrassa de la couverture dans laquelle elle s'était enroulée, défit les rubans de son pantalon de fin coton qui glissa à ses pieds. Puis elle enfila l'étrange sous-vêtement.

Ce ne fut pas simple. La propriétaire de cette confortable combinaison était sans doute plus petite, et la flanelle la moulait comme une seconde peau. C'était assez agréable à porter, mais plutôt inattendu.

Caleb en eut le souffle coupé, surtout lorsque Willow, après avoir terminé d'enfiler la combinaison, laissa ses mains courir sur le tissu. Caleb serra les dents. Il aurait tout donné pour caresser ainsi la jeune femme et l'entendre gémir sous ses doigts.

Il ferma les yeux et bougea sans bruit afin de tourner le dos à Willow. Celle-ci ne le remarqua pas, même quand elle se pencha de nouveau vers le tas de vêtements, tant elle était occupée à admirer la douceur et la souplesse du pantalon de daim.

Elle eut un petit cri de plaisir en l'enfilant par-dessus la combinaison de flanelle. Il lui allait parfaitement, comme la veste dont les longues franges étaient destinées à évacuer la pluie.

Tous les vêtements étaient parfumés par le petit sachet de pétales de roses avec lequel ils avaient été rangés.

Willow fit quelques pas. Elle avait l'impression qu'elle allait s'envoler, sans le poids de sa lourde jupe et de ses jupons. Elle se sentait merveilleusement libre et légère.

« Maman tomberait dans les pommes si elle me voyait en pantalon, se dit-elle avec un mélange d'amusement et de tristesse. Mais je n'ai pas le choix. »

Il ne restait plus que le Levi's et la canadienne à carreaux rouges et noirs, plus vastes que le reste. Le Derringer allait parfaitement dans l'une des poches de la veste, et Willow l'y laissa.

Elle fut un moment déconcertée par la braguette du Levi's, puis elle s'affaira sur les boutons métalliques. Ensuite elle enfila la veste, qui avait dû être conçue pour un homme, car elle se fermait du mauvais côté pour elle.

Enfin elle prit le chapeau qui était roulé avec les autres vêtements et lui redonna sa forme avant de le poser sur sa tête. Elle aurait voulu pouvoir se regarder dans un miroir.

— Il vaut mieux que je n'en aie pas, finalement, murmura-t-elle. Mes cheveux doivent ressembler à des algues !

Willow se sentait délicieusement bien dans les vêtements secs, et elle jeta un coup d'œil inquiet vers le ciel. Elle ne vit aucun nuage, mais cela ne voulait pas dire qu'il n'allait pas pleuvoir dans quelque temps. Peut-être en fin de journée...

Le vent soufflait dans le ravin avec un long gémissement, et Willow se rappela la nuit glaciale qu'elle venait de passer.

Comme des étincelles crépitaient dans le feu, elle écarta les brindilles, couvrit les braises de cendres, tout en regrettant la bonne chaleur du foyer.

Elle regardait Caleb et le peu de place qui restait sur la bâche, et se dit une fois de plus qu'il était vraiment immense. C'était intimidant, mais bien mieux que de s'allonger sur le sol froid et humide...

Le plus discrètement possible, elle se débarrassa du chapeau, de la veste, du Levi's, et se glissa sous la couverture.

D'abord, elle trouva la proximité de Caleb perturbante, mais il ne bougeait pas et elle se détendit vite, profitant de sa chaleur. Et, avec un long soupir de contentement, elle s'endormit.

Caleb eut un peu plus de mal à trouver le sommeil, mais il finit par y parvenir.

Comme de coutume, il se réveillait périodiquement, tendait l'oreille, se rendormait.

Un moment, il ouvrit un œil pour s'apercevoir que Willow était tout contre lui, la tête posée sur son épaule, un bras passé en travers de son torse. Avec un sourire, il remonta la couverture sur leurs têtes. Comme il sombrait de nouveau, il respira le parfum des pétales de roses...

La dernière fois qu'il se réveilla, Caleb vit que le ravin était illuminé par la lumière orangée de la fin d'après-midi. Willow dormait contre lui, tous deux couchés sur le côté gauche. Il avait passé un bras autour de sa taille et la tenait bien serrée... Le contact de ses hanches éveilla en lui une réponse immédiate.

Sans bouger, le sang battant dans son corps, Caleb se répéta toutes les raisons pour lesquelles il serait fou de glisser les mains sous la veste de Willow afin de voir si ses seins réagissaient à ses caresses... Mais rien ne lui paraissait convaincant, sous l'abri de laine qui les coupait du monde extérieur.

« Doucement, mon vieux. Elle est peut-être mariée. Et même si ce n'est pas le cas, c'est une femme seule dans un univers sauvage. Il ne faut pas qu'elle pense que j'abuse d'elle. Si elle me veut, elle devra me le dire clairement, en me regardant dans les yeux. »

Avant que son corps ne prît le pas sur sa raison, Caleb roula hors du nid douillet de la couverture parfumée.

Willow murmura dans son sommeil et se tourna.

— Réveillez-vous ! dit Caleb en enfilant ses bottes. Nous ne sommes pas dans un hôtel de luxe. Si vous voulez un petit déjeuner, remuez-vous.

De grands yeux noisette encore ensommeillés le regardèrent. Willow bâilla comme un chaton, soupira, ses paupières s'abaissèrent de nouveau.

— Allons, dame du Sud ! Quand je reviendrai de ma ronde, il vaudrait mieux pour vous que le feu soit prêt à être allumé et la cafetière pleine d'eau fraîche. Votre étalon a besoin d'être pansé. Si vous n'avez pas d'étrille au fond de votre énorme sac, vous en trouverez une dans mes sacoches.

— Je vous souhaite moi aussi une bonne journée, répondit-elle, pincée.

Dès que Caleb eut disparu, Willow rejeta les couvertures, chaussa ses bottes. Sa toute nouvelle liberté de mouvement ne cessait de l'étonner.

Il faisait doux, une légère brise soufflait par intermittence, les oiseaux chantaient. Willow descendit au ruisseau et leva les yeux vers le ciel. Il y avait bien quelques nuages, mais ils ne semblaient pas très menaçants.

— Peut-être ne pleuvra-t-il pas cette nuit, murmura-t-elle, pleine d'espoir.

Seul lui répondit le vent qui chantait dans les feuilles. Profitant de sa solitude, elle s'enfonça dans les broussailles, où elle découvrit l'inconvénient de ses nouveaux vêtements : elle fut obligée de se déshabiller complètement.

Elle grommelait encore en revenant au campement contre l'ennui de porter une tenue d'homme lorsqu'on était une femme !

Elle fut tentée d'allumer le feu, mais y renonça. Si Caleb l'avait voulu, il l'aurait dit. Or il lui avait seulement demandé de le préparer.

Elle se mit en devoir de ranger les couvertures, puis alla chercher de l'eau fraîche avant de prendre la brosse de Caleb pour s'occuper des chevaux.

Diable et Trey l'accueillirent sans broncher, maintenant qu'elle n'avait plus sa longue jupe, et Ishmael se montra joueur comme de coutume. Elle était tout absorbée par la toilette de Penny, une des juments alezanes, lorsque celle-ci regarda par-dessus son épaule.

Willow s'aperçut alors que Caleb, à quelques mètres de là, la fixait de ses yeux d'ambre.

Elle se demanda fugitivement ce qu'il pensait d'elle vêtue comme une Indienne, avec ses cheveux qui cascadaient jusqu'à ses reins, mais il n'émit aucun commentaire. Il ne regarda pas non plus ses jambes, étroitement moulées par le pantalon de daim.

— Mes chevaux ne vous ont pas donné trop de mal ? demanda-t-il, pas vraiment sûr qu'elle eût pris la peine de s'en soucier.

Soulagée qu'il ne se moquât pas de sa tenue, Willow répondit gaiement :

— Trey et Diable ont été très sages. Ils ont levé gentiment les jambes et ne se sont pas appuyés sur moi pendant que j'examinais leurs sabots.

Caleb ouvrit de grands yeux. Finalement, ce n'était peut-être pas une très bonne idée, cette tenue — pour lui, en tout cas. Le haut qu'elle portait soutenait ses seins comme les mains d'un homme auraient pu le faire.

— Un chariot de marchandises se dirige vers le sud, dit-il enfin. Le vent vient de l'ouest. Si nous faisons un feu raisonnable, personne ne le sentira. Et à l'aube, avec la bise qui descend des montagnes, nous serons bien contents d'avoir une gourde de café et du pain.

Willow sourit.

— Pouvons-nous avoir également du café maintenant ?

Caleb eut une ombre de sourire pour avouer :

— J'en ai envie aussi.

Quand Willow en eut fini avec les chevaux, elle alla laver ses anciens sous-vêtements puis les étendit près du feu. Le fin tissu sécherait rapidement.

Caleb fabriqua avec de l'écorce de saule des assiettes improvisées sur lesquelles il déposa du bacon et du pain frit. Willow versa du café dans la gourde et s'assit pour se restaurer. Comme elle mordait dans le pain chaud, Caleb apporta un petit pot de miel, l'un des nombreux trésors que Wolfe avait mis dans le sac à provisions.

— Merveille des merveilles! s'écria-t-elle, ravie.

— Je vous remercie du compliment, répondit-il, pince-sans-rire.

Quand elle comprit ce qu'il voulait dire, elle rougit.

— Vous savez fort bien, Caleb Black, que je parlais de ce qu'il y a dans le pot, et non de vous.

— Ah bon? J'en suis profondément blessé.

— Du miel, s'il vous plaît, se contenta de demander Willow.

— Comment pourrais-je résister à une requête si gentiment formulée?

Willow faillit pouffer de rire, et le sourire de Caleb lui fit chaud au cœur. Elle se sentait presque comme à la maison, une maison qui n'existait plus que dans ses souvenirs — la lumière du feu, ses parents, les taquineries de ses frères, particulièrement Matt à qui elle vouait une véritable adoration.

Sans un mot, Willow versa sur sa tranche de pain une coulée de miel qui flamba un instant au soleil avant d'être absorbée par la mie. Elle en goûta du bout de la langue puis mordit à belles dents dans la tartine. Cela faisait trois ans qu'elle n'avait pas eu l'occasion d'apprécier une telle douceur.

Caleb l'observait du coin de l'œil, se persuadant qu'elle ne faisait pas exprès de se lécher les lèvres, de tirer un petit bout de langue pour ramasser une goutte de miel. Ce spectacle le rendait fou de désir.

Si Willow l'avait ouvertement provoqué, il aurait ignoré ou accepté l'invitation, suivant l'humeur du moment. Mais ce n'était pas le cas, et il se trouvait en mauvaise posture. Il avait envie d'elle, elle n'avait pas envie de lui.

Ou alors elle le dissimulait avec une science accomplie.

« Peut-être est-elle l'épouse de Reno, après tout. Les hommes n'offrent pas toujours une alliance à leur femme... Mais alors, pourquoi rougit-elle comme un enfant qui a volé des pommes chaque fois que je prononce le mot "mari" ? »

Il y avait une seule réponse plausible : Reno n'était pas l'époux de Willow.

Distraitement, Caleb caressa le médaillon qui ne quittait pas sa poche. Puis il regarda la position du soleil dans le ciel. Encore trois heures de jour, sauf si un orage se déclarait, ce qui semblait peu vraisemblable. Quelques averses intermittentes, c'était possible, mais rien de comparable à la nuit précédente.

Caleb ouvrit le médaillon et étudia les deux photos qui s'y trouvaient. A en croire Willow, elle était plus proche des parents de Reno que des siens. Il suffisait de lui montrer le médaillon. Si elle reconnaissait les portraits, elle était bien la femme de Reno. Sinon, elle avait menti.

Montre-les-lui. Tu sauras ainsi si elle est libre.

Et si elle ne l'est pas ?

La question lui fit mal, révélant à quel point il tenait à cette fille aux cheveux d'or.

« *Tu ne convoiteras pas la femme de ton prochain.* »

Facile à dire ! A présent, il n'était plus certain de pouvoir respecter la lettre — et moins encore l'esprit — de ce commandement.

— Qu'est-ce que c'est ? demanda Willow, interrompant le cours des pensées de Caleb.

Il se tourna vers elle si vite qu'elle sursauta.

— Je suis désolée, dit-elle, je ne voulais pas vous déranger.

Caleb contempla de nouveau les deux visages dans leur cadre ovale. Avec une feinte indifférence, il tendit la main pour que Willow pût les voir.

— Un simple médaillon, dit-il en l'observant attentivement.

Willow se pencha et ses doigts vinrent se poser à la base du pouce de Caleb. Il inclina la main afin qu'elle pût mieux voir.

L'homme avait un visage banal, avec des yeux clairs, des cheveux sombres et une moustache, à part ses oreilles qui étaient stupéfiantes. La femme avait également un visage banal, avec des yeux clairs, des cheveux sombres, pas de moustache mais des oreilles aussi stupéfiantes.

Willow regarda Caleb à la dérobée, se demandant s'il s'agissait de sa famille. Mais elle ne retrouva aucun trait commun dans la structure de son visage, la forme de ses yeux, la courbe de sa bouche.

Et surtout rien dans les oreilles.

Elle toussota, ravala le fou rire qui lui montait à la gorge et murmura :

— Qui se ressemble s'assemble...

Caleb eut une ombre de sourire.

— C'est ce que j'ai pensé la première fois que j'ai vu ces portraits.

— Alors, ce ne sont pas des... euh... des parents à vous ?

— J'allais vous poser la même question.

Willow releva sa lourde chevelure, révélant ses oreilles.

— Qu'en pensez-vous ?

Caleb pensait qu'il les aurait volontiers mordillées, mais il se contenta de répondre :

— Et votre mari ?

Willow détourna les yeux.

— Les oreilles de Matt sont tout aussi normales que les miennes.

— Ce ne sont pas ses parents à lui, alors? insista Caleb d'une voix légère, comme s'il la taquinait.

Elle secoua la tête énergiquement, sa longue chevelure volant autour de son visage.

— Non. Je n'ai jamais vu ces gens de ma vie.

— Sûre?

— Vous croyez que j'aurais oublié des oreilles pareilles?

Il eut un petit rire. Il se sentait infiniment mieux à présent : cette femme n'appartenait pas à un autre.

— Non, jeune dame du Sud, je ne crois pas. Les seules de ce genre que j'ai vues appartenaient à une mule du Missouri.

Willow ne comprenait pas ce qui réjouissait tant Caleb, mais elle ne put s'empêcher de rire aussi, heureuse d'être arrivée un instant à le faire sortir de sa réserve. Et lorsqu'il referma sa main sur la sienne, elle s'aperçut à retardement qu'elle avait gardé ses doigts posés sur lui.

Un frisson traversa la jeune femme qui recula instinctivement, étonnée. Caleb comprit sa réaction et la lâcha doucement, en la caressant.

Maintenant qu'il était à peu près sûr qu'elle n'était pas mariée, il était résolu à mener sa campagne de séduction. Bientôt, elle le supplierait de la prendre.

Cela ne se produirait sans doute pas ce jour-là, ni même le lendemain ou le surlendemain, mais il y arriverait. Caleb était aussi certain de son ultime victoire sur Willow qu'il l'était de retrouver l'homme appelé Reno.

L'homme qui n'était *pas* le mari de Willow.

— Vous feriez mieux de mettre votre Levi's, ma

douce, dit-il en se levant, tirant en même temps Willow sur ses pieds. Nous avons une longue et difficile route devant nous, sans compter Slater et ses acolytes.

6

Les ombres s'étaient beaucoup allongées lorsque Willow s'approcha d'Ishmael avec un regard sceptique sur sa nouvelle selle. L'étalon n'avait pas protesté quand Caleb la lui avait mise sur le dos. Il s'était contenté de faire palpiter ses narines en sentant l'odeur inconnue, mais n'avait remarqué aucune autre différence.

Willow, si. Lorsqu'elle avait ramassé la selle la première fois, surprise par son poids, elle l'avait laissée tomber. D'une seule main, Caleb l'avait alors placée sur l'étalon.

— Montez.

Il lui offrait ses mains croisées, et elle leva les yeux vers son regard d'ambre qui la fixait avec une intensité troublante.

— Ne devrais-je pas essayer de me mettre en selle toute seule? demanda-t-elle de sa voix un peu voilée.

Caleb haussa les épaules et recula d'un pas.

Willow, les rênes et la crinière bien serrées dans la main gauche, leva un pied vers l'étrier tout en s'accrochant de la main droite au pommeau. Elle se hissait lorsqu'elle se rappela qu'elle devait passer sa jambe droite par-dessus le dos du cheval. Une judicieuse poussée de Caleb l'empêcha de retomber lamentablement.

— Merci, marmonna-t-elle en s'installant sur la selle, rougissant encore du contact de la grande main de Caleb sur son arrière-train.

— C'était un plaisir, répondit-il gravement.

Il dissimula un sourire et prit la cheville de Willow pour repousser sa jambe hors de l'étrier.

— Je ferais mieux de le rallonger. Je n'ai jamais vu Jessi, mais elle doit être encore plus petite que vous.

Willow rougit davantage en se rappelant comme les vêtements lui collaient au corps.

— Je ne suis pas petite! protesta-t-elle.

Caleb descendit les étriers de deux crans, bien qu'il sût qu'un seul suffisait. Puis il réinstalla ses pieds dans un geste proche de la caresse.

— Dressez-vous, ma douce.

Willow obéit.

Caleb glissa la main sur le cuir, sous ses fesses, pour vérifier la distance entre la selle et la cavalière. Ses doigts pouvaient tout juste bouger.

Willow prit une vive inspiration et se mit instinctivement sur la pointe des pieds.

— Caleb!

— Oui, je vois, dit-il d'un ton neutre. Il faut que je les remonte d'un trou. Rasseyez-vous.

Il s'affaira de nouveau sur les étriers, et Willow ne voyait plus de lui que le bord de son chapeau noir. Peu à peu les battements de son cœur s'apaisèrent. Elle s'obligea à oublier le moment où elle avait senti sa main glisser entre ses jambes, envoyant des ondes étranges dans tout son corps.

Impossible...

— Levez-vous encore.

— Je suis sûr que c'est parfait, à présent, dit-elle avec une sorte de désespoir.

Sa voix basse, tremblante, embrasa Caleb presque autant que le poids de ses fesses contre sa main. Il avait envie de recommencer, de la caresser, de la faire gémir de plaisir.

Mais elle ne le lui demandait pas. Elle lui demandait même de ne *pas* le faire.

— Comme vous voudrez, jolie dame, murmura-t-il en se détournant. Mais ne venez pas pleurnicher si votre ravissant postérieur est abîmé à cause de la mauvaise longueur de vos étriers...

Avant qu'elle pût répondre, Caleb s'était élancé sur son cheval.

Ils suivirent le ravin jusqu'à ce qu'il devînt trop étroit pour les chevaux. Il faisait nuit noire lorsqu'ils émergèrent de la faille. La lune était brillante au-dessus d'eux, voilée parfois par les nuages qui couraient, rapides, dans le ciel.

Willow, d'après les étoiles, se rendait compte que Caleb les conduisait vers l'ouest, et non vers le sud comme auparavant.

Dressée sur ses étriers, elle essayait d'apercevoir les remparts des montagnes, mais la nuit l'en empêcha.

Ishmael, à la suite des autres chevaux, se mit à trotter tandis que Caleb les menait vers une autre faille. Willow se rendit à peine compte du changement d'allure. Il était bien plus facile de chevaucher à califourchon, surtout au trot ou quand il fallait escalader des pentes abruptes.

Au bout de quelques heures, elle avait l'impression d'avoir toute sa vie monté ainsi. Cependant, Caleb avait eu raison sur un point : la selle était beaucoup plus dure que le postérieur de la jeune femme.

Brusquement, Caleb fit demi-tour pour revenir à sa hauteur. Il se pencha vers elle, si proche qu'elle sentit son souffle sur sa joue :

— Il y a de la fumée en haut de cette faille. Je pars en éclaireur. Tenez Trey jusqu'à mon retour. Et ne laissez pas Ishmael broncher s'il sent l'odeur d'autres chevaux.

Après lui avoir remis la longe de Trey, il disparut dans l'ombre.

Willow attendit, nerveuse, mal à l'aise. Les minutes s'écoulaient avec une lenteur exaspérante. Elle commençait à se persuader qu'une catastrophe s'était produite lorsque Caleb se matérialisa devant elle, aussi silencieux que la nuit. D'un geste il lui fit signe de le suivre vers le fond de la faille.

Au bout d'une centaine de mètres, il revint vers elle pour marcher à ses côtés.

— Des ennuis ? demanda-t-elle à voix basse.

Il l'attira plus près de lui, et ses paroles n'auraient pas été entendues à un mètre :

— Deux hommes avec des vêtements sales, des fusils et de rapides montures. Ils se vantaient de ce qu'ils allaient faire après avoir vendu vos satanés chevaux.

L'un d'entre eux s'était même demandé à haute voix si Willow elle-même était un beau petit lot, mais il s'abstint de le raconter. La seule chose qui avait empêché Caleb de tirer instantanément était que les coups de feu s'entendaient de loin, or il ne pouvait être certain qu'il n'y avait pas d'autres individus armés dans le coin.

— Ils font partie du gang de Slater ?

— Je ne crois pas. Ce sont des hommes du Nord. Slater vient du Sud.

Caleb tendit l'oreille un moment avant de poursuivre :

— Il y a une autre crête, un peu plus loin. Nous devrons descendre de cheval afin de ne pas nous profiler sur le ciel. Êtes-vous capable de marcher dans le noir sans trébucher ? Il n'y a pas de vent pour étouffer les bruits.

— Je me suis faufilée bien souvent au nez et à la barbe des soldats, dit-elle. J'ai été prise une fois, cela ne se reproduira plus jamais.

Caleb imagina ce qui pouvait arriver à une jeune fille attrapée par des soldats, et il sentit une rage froide l'envahir. Il se demanda si c'était ce qui avait fait de Willow une femme légère. Une fois perdue, la virginité d'une femme ne se retrouvait jamais.

Rapide, précis, il ôta la bandoulière de son fusil pour la passer sur l'épaule de Willow, le canon tourné vers le bas.

— Il est chargé, déclara-t-il. Si un homme s'approche de vous, envoyez-le directement en enfer. Compris ?

— Oui, souffla-t-elle.

Il y eut un chuchotement lorsque Caleb testa le bon glissement de son revolver dans le holster. Puis il mit pied à terre et conduisit Diable sans cesser de scruter la nuit, la main sur son arme.

Derrière lui, on entendait les pas de six chevaux, mal masqués par la légère brise.

Les nuages étaient peu nombreux, la lune brillante, et la passe dans laquelle ils descendaient terriblement étroite.

Caleb sortit sa carabine à répétition et la garda à la main tandis qu'il avançait sans bruit, Diable derrière lui. Attachées ensemble, les juments se bousculaient, faisant inévitablement du bruit.

Willow eut l'impression que la moitié de la nuit s'était écoulée lorsque Caleb les fit enfin sortir de l'inconfortable passe et l'aida à remonter en selle.

— Vous voulez garder le fusil ? proposa-t-il.

— Oui, si cela ne vous dérange pas...

— Je vais chercher l'étui.

Quelques minutes plus tard, il lançait Diable au galop, allure qu'ils maintinrent tant que la lune les éclaira. Lorsqu'elle disparut derrière les nuages de plus en plus nombreux, il opta pour un trot rapide jusqu'à ce que le terrain amorçât une montée escarpée.

Les chevaux ne s'étaient pas reposés une minute. Caleb voulait mettre autant de distance que possible entre eux et les deux hommes.

Au fil des longues heures, Willow s'efforçait, grâce au pommeau de la selle et aux étriers, de se mouvoir en rythme avec son cheval et non contre lui. Jamais les premières traces de lumière ne furent aussi bienvenues.

Lorsque Caleb les conduisit vers un petit abri naturel, elle faillit crier de joie à la pensée de la nourriture chaude, à la perspective de pouvoir enfin s'allonger.

Elle mit pied à terre, dut s'appuyer un instant contre l'étalon avant de se diriger lentement, les jambes douloureuses, vers un taillis.

Caleb la regardait s'éloigner, toute raide, et il envisagea de s'arrêter plus des cinq minutes prévues pour la laisser se reposer. Puis il se rappela la vigueur et la bonne santé des chevaux aperçus près du campement des bandits, et renonça à prendre ce risque.

Après avoir mis la selle de Willow sur l'une des juments alezanes, Caleb intervertit également celles de ses deux hongres. Quand Willow sortit du fourré, il était prêt à repartir. Comprenant son intention, la jeune femme dut se mordre la lèvre pour ne pas protester.

Elle était tellement lasse qu'elle ne parvint même pas à grimper en selle. Caleb dut l'aider avant de monter lui-même.

— La seule façon dont nous puissions échapper à ces hommes, c'est de rester à cheval plus longtemps qu'eux, expliqua-t-il.

— Vous croyez qu'ils nous ont entendus passer ?

Caleb plongea dans ses yeux noisette. A la faible lumière de l'aube, il vit de grands cernes mauves qui en disaient suffisamment sur son état.

96

— Deux chevaux auraient pu ne pas être remarqués, peut-être même trois, dit-il enfin. Mais sept ? Pas la moindre chance. Dès le lever du jour, ces types vont chercher nos traces, et il ne leur faudra pas dix minutes pour les découvrir. La terre est humide, les chevaux laissent des marques.

Willow devinait tout ce que Caleb n'avait pas exprimé. Sans les juments, ils auraient eu davantage de chances d'échapper à n'importe quels poursuivants. Les chevaux supplémentaires les ralentissaient et formaient une piste bien plus facile à suivre.

— Notre seul espoir, continuait Caleb, est de chevaucher le plus possible et de prier pour qu'un orage vienne effacer nos traces.

Il se tourna pour attraper derrière sa selle un foulard sombre qui contenait les restes de leur dernier repas.

— Tenez, il y a du pain et du bacon, dit-il en lui lançant le tissu soigneusement noué. Mangez pendant que vous en avez l'occasion. La gourde attachée à votre selle contient de l'eau fraîche.

— Et vous, que mangerez-vous ?

— La même chose que vous quand tout ça sera englouti : de la viande séchée !

Sans laisser le temps à Willow de répondre, il lança son cheval dans un trot rapide.

Le passage entre la nuit et le jour se fit si doucement que Willow s'en aperçut à peine. Les nuages s'étaient amoncelés, masquant le soleil. On ne distinguait que le flanc boisé des montagnes, les sommets étaient perdus dans la brume.

Comme ils montaient, ils se retrouvèrent presque dans le brouillard. Il y avait quelques ondées, mais insuffisantes pour effacer les traces des sept chevaux.

Les flancs étaient de plus en plus boisés, mais non par des peupliers comme au bord des cours d'eau qu'ils avaient longés ; il s'agissait d'arbres à feuillage persistant qui s'élançaient à l'assaut du ciel gris. Les marques laissées par les sabots seraient plus difficiles à discerner au milieu des arbres, et Willow en fut quelque peu rassurée.

Pas Caleb, apparemment, car il menait toujours bon train, laissant rarement les chevaux se reposer, malgré la difficulté de leur route.

Des milliers d'aiguilles de pin étouffaient les bruits, et le silence avait quelque chose de surnaturel. Outre le grincement des selles et le cliquètement des brides, on entendait une sorte de grondement lointain, qui pouvait être le tonnerre ou le bruit d'une cascade porté par le vent.

Et une fois, Willow fut sûre d'avoir entendu des coups de feu.

A mesure qu'ils grimpaient, l'air devenait plus vif, le vent plus mauvais. Willow serra la dragonne de son chapeau et se tassa davantage sur sa selle pour se protéger du froid. A travers les troncs, elle apercevait la plaine, au-dessous d'une pente abrupte. Les chevaux respiraient plus difficilement, essoufflés par la rude montée. Enfin ils arrivèrent en haut d'un épaulement de la montagne dont le sommet était perdu dans les brumes.

Caleb sortit une paire de jumelles de sa sacoche pour examiner le chemin qu'ils avaient suivi. Willow s'arrêta près de lui, et retint son souffle en constatant qu'ils avaient laissé des traces nettes. Le paysage était vide. Pas de fumées, pas de chariots, pas de piste à travers les prairies. Ni de cabanes, de champs cultivés ou d'arbres abattus à la hache.

— Qu'est-ce que c'est que ça ? demanda-t-elle enfin en remarquant une traînée sombre, environ trois cents mètres plus bas.

montagnes plus que tout. Il avait l'impression profondément ancrée en lui de leur appartenir, et qu'elles lui appartenaient aussi. Mais il comprenait les Rocheuses autant qu'il les aimait.

Les montagnes étaient exceptionnelles, pour un homme. L'homme n'était pas exceptionnel pour les montagnes.

Caleb mit pied à terre et enroula les longes des juments autour de leur cou.

— Ishmael a-t-il une jument favorite ? demanda-t-il.

— Colombe.

— Descendez. Je vais la seller pour vous, sauf si vous pensez qu'Ishmael ne suivra pas sans longe.

— Je ne comprends pas...

— Je sais.

Caleb serra les dents. Il n'aimait pas du tout ce qu'il allait faire, mais il le fallait.

— Vos chevaux arabes sont robustes, vifs et bien entraînés. A présent, nous allons voir s'ils sont en plus intelligents. Si c'est le cas, ils nous suivront sans être attachés, même s'ils sont fatigués, si la route est rude. Dans le cas contraire...

Il haussa les épaules et poursuivit :

— Je refuse de me faire tuer pour des chevaux, si beaux soient-ils.

— Mais l'orage a effacé nos traces ! s'écria Willow. Nous parviendrons à garder notre avance, sauf si quelqu'un connaît autant que vous la région.

— Cela m'étonnerait, mais qu'ils connaissent ou non ces passes importe peu.

— Pardon ?

— Cela importe peu, insista fermement Caleb. Nous n'allons plus traîner des chevaux attachés. C'est trop dangereux. A partir de maintenant, le chemin devient difficile.

101

— *Devient* difficile? répéta Willow d'une toute petite voix.

— Exactement, jeune dame.

Il la fixait de son regard fauve.

— Pour l'instant, nous avons seulement rencontré quelques rochers épars au milieu de vallées et de prairies. Rien de terrible. Un cheval risque simplement de trébucher, de se faire un peu mal, mais il se relève et poursuit son chemin.

Caleb ôta son chapeau pour se passer la main dans les cheveux, le remit en place.

— Là où nous allons, c'est différent. Un faux pas et vous perdez la vie. A certains endroits, vous pourriez crier bien longtemps pendant votre chute avant d'atteindre le fond du ravin.

Willow se retourna vers ses chevaux. L'altitude et le voyage avaient laissé leurs traces. Ils étaient plus minces, moins alertes, et ils paissaient avec avidité. Les arabes, pourtant forts et courageux, n'en pouvaient plus. Elle aussi était épuisée, même si elle n'avait eu qu'à se tenir en selle.

Sans rien dire, Willow contempla les impressionnantes montagnes tout autour d'eux.

— Peut-on vraiment les franchir? murmura-t-elle enfin.

— Oui. Même si cela ne paraît pas évident, vu d'ici. Trouver la passe n'est pas un problème. La trouver avant que ces bandits nous aient rejoints, c'en est un.

Les grands yeux noisette scrutaient le visage de Caleb.

— Vous ne pensez pas que la pluie a effacé nos traces?

— Peut-être que oui. Peut-être que non. Tout dépend de leurs qualités de pisteurs. Je ne prendrais pas de paris à ce sujet...

Willow ferma les yeux en essayant de ne pas fondre en larmes. Inutile de discuter avec Caleb, elle le savait. Elle n'avait pas voulu laisser ses chevaux ; à présent, elle devait payer le prix de ce refus.

Au moins y avait-il abondance de nourriture dans cette région. Même si les arabes ne suivaient pas, ils ne mourraient pas de faim. Et elle reviendrait les chercher avec Matt.

Willow s'accrochait de toutes ses forces à cette idée quand elle mit pied à terre.

— Je vais chercher Colombe, dit-elle.

Caleb l'observa sous le bord de son chapeau tandis qu'elle rejoignait ses juments, en caressait une, puis l'autre, en leur parlant doucement. Il s'était attendu à une scène de la part de la jeune femme, or elle n'en avait pas fait. Elle avait fixé un instant les montagnes au-dessus d'elle, puis lui avait lancé un regard doulou- reux qui lui avait serré le cœur. Mais ils n'avaient pas le choix : ils devaient penser avant tout à sauver leur peau.

Caleb ne tarda pas à seller Colombe. Malgré l'alti- tude, la jument avait encore assez d'énergie pour jouer avec la manche de Caleb. Il la repoussa en souriant, mais elle revint.

— Tu es comme ta maîtresse, dit-il en caressant sa bouche de velours. Petite mais vaillante.

— Je ne suis pas petite ! s'indigna une fois de plus Willow.

Il se retourna. Assise sur un tronc d'arbre, le menton dans la main, elle l'observait d'un œil sombre.

— Si jamais Ishmael ne suit pas, préférerez-vous le monter à la place de Colombe ? demanda-t-il genti- ment.

Elle savait ce qu'il sous-entendait : si les arabes ne tenaient pas le coup, lequel aimerait-elle mieux sau- ver ?

Elle ferma les yeux. Ses longs cils frémirent sous l'effort qu'elle faisait pour ravaler ses larmes.

— Ou... oui, dit-elle en se détournant, la voix enrouée. Ishmael.

— Cela vaut mieux, acquiesça Caleb. Il y a des chevaux sauvages, par ici. Les juments ne resteront pas longtemps seules. Un étalon prendra soin d'elles. Ishmael aurait plus de mal, puisqu'il ignore tout de la neige, des lions des montagnes...

Willow hocha la tête en silence.

— Allons-y, maintenant, reprit Caleb en croisant ses mains pour l'aider à monter.

Elle faillit répondre qu'elle n'avait pas besoin de lui, mais elle avait la gorge trop serrée pour pouvoir prononcer une parole.

La clairière était loin derrière eux lorsque Caleb arrêta son cheval près d'un petit ruisseau et se retourna. Il fut contrarié de constater que Willow chevauchait en arrière-garde, tandis que les juments libres suivaient tant bien que mal.

Caleb dut reconnaître qu'elles se débrouillaient plutôt bien, mais il n'aimait guère voir Willow si loin de lui. Dieu merci, maintenant qu'il n'était plus attaché, Ishmael avait repris toute sa vivacité. Il passait d'un côté et de l'autre dès que le chemin le permettait, humait la brise, se comportait comme n'importe quel étalon sauvage qui surveille sa harde. Aucune jument n'aurait osé traîner la jambe quand Ishmael couchait les oreilles et les poussait du nez.

Les juments rattrapèrent Caleb et se mirent aussitôt à boire. Caleb prit une poignée de lanières de viande séchée dans sa sacoche de selle et la tendit à Willow.

— Quand nous repartirons d'ici, suivez juste derrière moi, ordonna-t-il. Ceux qui nous pourchassent risquent de nous rattraper avant le coucher du soleil.

Willow se mordit la lèvre, regarda ses juments.

— Ne vous inquiétez pas, la rassura Caleb. Votre étalon les obligera à maintenir l'allure. C'est un sacré cheval! N'importe quel autre serait fatigué, mais il a encore des éclairs dans les yeux. J'aimerais bien qu'il couvre l'une de mes juments du Montana, pour voir ce que cela donnerait.

Willow regarda Diable et Trey, un petit sourire aux lèvres.

— Euh... je ne sais comment vous dire, Caleb, mais vos chevaux sont des hongres, pas des juments...

Caleb lui jeta un coup d'œil incrédule, puis il éclata d'un grand rire. Il se pencha pour tirer doucement une de ses nattes.

— Comment les reconnaissez-vous? demanda-t-il, taquin. Allez, dites-le-moi, ma belle.

Willow se mit à rire.

Et son rire se mêla au murmure du ruisseau, au soupir du vent, il devint un élément de la beauté du paysage. Le cœur de Caleb se serra d'émotion, d'une émotion semblable à celle qu'il avait ressentie le jour où il avait pour la première fois découvert les Rocheuses, et où il avait eu la certitude qu'il était destiné à y vivre.

Il lâcha lentement la natte qui glissa entre ses doigts, et regretta de porter des gants. Quand il parla de nouveau, ce fut d'une voix rauque, presque rocailleuse :

— Si vous traînez sous prétexte d'obliger vos juments à suivre, je viendrai vous chercher. Et vous le regretterez sûrement.

Sur ce, il lança son cheval au galop.

Le terrain montait encore; les chevaux grimpèrent jusqu'à ce que Willow eût l'impression qu'elle allait toucher les nuages. Ils durent se mettre au pas, et Willow se retourna, s'attendant presque à voir des cavaliers à leur poursuite.

Midi passa sans qu'ils marquent aucune pause. Caleb zigzaguait à présent tant la pente était raide. Même ses chevaux haletaient, avançant à petits pas au milieu des pierres et des branches brisées qui jonchaient le sol. Des crevasses abritaient de minuscules ruisseaux, des saules rabougris, de frêles trembles qui frémissaient comme des flammes vert pâle.

S'il y avait une passe au-dessus d'eux, Willow ne la voyait absolument pas. Le pic qu'ils escaladaient montait, montait, jusqu'à se perdre dans les nuages. Le flanc de la montagne était strié par des couloirs d'éboulis bordés de sombres buissons. Sous le couvercle de nuages les pics se multipliaient, serrés, comme des cartes dans la main d'un joueur.

Aucune brèche n'était visible dans les remparts de pierre, et de plus en plus souvent ils devaient franchir des rochers parmi lesquels seules poussaient quelques mauvaises herbes à fleurs jaunes.

Colombe, épuisée, avait du mal à respirer. Pour la centième fois, la jeune femme se retint de demander à Caleb de ralentir le rythme.

« Il n'est pas cruel. Il sait combien Colombe est lasse de me porter. S'il pensait prudent de s'arrêter, il le ferait... »

Willow se répéta sans cesse ces paroles pendant l'heure qui leur fut nécessaire pour atteindre un petit bouquet de végétation au milieu des rochers. Aussitôt Caleb mit pied à terre, se débarrassa de ses bottes et enfila des mocassins.

Quand Willow le rejoignit enfin, il vérifiait le bon état de marche de sa carabine à répétition. Il avait ôté ses gants et, malgré le froid, ses gestes étaient sûrs, précis. Lorsqu'il la regarda, Willow ne trouva pas plus de réconfort dans ses yeux que dans l'éclat du canon métallique.

— Comment vos chevaux réagissent-ils aux coups de feu ? demanda-t-il.

— Ils s'y sont habitués, pendant la guerre. Nous faisons une halte ?

— Nous n'avons pas le choix. Il nous a fallu une demi-heure pour parcourir cinq kilomètres et gagner cent cinquante mètres d'altitude. Nous devons encore grimper trois cents mètres. Sans repos, vos juments n'y arriveront jamais.

Willow était bien de cet avis.

— Je vais surveiller les alentours, continuait Caleb. Profitez-en pour vous reposer aussi. On dirait que le moindre coup de vent va vous emporter !

Il s'éloigna, silencieux dans ses souliers d'Indien. Il se dirigea vers de gros rochers qui le dissimuleraient, mais d'où il aurait une bonne vue du chemin qu'ils avaient pris pour monter. Il s'installa derrière, le canon de son fusil posé entre deux rocs, et scruta le paysage.

Au bout d'un quart d'heure environ, il entendit une petite voix :

— Caleb, où êtes-vous ?

— Par ici !

Willow le rejoignit. Les larges épaules de Caleb prenaient presque toute la place dans l'abri rocheux.

— Pourquoi ne vous reposez-vous pas ?

— J'ai pensé que vous aviez peut-être soif, répondit-t-elle, un peu essoufflée, en lui tendant la gourde après s'être glissée tant bien que mal à côté de lui.

Il la déboucha et posa ses lèvres sur le métal, où il perçut un goût de menthe.

— Vous l'avez fait avant.

— Quoi ?

— Vous avez bu, je le sens.

Elle lui lança un coup d'œil étonné.

— La menthe...

Elle rougit en comprenant enfin de quoi il parlait.

— Je suis désolée. Je ne...

Il l'interrompit en passant un pouce sur ses lèvres :

— J'aime votre goût, Willow.

Pendant un moment, le silence fut intense. La jeune femme était sûre que Caleb entendait les battements accélérés de son cœur. Il esquissait un demi-sourire et appuya légèrement sur sa lèvre inférieure, en une caresse aussi inattendue que sensuelle. Puis il porta son pouce à sa propre bouche, le goûta.

— De la menthe.

Tremblante, Willow s'interrogeait sur les sensations qui se bousculaient en elle. Le sourire de Caleb était infiniment troublant, ses yeux d'ambre la brûlaient.

Puis il se détourna et saisit de nouveau les jumelles afin d'occuper ses pensées ailleurs. Il balaya systématiquement le paysage, et soudain il jura dans un souffle.

Loin au-dessous, un cavalier menait un train rapide sur leurs traces. Même avec les jumelles, Caleb fut incapable de l'identifier. Il attendit. Un deuxième homme sortit alors de la forêt, sur un énorme cheval noir.

Deux hommes, deux chevaux qui semblaient fatigués... Les mêmes que ceux de la nuit précédente, Caleb en était certain.

— L'altitude les a un peu retardés, mais pas assez, dit-il.

— L'altitude ?

— Nous sommes à plus de deux mille cinq cents mètres. C'est la raison pour laquelle vous vous essoufflez si vite. Il en va de même pour les chevaux, sauf s'ils sont habitués. Mes chevaux ont l'habitude de la montagne, les leurs aussi. Pas les vôtres.

— Qu'allons-nous faire ?

Caleb jeta un coup d'œil à son fusil. Les hommes étaient hors d'atteinte, pourtant il le garda à la main, aux aguets.

Il était parfaitement immobile, toutefois Willow était consciente de sa tension, de sa concentration. Il ressemblait à un chat prêt à bondir.

En bas, les cavaliers traversaient la prairie au triple galop. Caleb chargea son fusil et mit le second en joue.

— Vous allez tirer sans même savoir qui ils sont? demanda Willow d'une voix tendue.

— Je sais qui ils sont.

— Mais...

— Regardez la paroi de cette montagne, coupa Caleb d'un ton sans réplique. Voyez-vous un seul endroit où deux personnes et sept chevaux peuvent se mettre à l'abri si on les prend pour cibles?

— Non, reconnut Willow, malheureuse.

— Réfléchissez, dame du Sud. Dès que nous aurons quitté cette anfractuosité, nous serons des proies faciles pour eux.

Willow serra bien fort ses mains l'une contre l'autre pour les empêcher de trembler, tandis que Caleb assurait sa position sans quitter les hommes des yeux.

— Alors? reprit-il. Vous pensez que ce sont deux bons garçons qui vont à la messe tous les dimanches et se trouvent par hasard sur cette route?

— Non, murmura-t-elle.

Caleb esquissa un sourire.

— Ne soyez pas désespérée, ma douce. A cette distance, j'aurai de la chance si j'arrive simplement à les effrayer.

Il visait toujours le second cavalier mais ne paraissait pas pressé d'appuyer sur la détente.

— Je regrette que Wolfe ne soit pas là. C'est un vrai démon, avec une arme.

Une sorte de crachin se mit à tomber, tandis que les hommes disparaissaient dans la forêt. S'ils continuaient à suivre leur piste, ils émergeraient en bas de la pente dans une vingtaine de minutes. Caleb baissa le fusil et se tourna vers Willow :

— Rentrez près des chevaux. Si l'un d'eux dispose d'un gros calibre, ça va être de la folie, dans ces rochers.

— A cette distance ?

— J'ai vu des hommes tués à six cents mètres. Et j'ai entendu parler d'autres descendus à huit cents mètres.

— A combien sommes-nous de la prairie ?

— Trente mètres de dénivellation. Quand ils sortiront des arbres, ils seront à environ six cents mètres de nous. Cela ne poserait pas de problème à Wolfe, mais je suis moyennement bon au fusil. Allez, filez, ma douce.

Willow se levait quand Caleb la retint vivement.

— Attendez ! Ces imbéciles grimpent directement ! Ils doivent avoir peur de perdre notre trace à cause de la pluie.

Les hommes étaient sortis du couvert des arbres, à peu près à neuf cents mètres d'eux, et ils traversaient en diagonale un couloir d'éboulis. Caleb visa mais ne tira pas. Ils avaient encore du chemin à parcourir avant d'arriver au bouquet d'arbres où étaient cachés les chevaux. A une allure normale, il leur aurait fallu une demi-heure pour atteindre Caleb et Willow, et les deux cavaliers progressaient rapidement.

— Baissez la tête ! ordonna Caleb.

Accroupie entre les rochers, Willow ne voyait que son compagnon. Immobile, détendu, il attendait que les hommes approchent davantage. Il avait le regard d'un oiseau de proie, intense et clair, aucune crispation ne se voyait sur son visage ou ses mains. Willow se demanda combien de fois durant la guerre il avait guetté ainsi, sans bouger, des proies humaines qui venaient à lui.

Enfin il appuya sur la gâchette, et l'arme sauta entre ses mains. Il tira de nouveau, avant même que le premier écho eût fini de ricocher contre les montagnes.

Avec un hurlement, le second cavalier porta la main à son bras droit. L'autre sortit son arme, mais il fut forcé de la lâcher pour s'accrocher au pommeau de sa selle, car son cheval voulait redescendre la pente au grand galop.

Les balles soulevaient des éclats de pierre qui effrayaient les animaux et leur blessaient le ventre. Glissant sur les cailloux, apeurés, luttant contre leurs cavaliers, ils tentaient de battre en retraite.

Caleb jura entre ses dents. Il avait raté l'un des hommes et avait seulement blessé l'autre légèrement. Il continuait à faire feu. Une balle heurta un rocher tout près du cavalier indemne qui éperonna sauvagement son cheval. Celui-ci trébucha, glissa le long de la pente. L'homme n'eut pas le temps de se dégager des étriers et, quand sa monture retrouva l'équilibre et s'élança vers le bas de la montagne, il fut traîné sans pitié sur les rochers. L'autre aperçut la scène mais ne s'arrêta pas pour autant.

Caleb prit une profonde inspiration, mit en joue et appuya sur la gâchette. L'homme piqua du nez, puis se redressa. Il arrivait à la lisière des arbres au milieu desquels il s'enfonça avant que Caleb eût le temps de tirer à nouveau.

L'échauffourée n'avait pas duré une minute.

— Bon sang !

Le silence était presque assourdissant, après tout ce bruit.

Willow, étourdie, secoua la tête. Combien de fois

Caleb avait-il tiré? Elle avait entendu parler d'armes à répétition, mais elle n'en avait jamais vu. C'était effrayant!

— Vous êtes une armée à vous tout seul, avec ce fusil, dit-elle d'une toute petite voix.

— Une fichue armée! marmonna-t-il en remplaçant les cartouches. Je raterais une grange à cent mètres!

— Avec cette faible lumière, ce serait déjà une chance de *voir* la grange!

Willow jeta un coup d'œil au-dessous d'eux.

— Vous en avez eu un, en tout cas, dit-elle.

— C'est sa stupidité qui l'a eu, pas moi. Il faut être le dernier des imbéciles pour éperonner un cheval terrorisé.

— Est-il vivant?

Caleb haussa les épaules, observant l'orée de la forêt à la recherche d'un cheval, ou d'un homme qui s'approcherait pour tirer à son tour.

— Il est temps d'y aller, dit-il.

— Et lui? demanda Willow avec un coup d'œil en direction du cavalier tombé.

— Il a son compte. Laissons son compère s'en occuper.

7

Caleb les mena sur la pente glissante, rocailleuse, à un train presque suicidaire. Même ses propres chevaux soufflaient bruyamment quand ils atteignirent la crête et redescendirent de l'autre côté. Les arbres y étaient plus nombreux, plus vigoureux, sapins et épicéas de nouveau mêlés aux trembles. La pluie s'était calmée.

Plusieurs chemins se dessinaient, mais Caleb choisit la pente la plus abrupte. Tout en chevauchant, il vérifiait les repères que son père avait notés sur son carnet de route.

Lorsqu'il décida enfin de s'arrêter, Willow, tout engourdie, leva les yeux vers le soleil. Il ne se coucherait pas avant plusieurs heures. Cette journée serait la plus longue de sa vie, pensa-t-elle vaguement. Elle n'était même plus épuisée, mais envahie d'une sorte d'indifférence hébétée. Il lui fallut plusieurs minutes pour s'apercevoir que Caleb avait disparu. Elle sortit le fusil de son étui et, appuyée au pommeau de la selle, attendit son retour.

Les nuages se déchirèrent soudain pour laisser la place à un soleil si violent que Willow ôta sa veste, ouvrit la chemise de daim et déboutonna discrètement le haut de sa combinaison de flanelle afin de laisser la brise la rafraîchir.

Elle fut prévenue de la proximité de Caleb par l'étrange accord de son harmonica. Soulagée, elle rangea l'arme et lança Colombe en avant alors qu'il sortait de la forêt, monté sur Trey. Lui aussi s'était débarrassé de sa canadienne, de sa veste, et avait ouvert quelques boutons de sa chemise de laine.

— S'il y a quelqu'un dans le coin, il laisse moins de traces qu'une ombre, annonça-t-il. Venez. D'après les notes de mon père, il y a un bon emplacement pour camper tout près d'ici.

— Nous allons vraiment faire halte si tôt ? demanda Willow, pleine d'espoir.

— Les chevaux arabes sont vaillants, mais peu habitués à l'altitude. Si nous ne les laissons pas se reposer, vous serez obligée d'aller à pied. Ce serait dommage, parce que demain à cette heure-ci, nous aurons une sacrée tempête.

Willow leva un regard étonné vers le ciel.

— Il pleuvra, dame du Sud. Et si nous étions un peu plus haut, nous aurions de la neige.

— De la neige ? répéta Willow en agitant sa chemise de daim pour s'aérer.

— De la neige.

Caleb s'abstint d'ajouter qu'ils feraient mieux d'avancer le plus possible, car un orage risquait de bloquer les passes pendant des jours. Mais Willow était très pâle, presque translucide, et de larges cernes mauves soulignaient ses yeux.

« Reno a attendu tout ce temps, se dit-il. Pourquoi pas un peu plus ? Cela ne changera rien pour Rebecca, de toute façon... »

Willow vit Caleb s'assombrir, et elle se tut. D'ailleurs, soleil ou pluie, elle s'en moquait. Les chevaux avaient besoin de cette halte, et elle aussi. Peut-être son guide était-il en granit, mais il devait tout de même ressentir quelque fatigue, de temps à autre.

Une demi-heure plus tard, ils débouchaient dans la clairière signalée par le père de Caleb, où des daims bondissaient gaiement. Ils la traversèrent jusqu'à la lisière des arbres, et Caleb mit enfin pied à terre avant de décharger son cheval.

Voyant du coin de l'œil Willow passer péniblement la jambe par-dessus la selle, il se précipita. Il savait que ses genoux se déroberaient ; en effet, il l'attrapa avant qu'elle ne s'effondrât.

— Prenez votre temps, dit-il en la gardant contre lui. Maintenant, essayez de tenir debout.

Peu à peu, les jambes de Willow acceptèrent de la porter.

— Marchez un peu.

Il la soutint tandis qu'elle faisait quelques pas afin de se débarrasser de ses crampes. Elle finit par pouvoir se passer de son aide.

— Ça va ? demanda-t-il en la lâchant à regret.

— Oui, souffla-t-elle. Merci.

Elle respira un grand coup et se dirigea vers Colombe. Le soleil donnait à la nature une vibrante énergie qu'elle aurait bien aimé partager.

— Je vais m'occuper d'elle, proposa Caleb. Attachez les autres juments à la lisière. Laissez l'étalon libre. Il possède le flair d'un chien de chasse et ne risque pas de s'éloigner des juments.

Quand Willow en eut terminé, Caleb distribua à chaque cheval une portion de grain. Bientôt le bruit des robustes dents qui mâchaient se mêla au chuchotement du vent dans l'herbe.

— Asseyez-vous et reposez-vous pendant que j'allume le feu, dit Caleb.

La jeune femme soupira, soulagée.

— Je craignais que nous ne devions nous en passer.

Caleb eut un mince sourire.

— Même si ces bandits avaient des amis, aucun homme n'oserait franchir cette montagne aujourd'hui, de peur que je ne lui tire dessus.

Malgré sa fatigue, Willow alla ramasser du petit bois pour le feu avant de s'allonger par terre, la tête appuyée à une selle. Elle s'endormit instantanément.

Elle ne bougea pas lorsque Caleb posa une couverture sur elle, ni quand il revint de la forêt avec une brassée de branches de pin qu'il étala sous un bosquet avant de plier les jeunes arbres pour en faire une sorte de tente improvisée.

Avec son grand couteau, il coupa d'autres rameaux afin de boucher les trous, fabriquant un abri à l'épreuve de la pluie. Il laissa juste une petite issue et jeta une bâche sur le toit, une autre sur le sol. Il mit un plaid de flanelle en guise de drap, deux épaisses couvertures de laine, et le lit rustique fut prêt.

Quand Caleb eut fini, la jeune femme n'avait toujours pas bougé.

— Willow! appela-t-il en s'agenouillant près d'elle.

Pas de réaction.

Il se pencha davantage et effleura sa joue de ses lèvres. Comment une femme qui avait passé tant de temps sur une selle pouvait-elle encore sentir les pétales de roses?

— Je suis là, murmura-t-il en dégageant quelques mèches dorées de son front.

Elle soupira, se tourna instinctivement vers sa caresse, confiante. Il la prit délicatement dans ses bras et se leva. Quand il la tint contre lui, si légère, si frêle, il comprit combien le dur trajet avait dû l'épuiser. Lui-même se sentait las comme il ne l'avait pas été depuis la guerre.

Prenant soin de ne pas la réveiller, il l'allongea sous l'abri parfumé.

— Dormez encore un peu, murmura-t-il.

Il caressa sa joue avant de se retirer, aussi silencieux que le soleil qui glissait derrière la montagne.

Willow fut réveillée par de merveilleux parfums. Des odeurs de pain, d'oignon, de poisson, de bacon, de café se mêlaient à celle de la résine.

— Je rêve, marmonna-t-elle en se frottant les yeux.

Elle prit une profonde inspiration.

— Voulez-vous manger, ou dormir? demanda Caleb, juste à l'extérieur de l'abri.

Un gargouillement d'estomac fort peu élégant lui répondit.

Caleb éclata de rire.

— Alors, venez donc vous restaurer, dit-il.

Willow ne tarda pas à émerger de la tente de verdure sous un ciel d'or et d'écarlate. Les chevaux paissaient tranquillement et on n'entendait que le pétillement du petit feu que Caleb avait dissimulé avec soin.

Il lui tendit une assiette en fer-blanc cabossée ainsi qu'une fourchette à laquelle il manquait une dent. Elle ouvrit de grands yeux.

— Ce n'est pas une vaisselle bien luxueuse pour une dame du Sud, dit-il froidement, mais...

— Oh, arrêtez! coupa-t-elle en s'asseyant en tailleur près du feu. J'étais simplement surprise de voir des couverts. Je pensais que vous possédiez seulement un couteau plus long que mon bras, une poêle et une cafetière. Et soudain apparaissent des tas de choses, des fourchettes, des assiettes, une tente...

— Il était inutile de sortir l'argenterie pour du pain et du bacon, répondit-il, ironique.

Il lui tendit un quart.

— Faites attention de ne pas brûler vos précieuses petites lèvres sur le bord.

Willow lui lança un coup d'œil irrité.

— J'ai déjà bu dans du métal!

— J'ignorais que les jolies dames du Sud avaient un faible pour le fer-blanc.

La réplique de Willow s'étrangla dans sa gorge lorsqu'elle vit le contenu de la poêle.

— Des truites! s'exclama-t-elle. Mais où les avez-vous trouvées?

— Un petit ruisseau de l'autre côté de la prairie.

— J'ignorais que vous aviez emporté une canne à pêche...

— Je n'en ai pas.

— Mais alors, comment...

— Ces petites coquines ont senti l'odeur de la graisse qui cuisait, et elles ont sauté d'elles-mêmes dans la poêle.

Willow ouvrit la bouche, la referma et secoua la tête en contemplant les poissons à la peau dorée.

— Caleb Black, vous êtes l'homme le plus étonnant, le plus *déconcertant*...

Avec un sourire, il se pencha au-dessus du feu et, de la pointe de son couteau, prit deux poissons qu'il posa dans l'assiette de Willow.

— Légumes? demanda-t-il.

Willow hocha la tête. Il disposa des feuilles de pissenlit à côté des truites.

— Oignons sauvages, céleri indien?

— Avec plaisir, murmura-t-elle.

Le poisson était encore meilleur au goût qu'à son odeur.

Willow et Caleb mangèrent rapidement avant que la fraîcheur de la nuit ne refroidît leur festin. Bien que la jeune femme eût commencé très vite, Caleb termina avant elle. Il la regarda déguster délicatement le reste de son repas et sourit, heureux de lui avoir fait plaisir.

— Miel? proposa-t-il quand elle eut enfin avalé la dernière bouchée.

— Pardon?

— Voulez-vous du miel pour finir votre pain?

— Je croyais que nous avions tout mangé...

— J'ai trouvé une ruche dans un arbre creux. Les abeilles étaient sur le point de s'endormir, aussi n'ont-elles pas trop protesté quand je leur ai volé un morceau de rayon.

— Vous ont-elles piqué? s'inquiéta Willow.

— Une ou deux fois.

Elle poussa un petit cri et vint s'agenouiller près de Caleb.

— Où?

Il haussa les épaules.

— Par-ci par-là.

Il sentit les doigts fins de Willow sur ses joues couvertes de barbe, son front, son cou. Son expression angoissée le troubla. Il y avait bien longtemps que personne ne s'était soucié ainsi de lui.

118

— Où? insista-t-elle.

— Le cou et les mains, répondit-il d'une voix rauque sans quitter ses lèvres des yeux.

— Montrez-moi.

Docile, Caleb leva sa main gauche. Willow la prit et s'approcha des flammes pour mieux voir la petite boursouflure.

— Et l'autre?

Caleb déboutonna la chemise de laine et ouvrit la partie gauche. Il y avait une légère marque à la base du cou.

— Penchez-vous plus près du feu, dit Willow. Vous êtes si grand que je ne peux pas voir si le dard s'y trouve encore.

Caleb obtempéra. Quand il sentit le souffle de la jeune femme sur sa peau, il eut envie de la saisir dans ses bras.

— Ça fait mal? demanda-t-elle.

Il sourit et secoua la tête.

— Je ne vois pas le dard.

Willow releva les yeux et s'aperçut soudain à quel point elle était proche de Caleb. Ses yeux dorés, à quelques centimètres d'elle, reflétaient les flammes dansantes.

— Allez-vous me proposer un baiser magique pour me guérir?

Willow rougit sous l'intensité de son regard.

— Vous êtes un peu vieux pour ça, non?

— Le jour où je serai trop vieux pour le baiser d'une femme sera celui de ma mort...

Un instant, Caleb retint Willow par la seule force de son regard. Elle le fixait aussi, les yeux agrandis de peur... ou de désir.

Enfin il se détourna. Il avait proposé, elle avait refusé. Pour lui, l'affaire était close. Femme légère ou pas, elle avait le droit de choisir ses partenaires.

. — Allez dormir, Willow.

Sa voix était aussi glaciale que le vent des montagnes, et elle cligna des yeux, surprise par ce brusque changement d'humeur.

— Bicarbonate de soude, dit-elle.

— Quoi?

— Du bicarbonate de soude vous soulagerait.

— Allez vous reposer, dame du Sud. *Tout de suite!*

Les yeux de Caleb étaient plus dorés et brûlants que les flammes. Willow se sentait déchirée entre l'envie de fuir et celle de se jeter dans ses bras. Elle se leva et fit un grand détour pour se diriger vers l'abri de verdure sans passer trop près de lui.

Mais une fois allongée sur le lit odorant, elle ne put trouver le sommeil. Elle entendait les paroles de Caleb, revoyait la passion sur ses traits, et une ardente réponse montait en elle. Immobile, elle se demandait ce qui se serait passé si elle avait répondu au défi sensuel que lui avait lancé Caleb.

Comme elle s'assoupissait enfin, quelques notes s'élevèrent dans la nuit. Elle reconnut aussitôt la chanson, composée en l'honneur d'un jeune homme mort à la guerre. L'harmonica jouait doucement, bouleversant de tristesse.

Les larmes montèrent aux yeux de Willow tandis qu'elle revoyait les étés d'autrefois, quand la demeure familiale des Moran résonnait des éclats de rire des garçons, quand la mère de Willow était si heureuse, entourée de son mari, de ses cinq grands fils et d'une fille si blonde que les anges en étaient jaloux!

D'autres ballades suivirent, d'anciennes chansons apportées en Amérique par les ancêtres de Caleb plus d'un siècle auparavant, des histoires venues d'Angleterre, d'Irlande, d'Écosse, du pays de Galles. Caleb jouait avec un talent qui ravissait Willow. Elle l'apercevait à travers l'entrée de l'abri, son visage éclairé par les flammes, chacun de ses gestes souligné d'ombre ou de lumière.

Comme le sommeil l'emportait enfin, Caleb devint une vision céleste, puissante, un archange dont la voix était aussi pure que son corps était attirant. Et cette vision magique l'accompagna dans ses rêves tout au long de la nuit...

L'odeur de la pluie et de la forêt s'insinuait partout. L'eau martelait la bâche au-dessus d'eux et, bien qu'il y eût assez de place pour se tenir assis sous l'abri, la tête de Caleb effleurait les branches. Des rafales de vent faisaient gémir les arbres et secouaient le toit de leur tente, qui toutefois tenait bon. Sous les gouttes qui tombaient à l'intérieur, Caleb avait placé des quarts, des assiettes, la cafetière... Sans être vraiment mouillés, les deux jeunes gens sentaient l'humidité les transpercer.

— Brelan, annonça Caleb en posant ses cartes sur la selle qui leur servait de table.

Willow fronça les sourcils. Elle avait une dame noire, un valet rouge et trois petites cartes sans intérêt.

— Rien, dit-elle. Je crois que quelque chose m'échappe, dans ce jeu.

Caleb ramassa les cartes et les battit d'un geste précis.

— Ce qui vous manque, ce sont de bonnes cartes, dit-il en distribuant rapidement. Vous n'allez pas me croire, mais généralement la chance sourit aux débutants.

— A moi, elle fait plutôt la grimace.

Elle prit son jeu, le regarda et éclata de rire.

— Combien suis-je obligée d'en garder?

— Au moins deux.

— Tant que ça?

Caleb ne put s'empêcher de sourire. Bien des femmes — et plus d'hommes encore — avec qui il avait joué aux cartes auraient fait la tête devant une telle malchance. Mais Willow ne boudait pas. Elle acceptait ses cartes comme elle avait accepté la dure chevauchée, le mauvais temps et l'abri incertain. Elle était décidément adorable, et Caleb mourait d'envie de la saisir dans ses bras. La passion qui l'embrasait dès qu'elle était près de lui le mettait au supplice.

Il serra les dents et ramassa ses cartes.

— S'il vous plaît, madame la Chance, pria doucement la jeune femme.

Caleb se mit à rire. Willow avait été une agréable compagne de route, courageuse, avec un sens de l'humour qui le prenait par surprise. Ce n'était pas le moins du monde une femme capricieuse et trop gâtée, comme il l'avait d'abord cru.

— Ça ne marchera pas, ma douce.

— On ne sait jamais.

Elle posa trois cartes cachées sur la selle.

— Trois, s'il vous plaît.

Caleb les lui donna et glissa les autres sous le paquet.

Willow contemplait ses mains, admirative. Elle était émerveillée par sa dextérité, s'attendant plutôt qu'un homme de sa corpulence fût maladroit.

Elle prit ses cartes et les regarda en tentant de garder un visage impassible — comme il était de rigueur à ce jeu, lui avait dit Caleb.

— A ce point-là? demanda-t-il, compatissant.

— Si vous voulez le savoir, cela vous coûtera quinze aiguilles de pin.

Caleb sourit en se rappelant comment elle avait catégoriquement refusé de jouer de l'argent, et il prit les aiguilles dans le tas devant lui pour les poser sur la selle.

— Allez-y !

— Sept, six, annonça Willow en retournant ses cartes. Cinq, quatre et deux.

— J'ai une paire de valets.

— C'est mieux ?

— Tout est plus fort que ce que vous avez, ma pauvre chérie. Vous devez être heureuse en amour, parce que aux cartes, vous n'avez vraiment pas de chance !

— Et vous, vous en avez beaucoup !

Willow le regarda, les paupières mi-closes.

— Cela signifie-t-il que vous êtes malheureux en amour ?

— Si l'amour existait, je le serais sûrement. Une autre partie ?

Willow demeura un instant interloquée.

— Vous voulez dire que vous ne croyez pas à l'amour ? demanda-t-elle enfin.

— Vous voulez dire que vous y croyez ? rétorqua-t-il, ironique, en battant les cartes plus vite que jamais.

— Alors, en quoi croyez-vous ?

— Entre un homme et une femme ?

Elle hocha la tête.

— A la passion, répondit-il succinctement, tandis que les griffes du désir le torturaient à nouveau.

Les cartes se pliaient sous ses doigts, se mêlaient, se séparaient encore.

— C'est tout ? Seulement la passion ? murmura Willow d'une voix à peine audible.

— C'est plus que ce que la plupart des hommes obtiennent des femmes.

Caleb haussa les épaules et distribua le jeu tout en poursuivant :

— Les femmes veulent un homme pour veiller sur elles. Les hommes veulent une femme pour réchauffer leur lit. Les femmes appellent cet arrangement l'amour. Les hommes lui donnent un autre nom.

Il leva les yeux.

— Et ne me regardez pas avec cet air horrifié, *madame* Moran. Vous savez aussi bien que moi comment on joue à ce jeu.

Willow s'en voulut de rougir comme chaque fois qu'il faisait allusion à son « mariage », mais elle n'y pouvait rien. Elle prit ses cartes en silence, les regarda, impassible.

La pluie s'était arrêtée aussi brutalement qu'elle avait commencé, et une rafale de vent vint secouer l'abri.

Caleb vida le contenu d'un quart dans la cafetière puis le remit en place.

— Combien ? demanda-t-il.

Willow cligna des yeux puis le contempla comme si elle ne l'avait jamais vu.

— Pardon ?

— Combien de cartes voulez-vous ?

— Aucune, répondit-elle en posant négligemment son jeu à côté d'elle. Il ne pleut plus. N'allons-nous pas nous remettre en route ?

— Impatiente de revoir votre... mari ?

— Oui, souffla-t-elle en fermant les yeux pour fuir l'expression méprisante de Caleb. Oui, j'ai terriblement envie de voir Matthew.

— Je suppose que lui, il a tout compris au sujet de l'amour.

La voix de Caleb était chargée de rancœur.

Willow soupira fortement, comme si elle avait reçu un coup.

— Oui. Matthew m'aime.

Caleb l'observa. Elle avait ouvert les yeux et le regardait bien en face, sans rougir cette fois. Visiblement, c'était une certitude pour elle : Matthew l'aimait.

Or cette idée ne réconfortait pas du tout Caleb.

— Depuis combien de temps ne l'avez-vous pas vu?

— Trop longtemps.

— Combien de temps, jolie dame? insista-t-il. Un mois? Six mois? Un an? Plus?

Il eut du mal à retenir la question qui lui brûlait les lèvres : *Où étiez-vous pendant que Reno séduisait mon innocente sœur?*

Mais s'il le lui demandait, elle aussi poserait des questions. Et ensuite elle refuserait de révéler où son amant les attendait, elle et ses inestimables chevaux.

Écœuré, Caleb jeta ses cartes.

Willow se taisait. Elle ne comprenait pas ce qui se passait, mais elle percevait toute la violence qui habitait son compagnon.

— Répondez-moi, gronda-t-il.

— Enfin, qu'est-ce que ça peut vous faire?

Si son visage était calme, ses mains tremblaient, mais Caleb ne regardait pas ses mains. Il fixait sa bouche rose aux lèvres pleines, dont la courbe le fascinait. Il y avait en elle bien d'autres courbes qui le tentaient...

Il comprit soudain que s'il restait encore une minute enfermé avec Willow, il allait commettre une erreur. Un instant auparavant, elle lui aurait peut-être donné ce baiser dont il avait tellement envie. Et même davantage. Mais plus maintenant. Elle avait presque peur de lui, à présent. Elle se languissait de son amant, de celui qui lui avait raconté de jolis mensonges au sujet de l'amour.

« Quel idiot je suis », songea Caleb. Il avait laissé la passion prendre le pas sur la raison, au point de ne plus contrôler son propre corps. Stupide! Ce n'était pas en se montrant brutal que Reno séduisait. Il murmurait des mots d'amour en prenant tout son temps. Voilà ce qui manquait à Willow. De tendres balivernes, d'hypocrites manières de gentleman...

Si Caleb voulait posséder Willow, il allait devoir contrôler sa haine envers son amant. Peut-être alors arriverait-il aussi à maîtriser la passion sauvage qui le dévorait.

Il marmonna un juron, s'empara de son chapeau, de son fusil et sortit de l'abri. Derrière lui, Willow soupira. Pourquoi le sujet de son prétendu mariage avec Matthew mettait-il toujours Caleb en rage ?

— Je pars en reconnaissance ! déclara-t-il de l'extérieur. J'en ai pour plusieurs heures. N'allumez pas de feu.

— Entendu ! répondit-elle.

Elle attendit, écouta, le souffle court. Elle n'entendit que le vent qui balayait les derniers lambeaux de l'orage.

Enfin elle sortit de l'abri. Elle était seule, et le soleil déversait ses rayons dorés sur le paysage. Les nuages filaient au loin, révélant les sommets blancs.

— Caleb avait raison, dit la jeune femme à haute voix, pour se sentir moins seule. Il a neigé. Caleb a toujours raison, d'ailleurs. C'est pourquoi je l'ai engagé.

Elle frissonna en se rappelant sa colère lorsqu'il l'avait interrogée à propos de Matthew. Comme si la seule existence de son frère le rendait fou.

Pourtant, ce qui l'avait le plus impressionnée, c'était l'intensité du regard de Caleb quand il l'avait observée, léchant le miel du bout de la langue, sa voix enrouée quand il lui avait demandé un baiser magique... Elle avait été tentée, tellement tentée d'accepter, et il l'avait vu. Il avait envie d'elle, elle était attirée par lui, et il la croyait mariée...

Elle rougit soudain en comprenant qu'il devait la prendre au mieux pour une allumeuse, et au pire...

Pour une femme de petite vertu.

Elle inspira profondément.

C'était une question de jours. Une semaine, peut-être. Alors ils arriveraient au centre des cinq montagnes, Matthew les trouverait, et tous trois riraient des circonstances qui avaient obligé Willow à se prétendre mariée.

Jusque-là, elle devait continuer à jouer la comédie. Plus que jamais.

Car autrement, elle n'avait aucune chance de ne pas succomber à ce géant.

8

Avec un petit frisson, Willow s'obligea à oublier l'homme dont l'humeur fantasque et l'étrange sourire la troublaient tant.

Elle se concentra sur le soleil qui réchauffait rapidement la terre mouillée.

Les chevaux, sortis du refuge de la forêt, paissaient tranquillement, en regardant parfois autour d'eux. Leur attitude rassura Willow : personne ne se trouvait dans les parages. Durant quelques minutes, elle fixa les manteaux qui fumaient sous le soleil. D'ici une heure, tout serait sec.

Elle retourna à l'abri, prit le fusil, une couverture, du savon à la lavande, la chemise de cavalerie de Caleb, ainsi que sa camisole et son pantalon de batiste.

Comme Ishmael était toujours aussi calme, elle descendit vers le ruisseau qu'elle suivit en aval vers un bosquet de saules. Bien cachée sous les branches tombantes, elle se débarrassa de ses vêtements, ne gardant sur elle que la combinaison de flanelle écarlate.

Elle s'agenouilla, trempa la main dans l'eau et eut du mal à retenir un cri. Elle était glacée, bien plus froide que celle des torrents de Virginie.

— Le soleil te réchauffera, murmura-t-elle avec fermeté. Allez, vas-y avant que Caleb ne revienne.

Néanmoins, elle ne procéda pas comme d'habitude et, au lieu de se déshabiller entièrement, elle commença par mouiller et savonner ses cheveux. Elle les rinça avec soin puis les rejeta en arrière pour qu'ils sèchent librement sur son dos.

Enfin elle se dévêtit et, accroupie au bord du ruisseau, elle se lava rapidement en claquant des dents.

Après s'être tant bien que mal essuyée avec la couverture, elle enfila ses sous-vêtements, la chemise chaude de Caleb. Puis elle ramassa ses affaires et sortit de l'abri des saules, à la recherche d'un endroit ensoleillé où elle pourrait laver la combinaison.

A une centaine de mètres de là, Ishmael dressa les oreilles en la voyant, la suivit quelques secondes des yeux avant de se remettre à brouter.

Certaine que personne ne viendrait la déranger, Willow se mit à la tâche, le fusil à portée de main, puis elle étendit la combinaison de flanelle sur l'herbe.

Elle était vraiment étonnée par la chaleur. La neige fondait rapidement sur les sommets, et le soleil était une bénédiction après tous ces jours d'humidité. Elle avait même du mal à imaginer qu'elle aurait envie de vêtements chauds à la nuit tombée. En cet instant, même avec ses cheveux mouillés, elle aurait volontiers ôté la chemise de laine de Caleb pour s'allonger sur une couverture. Elle se contenta cependant de défaire quelques boutons.

Voyant les chevaux toujours aussi tranquilles, elle s'installa afin de lisser ses cheveux emmêlés. Ce n'était pas une mince affaire, mais bientôt toutes les mèches furent à peu près peignées, et elle s'étendit sur le ventre avec un soupir de bien-être. Lorsque sa chevelure serait tout à fait sèche, elle la disciplinerait à l'aide de sa brosse.

La légère brise, le bourdonnement des insectes, le doux pépiement des oiseaux et le soleil la bercèrent peu à peu. Elle se laissa bientôt glisser dans le sommeil.

Elle se réveilla en sursaut en entendant Ishmael renâcler, et elle avait déjà la main sur le fusil lorsqu'elle reconnut Caleb qui venait vers elle de sa démarche souple, assurée.

Elle enroula vivement la couverture autour de ses jambes, tandis que sa chevelure tombait jusqu'à ses reins en une masse dorée. Elle eut beau chercher dans les plis du tissu, elle ne trouva ni sa brosse ni son peigne.

— Heureusement que l'endroit est désert, fit remarquer Caleb. Entre la couleur de l'étalon et votre combinaison rouge étendue dans l'herbe, il faudrait être aveugle pour ne pas vous voir.

— Vous ne m'aviez pas dit de laisser les chevaux dans la forêt, marmonna-t-elle en essayant de dissimuler ses pieds nus.

— Je ne vous ai pas dit non plus de garder votre pantalon sur vous...

Impossible dans l'intonation de Caleb de deviner son état d'esprit. Willow leva un regard prudent vers lui. Il esquissa un sourire de biais, si clair dans son visage mal rasé.

— Ne vous inquiétez pas, ma douce. Si j'avais voulu que les chevaux restent sous le couvert des arbres, je les aurais attachés moi-même.

Soulagée, Willow lui offrit son plus joli sourire; il aurait été dommage de gâcher cette merveilleuse journée en se disputant. Caleb se pencha pour ramasser le peigne et la brosse cachés dans l'herbe.

— C'est ce que vous cherchiez? demanda-t-il.

— Oui, merci.

Au lieu de les poser dans la main de Willow, Caleb s'accroupit derrière elle et entreprit de peigner sa chevelure. Elle sursauta, puis se laissa faire.

Pour un homme aussi fort, il avait des gestes étonnamment délicats. Patient, il finit de démêler les longues mèches chaudes de soleil. Avec un soupir de plaisir, Willow se détendit tout à fait.

Caleb fronça les sourcils, heureux que Willow lui tournât le dos, car il n'aurait pu dissimuler l'envie qu'il avait d'elle.

— Vous êtes très doué... murmura-t-elle après un long silence.

— Je me suis beaucoup entraîné lorsque j'étais enfant. Une des grossesses de ma mère a été fort difficile. La plupart du temps, elle était si mal qu'elle ne pouvait ni se laver les cheveux, ni se peigner.

— Et vous vous en chargiez?

Caleb grommela une réponse affirmative.

— Maman n'avait pas eu de filles avant Rebecca.

— Votre sœur?

— Oui, ma petite sœur. Elle était belle, mince et vive comme une gazelle. Tous les garçons la courtisaient, mais elle n'en voulait pas, jusqu'à ce que...

Willow discerna la rage, la tristesse dans la voix de Caleb, et elle devina que la jeune Rebecca n'avait pas bien choisi...

— Je suis navrée, murmura-t-elle en effleurant la main que Caleb avait posée sur son épaule. Ça doit être dur, pour vous, de vivre loin de votre famille.

Caleb ne doutait pas de la sincérité de Willow. Il ne doutait pas non plus qu'elle ignorât toute relation entre son amant et une jeune fille nommée Rebecca Black. Et ce n'était pas étonnant! Reno n'allait tout de même pas se vanter de ses conquêtes devant elle.

Caleb sentait la colère monter en lui, mais ce n'était rien à côté de son désir pour cette femme délicieuse.

Il souleva une mèche soyeuse qu'il laissa filer entre ses doigts. Ses vêtements dégageaient une divine odeur de lavande. Il respira fortement pour s'imprégner du parfum, plus grisant que celui des pétales de roses.

— Mon père était ingénieur topographe dans l'armée, dit-il presque distraitement. Il passait plus de temps sur le terrain qu'à la maison, et je faisais de mon mieux pour m'occuper de maman. Ce que je préférais, c'était la coiffer. Elle avait des cheveux noirs, comme moi, avec de superbes reflets bleutés. Je trouvais que c'était la plus belle chose au monde... jusqu'à aujourd'hui.

Willow frémit lorsque la main de Caleb descendit de son front vers sa nuque.

— Doux comme la fourrure d'un chaton, dit-il d'une voix enrouée. Avec la couleur du soleil en été. Ma mère me lisait des contes de fées où les princesses avaient des cheveux de lumière comme les vôtres. Je n'y croyais pas, à l'époque. Pourtant, toucher vos cheveux c'est comme toucher le soleil...

Caleb continuait à la caresser et quelques cheveux s'accrochaient à ses doigts, à son torse, à ses épaules. Il eut du mal à résister à l'envie d'ouvrir sa chemise pour sentir cette douceur contre sa peau nue. Il s'en abstint, mais ne put s'empêcher de saisir une lourde mèche où il enfouit son visage, enivré par le parfum de lavande. Puis il s'obligea à la lâcher.

— Je... il ne doit plus y avoir de nœuds, maintenant, dit Willow, timide. Faut-il que je m'habille?

La sensualité qui vibrait dans sa voix fit sourire Caleb.

131

— Rien ne presse. Nous ne bougerons pas, ce soir. Je vais essayer d'attraper d'autres truites avant que le temps ne se gâte.

— Nous aurons encore de la pluie?

— Sans doute.

— Quand?

— Après le coucher du soleil.

Willow soupira.

— On m'avait dit que les Grandes Plaines étaient une région sèche.

— C'est vrai. Mais nous sommes dans les montagnes. Par rapport à l'endroit d'où vous venez, c'est relativement sec tout de même. Voilà pourquoi vous êtes tout le temps en train de vous humecter les lèvres?

— Je fais ça?

— Mais oui, ma douce. Si vous avez une huile quelconque dans votre sac, vous feriez bien de vous en mettre. La graisse de porc fait des merveilles, mais on se lasse vite du goût!

Pendant un moment, Caleb continua à brosser les cheveux de Willow. Les yeux clos, elle savourait le plaisir de l'instant. Puis une idée lui traversa l'esprit:

— Comment allez-vous attraper les truites?

— Comme hier soir.

— C'est-à-dire?

— A la main.

Willow lui jeta par-dessus son épaule un regard soupçonneux.

— Vous vous moquez de moi...

— Peut-être un peu. Maintenant fermez les yeux, vous me distrayez de ma tâche.

— Si j'obéis, me direz-vous comment vous pêchez réellement les truites?

— Promis!

Les longs cils de Willow s'abaissèrent doucement,

ombrant ses joues, tandis que le soleil jouait avec leurs pointes dorées. Caleb la contemplait, fasciné.

— J'ai les yeux fermés, fit remarquer Willow au bout de quelques instants.

— J'ai vu. Où avez-vous déniché des cils de cette longueur, ma belle ?

— Je les ai volés à un veau.

Caleb éclata de rire, amusé.

— Caleb, insista-t-elle, cajoleuse, comment prenez-vous des truites à mains nues ? Je n'ai jamais rencontré quelqu'un qui y parvenait.

— Pas même Matthew Moran ?

Elle secoua la tête.

— Pas même Matt.

Avec un petit grognement satisfait, Caleb se remit à brosser la chevelure brillante.

— D'abord, commença-t-il, il faut trouver des truites dont les écailles ne se sont pas dressées de peur en voyant une jeune dame du Sud venir se baigner dans leur salon.

Willow pouffa.

— C'est vrai, insista-t-il. Les truites sont des créatures fragiles, comme les jolies femmes. Il faut les apprivoiser avant de pouvoir les attraper.

La main de Caleb glissa dans la courbe de son cou, et la jeune femme ne put retenir un frisson.

— Alors un homme qui veut une truite marche doucement le long d'un ruisseau, poursuivit-il. Puis il s'agenouille sans bruit et plonge les mains dans l'eau non loin de la truite qu'il a repérée.

Tout en parlant, Caleb soulevait la masse dorée pour la brosser en dessous. Quelques mèches lui échappèrent et vinrent s'accrocher aux boutons de la chemise que portait Willow. Il posa la brosse pour tenter de les libérer, mais chaque fois qu'il y parvenait, une autre mèche venait s'emmêler aux boutons.

— Bon sang! grogna-t-il. Ça ne marche pas! Levez les bras, ma douce. Plus haut. Voilà...

Il la débarrassa de la chemise avec un tel naturel que Willow ne put protester.

— Caleb, je ne...

— Une fois que vous avez les mains dans l'eau, vous devez demeurer parfaitement immobile, comme si vous n'aviez aucune autre idée en tête que de rester à rêver au bord du ruisseau.

La brosse avait repris son lent mouvement, et Willow était parcourue de frissons. Les mèches qui s'échappaient venaient à présent couvrir la camisole en un léger voile doré. Parfois le vent les faisait voler, découvrant presque le bout de ses seins. Elle se mordit la lèvre. Était-elle décente?

— Tout va bien, murmura Caleb qui l'avait sentie se raidir légèrement. Votre chevelure vous couvre aussi bien que ma chemise. Vous n'avez pas froid?

Elle secoua la tête, gracieuse.

— Le soleil est chaud.

— En effet.

La voix de Caleb ressemblait au ronronnement d'un chat. Le mouvement reprit et Willow se détendit de nouveau, heureuse.

— C'est si bon... souffla-t-elle.

— Pour moi aussi. Je crois que vos cheveux m'aiment autant que je les aime.

— Pardon?

— Regardez.

La brosse vint se poser sur les mèches retombées sur sa poitrine, puis Caleb la souleva, et quelques cheveux y restèrent accrochés, comme aimantés.

— Vous voyez? Ils me suivent.

Un instant, Willow fut trop choquée pour pouvoir parler. Le léger contact de la brosse avait fait dresser

134

ses seins, éveillant en elle des sensations bouleversantes. Elle ferma les yeux. C'était merveilleux et douloureux à la fois. Elle n'avait jamais rien connu de semblable.

— Voyons si l'autre côté m'aime autant.

La brosse passa sur le sein gauche et quelques cheveux suivirent le mouvement.

— Oui, murmura-t-il en admirant les pointes dressées sous le fin tissu de la camisole. Je crois que oui.

Willow n'avait toujours pas retrouvé l'usage de la parole, tandis que le cœur de Caleb se mettait à battre follement. Il s'était attendu que la jeune femme bondît sur ses pieds, le repoussât avec colère. Au lieu de cela, ses petits bouts de seins roses pointaient sous la légère camisole...

Il crispa les doigts sur le manche de la brosse et, incapable lui aussi de parler, continua à la coiffer doucement — dans le dos, cette fois, car s'il revenait vers sa poitrine, il ne pourrait s'empêcher d'y poser les mains.

Or c'était trop tôt, il le savait. On ne prenait pas les truites en les brusquant. Willow n'était pas tout à fait en confiance. S'il la touchait vraiment, elle fuirait.

— Quand vos mains sont plongées dans l'eau, reprit-il enfin, quand tout est calme, vous vous approchez tout doucement de la truite, si lentement que le poisson accepte votre présence comme une chose naturelle. Pendant que vous progressez, il faut observer la truite, voir si elle est nerveuse, ennuyée...

— Comment peut-on lire dans les pensées d'une truite ? demanda Willow d'une voix enrouée.

— Comme disait mon père, il faut observer les petites bêtes très, très attentivement.

Willow sourit, soupira et se détendit de nouveau.

— Voyez-vous, continuait Caleb, la truite doit penser que votre main fait partie du ruisseau, comme le courant. Si vous bougez trop vite, elle filera, et il faudra tout recommencer. Le truc, c'est la patience. Avec aussi le fait que la truite aime sentir le courant la caresser.

— Vraiment?

— Bien sûr. Sinon, pourquoi chercherait-elle les endroits les plus agités, où elle se tient immobile?

Caleb souleva les cheveux de Willow, les enroula autour de son poignet, et elle frissonna de plaisir en sentant le soleil sur sa nuque.

— Pensez-y, murmura-t-il contre son cou. Suspendue au milieu du courant... Sa peau si réceptive caressée par l'eau de toute part...

Le cœur de Willow battait si fort que Caleb devait l'entendre... Il approcha davantage, et sa barbe naissante caressa la joue de la jeune femme, lui arrachant un faible gémissement.

Ce si léger son fut comme un signal d'alarme pour Caleb. S'agissait-il d'une manifestation de passion? Ou alors de peur? Il ne le saurait qu'en recommençant, mais il était un chasseur trop avisé pour le refaire aussitôt.

Si la truite s'enfuyait, pas de festin!

Quand Caleb reprit la brosse, Willow tremblait tellement fort qu'elle fut incapable de le dissimuler.

— Les... nœuds ne sont-ils pas tous partis? demanda-t-elle.

— Pas tout à fait, ma douce. Encore un peu de patience, puis je tresserai vos cheveux. On m'a appris à le faire à la française.

Willow ne protesta pas. Après tout, Caleb n'avait rien fait de déplacé, il ne s'était pas imposé. Et puis il y avait un autre problème : si elle se levait, elle n'aurait plus la couverture pour cacher ses jambes...

En outre, dut-elle s'avouer, elle perdrait le plaisir de

sentir les grandes mains de Caleb sur ses cheveux, son dos, ses épaules.

Elle soupira et s'abandonna encore une fois à la douceur de cette caresse. Elle était certaine que si elle lui demandait de s'arrêter, Caleb obéirait aussitôt.

Et cette certitude lui suffisait.

Les yeux clos, un sourire aux lèvres, elle se demanda si la truite était aussi heureuse quand le courant effleurait son corps immobile.

— Alors, que se passe-t-il une fois que la truite accepte la présence de votre main dans l'eau? murmura-t-elle.

Sentant la jeune femme détendue, Caleb se dit qu'elle avait tremblé d'inquiétude autant que de passion. Et son désir s'accrut encore. Elle était en alerte, incertaine, presque effrayée, pourtant elle ne pouvait plus refuser ses effleurements sensuels.

— Alors vous la caressez lentement, prudemment, expliqua-t-il. Jusqu'à ce qu'elle soit paralysée de plaisir.

— Est-ce possible? Est-il possible de sentir tant de plaisir que l'on en oublie d'avoir peur?

— Oui, promit Caleb en baisant sa nuque. Il faut juste de la douceur, de la patience...

Lentement, légèrement, il caressa ses épaules, ses bras, descendit jusqu'à ses doigts, puis remonta vers son cou.

— Caleb? chuchota Willow.

— N'ayez pas peur, ma petite truite...

Il la souleva pour la tourner vers lui. Il posa un doigt sur sa lèvre inférieure et l'y laissa, à l'image d'un baiser.

— Je serai doux comme le soleil...

Ses grands yeux lumineux l'observaient, et il était fasciné par leur couleur changeante, plus belle à chaque fois.

— Avez-vous peur de moi? murmura-t-il.

Willow secoua la tête, et le doux mouvement de ses cheveux l'enflamma davantage encore.

— Certains hommes sont brutaux, reprit-il en approchant sa bouche. Pas moi. Jamais je ne me suis imposé à une femme, et cela ne m'arrivera pas. Embrassez-moi, jolie dame du Sud. Et si ça ne vous plaît pas, je n'insisterai pas. Vous me croyez ? souffla-t-il, tout contre elle à présent.

— Oui...

Le feu qui brûlait dans les yeux de Caleb fut soudain trop intense pour elle, et elle baissa les paupières. Lorsque ses lèvres la touchèrent, elle frémit de tout son être. Les quelques baisers reçus autrefois de garçons maladroits comme des chiots ne ressemblaient pas du tout à cette caresse.

Il n'y avait rien de gauche dans le baiser de Caleb, ni dans la façon dont il tenait son visage entre ses grandes mains.

Puis soudain il cessa brusquement. Elle ouvrit les yeux et murmura son nom.

— Oui ?

— Voudriez-vous... m'embrasser encore ?

— Ce n'étaient pas de vrais baisers.

— Ah bon ?

— Pas plus que deux rayons de soleil ne font la lumière du jour. Vous voulez que je vous embrasse vraiment ?

Elle acquiesça de la tête.

Souriant, il se pencha et recommença sa danse sensuelle avant de glisser le bout de sa langue entre ses lèvres. Elle émit un petit son choqué et se raidit.

— Je croyais que vous vouliez que je vous embrasse, ma douce...

— Je... oui.

Caleb chercha dans son regard ce qui n'allait pas.

— Alors, pourquoi avez-vous reculé?

— Je... je n'ai pas l'habitude.

Caleb ferma les yeux. Cet aveu l'enchantait. Femme légère peut-être, mais au moins elle n'accordait pas ses faveurs à tort et à travers.

— C'est bien, ma chérie. Nous allons prendre tout notre temps, comme si c'était la première fois.

Il glissa les doigts dans ses cheveux, massant doucement sa tête. Puis il revint à ses lèvres, les embrassa jusqu'à ce qu'elles s'ouvrent d'elles-mêmes. Cette fois, lorsqu'elle sentit sa langue, elle ne se rétracta pas; au contraire, elle frissonna de plaisir sous cette caresse inattendue.

— La menthe, murmura-t-il contre sa bouche. Partagez-la avec moi.

— Comment?

— Léchez vos lèvres.

Willow obéit sans réfléchir. Et elle ne comprit pas pourquoi les yeux dorés de Caleb se rétrécissaient soudain.

— Encore.

De sa propre langue, il suivit le tracé de celle de Willow qui s'accrocha davantage à ses bras mais ne se déroba pas.

— Dieu, jamais je ne sentirai ce goût sans penser à cet instant. Léchez mes lèvres, ma chérie. J'adore votre goût.

— Caleb...

— Vous ne vous souvenez plus? C'est bien. Je vais vous montrer.

Il l'embrassa intimement, tendrement, et elle demeura immobile, souhaitant que ce baiser ne se terminât jamais.

Et il dura longtemps.

— A vous, maintenant, dit-il enfin.

Elle eut un petit grognement frustré.

— Quelque chose ne va pas ? la taquina-t-il.

— Je n'avais pas envie que ce baiser s'arrête, avoua-t-elle tout bas.

— Ce n'est toujours pas ce que j'appelle un baiser.

— Vraiment ?

— Non. Mais nous y arriverons, ma douce. Nous y arriverons. Pour l'instant, léchez mes lèvres.

Un peu hésitante, Willow obéit. D'abord elle l'effleura à peine. Par timidité, par manque d'expérience ? En fin chasseur, Caleb patientait, sachant qu'avec une personne aussi passionnée que Willow, ces prémices ne s'éterniseraient pas. Sa sensualité était comme le chant d'une sirène, promesse d'extase et d'accomplissement.

Willow se fit plus hardie, elle s'attarda à suivre le sourire de Caleb, et elle trouva ses lèvres tendres et tièdes comme du satin. Elle le sentit frémir et en ressentit une joie profonde.

Sans même s'en rendre compte, elle se serra davantage contre lui, le caressant de la langue, découvrant le velouté de sa bouche, lui offrant son goût de menthe.

Quand elle releva enfin la tête, les yeux de Caleb n'étaient plus que deux fentes dorées.

— Ça, c'était un baiser ? demanda-t-elle.

— Pas tout à fait, répondit-il dans un souffle.

— Qu'ai-je oublié ?

— Ouvrez la bouche, je vous montrerai.

— Pardon ?

— Comme ça...

Il prit ses lèvres et, cette fois, après en avoir caressé l'intérieur, il glissa la langue entre ses dents. Elle se raidit sous cette nouvelle intimité.

— Nous y sommes presque, murmura Caleb. Ouvrez-vous pour moi, ma chérie. Laissez-moi vous goûter davantage.

Elle hésita un instant, mais elle en avait tellement envie!

— Un peu plus, insista-t-il. Encore, ma chérie. Oui...

Fou de désir, Caleb joua avec sa bouche, lui montra toutes les délicieuses facettes d'un baiser. Willow ne connaissait plus rien que les battements de son cœur et le feu que Caleb allumait en elle. Elle noua les bras autour de son cou, l'attira plus près, et il la serra bien fort pour sentir ses seins contre son torse.

Willow tremblait de plaisir tandis que Caleb la faisait doucement bouger contre lui. Elle s'abandonnait tout entière à la merveille des sensations inconnues qui s'emparaient d'elle, dévorantes.

Le baiser s'intensifia encore, toujours plus sensuel, et Caleb était bouleversé par la réponse passionnée de la jeune femme. Jamais il n'avait connu une aussi totale adhésion, jamais un baiser n'avait éveillé en lui une telle chaleur sauvage, une faim qui le dévorait, lui faisait oublier le reste du monde.

Ses mains descendirent vers les hanches de Willow, cherchèrent le cœur de sa féminité, tandis qu'il continuait à l'embrasser passionnément.

Le pantalon de batiste n'ayant pas d'ouvertures, Caleb glissa les doigts sous le léger tissu.

Willow eut un haut-le-corps et se mit à se débattre, fermant les jambes. Elle tenta de repousser sa main, mais autant lutter contre une montagne!

— Non, Caleb, je vous en prie, non!

— Du calme. Je ne te ferai pas de mal. Tu es si douce, si chaude, tu es faite pour moi...

Ses doigts se faisaient plus pressants, plus intimes.

— Non! Vous aviez dit des baisers, seulement des baisers. Mon Dieu, Caleb, non! Non!

Un instant il la regarda, conscient comme elle de la futilité de sa révolte. Là où il la touchait, il la sentait consentante, prête à le recevoir.

Willow plongea dans ses yeux d'ambre où brillait une flamme sauvage, et pria pour qu'il fût un homme d'honneur.

— Caleb, souffla-t-elle. Je vous en prie, arrêtez.

Il la repoussa brusquement et bondit sur ses pieds, furieux qu'elle lui refusât ce que son corps réclamait, furieux contre lui aussi pour l'avoir désirée à en perdre la tête. Il la fixa durant un long moment. La tension entre eux était presque palpable.

— Un jour, jeune femme, dit-il enfin entre ses dents, un jour vous me *supplierez* de ne pas arrêter.

Sur ce, il tourna les talons et s'éloigna à longues enjambées rageuses, sa promesse glaciale résonnant encore aux oreilles de Willow.

9

Comme l'avait prévu Caleb, la pluie se mit de nouveau à tomber, et Willow l'accueillit avec soulagement car le silence l'oppressait.

Caleb n'était plus au campement quand elle avait enfin trouvé le courage de rassembler ses vêtements secs et de retourner vers le feu. Les sept chevaux paissaient tranquillement. Où que fût parti Caleb, il reviendrait. Mais quand?

Elle s'appliqua à ramasser quelque verdure comestible dans la prairie, en tentant de ne plus penser aux baisers de Caleb, aux flammes qui la dévoraient.

Mais c'était impossible. Les souvenirs surgissaient en elle lorsqu'elle s'y attendait le moins, la faisaient trembler de plaisir, de désir.

Les premières gouttes tombèrent alors que des

écharpes écarlates teintaient encore le ciel vers l'ouest. Willow se réfugia sous l'abri et remit ses vêtements de voyage, puis elle s'assit près du seuil, guettant la silhouette familière. Comme personne ne venait, roulée en boule à l'entrée, elle s'endormit.

Lorsqu'elle se réveilla, elle était sous les couvertures, et Caleb affûtait son couteau près du feu où grillaient des tranches de viande. L'aurore commençait à peine à colorer le ciel. Bien qu'elle ne fît aucun mouvement, Caleb se tourna vers l'abri.

— Le café est chaud, dit-il sans cesser de faire glisser la lame brillante sur la pierre à aiguiser. Nous partons dans un quart d'heure. Vous avez entendu?

Le cœur de la jeune femme se serra. Il était si froid, si distant!

— Oui.

Quand elle revint du bosquet, il lui tendit un bout de bois sur lequel était planté un morceau de viande, et elle y mordit machinalement.

— Du gibier! s'écria-t-elle, surprise.

Elle reçut pour toute réponse un grommellement inarticulé.

— Je n'ai pas entendu de coup de feu, insista-t-elle, se demandant jusqu'où était allé Caleb pour chasser.

Les sons se répercutaient sur des kilomètres, entre les montagnes pierreuses.

— Je ne me suis pas servi du fusil.

— Mais alors, comment...

Elle lui jeta un coup d'œil suspicieux :

— Caleb Black! Vous n'allez pas prétendre avoir utilisé la même méthode que pour les truites!

— Pas tout à fait, jeune dame du Sud. J'ai utilisé mon couteau.

— Vous l'avez lancé?

— Ce serait stupide! Or, malgré ma démonstration d'hier soir, je ne suis pas complètement idiot!

Willow rougit, confuse.

— Je ne voulais pas dire...

— J'ai suivi furtivement le chevreuil jusqu'à ce que je sois assez proche pour lui trancher la gorge, poursuivit-il sans tenir compte de l'interruption.

Elle écarquilla les yeux, horrifiée.

— Vous... quoi ?

— Vous avez bien compris.

— Mais c'est impossible !

— Pourtant, vous êtes en train de manger du gibier. Ne vous y attardez pas, nous avons une passe à franchir avant la prochaine averse.

Caleb vérifia la lame de son poignard sur son avant-bras. Elle était assez aiguisée pour qu'il en coupât les poils. Satisfait, il le remit dans sa gaine, saisit le fusil qu'il démonta pour le nettoyer soigneusement.

Willow mangeait tout en le regardant. Il travaillait avec une économie et une précision de gestes qui l'émerveillaient. Visiblement, il connaissait à fond les armes.

— Caleb... commença-t-elle d'une voix un peu enrouée.

— Pensez-vous, jeune dame, que vous pourriez vous remuer un peu et soigner votre cheval ? Vos baisers étaient fort agréables, mais ce n'est pas pour cela que je vais vous proposer ma candidature comme domestique.

La voix était cinglante, et Willow en fut furieuse, à la fois contre lui et contre elle.

— Tant mieux, parce que je n'ai pas l'intention de vous proposer d'autres baisers !

Jetant le reste de sa viande dans le feu, elle se dirigea vers la prairie.

Elle ne fit pas d'autre tentative de conversation. Ils quittèrent l'endroit sans un mot ; le silence n'était troublé que par le grincement des selles et le martèlement des sabots.

Au bout d'une heure, Caleb s'arrêta en haut d'une montée pour laisser les chevaux souffler, et il observa attentivement les alentours à travers ses jumelles. Puis il sortit son carnet de route pour combler quelques espaces blancs sur la carte de la région qu'il avait commencé à dresser. Quand il eut terminé, Willow ne l'avait toujours pas rejoint et, impatienté, il fit demi-tour pour aller la chercher.

— Dépêchez-vous, ordonna-t-il.

Elle poussa Colombe vers la crête. Une fois en haut, elle eut le souffle coupé devant la splendeur du site.

A ses yeux s'offrait une trouée dans la forêt qui s'étendait sur des kilomètres entre les montagnes. Épicéas et résineux soulignaient les aspérités, les flancs des montagnes, mais le terrain découvert regorgeait d'herbe tendre et de fleurs, tandis qu'une rivière d'un bleu éblouissant déroulait paresseusement ses méandres, ponctués de mares scintillantes. Le paysage était dominé par la masse des pics couronnés de neiges éternelles.

— Vous voyez, là-bas à gauche, ces deux sommets qui ressemblent à la tête d'un chien à laquelle il manquerait une oreille? demanda Caleb.

— Oui.

— Je pars devant. Ensuite, vous chevaucherez à la lisière de la clairière vers le pic écorné. Si vous voyez quoi que ce soit d'anormal, enfoncez-vous dans la forêt et n'hésitez pas à vous servir de votre fusil.

Willow se tourna vers lui. Il se tenait à un mètre d'elle, mais les pics lui paraissaient moins lointains...

— Où...?

Sa voix s'étrangla. Elle toussota, fit une nouvelle tentative, s'efforçant de paraître calme alors que l'idée de demeurer seule la paniquait.

— Après ce pic, où dois-je aller?

Caleb remarqua son angoisse.

— Je n'ai pas l'intention de vous fausser compagnie, dit-il froidement. Peut-être vos compagnons habituels agissent-ils ainsi, mais je ne leur ressemble pas, voyez-vous. Quand je donne ma parole, je m'y tiens.

Willow acquiesça de la tête, prenant soin d'éviter le regard farouche de Caleb.

— Pendant que je chassais, continua-t-il, j'ai découvert le cadavre d'un chevreuil. Vieux d'un jour ou deux. Les loups s'étaient occupés de lui, mais je sais qu'il avait été tué par des hommes.

— Des Indiens?

— Des renégats, déclara Caleb, sûr de lui. Certains de leurs chevaux étaient ferrés, d'autres non. Le seul groupe de ce genre que je connaisse, ce sont des « commerçants » comancheros. Ou plutôt des maraudeurs, des pillards. Ils ont beaucoup de foudre tao avec eux.

— De quoi s'agit-il?

— De l'eau de feu, du jus de tarentule, du raide, expliqua-t-il agacé.

— Oh, du whisky!

— Appelez ça comme vous voudrez. En tout cas, ils en avaient assez pour laisser une des bouteilles à moitié pleine.

Willow fronça les sourcils. Elle avait entendu parler des Comancheros, et il y avait de quoi s'inquiéter. C'étaient des bandits de la pire espèce — un mélange de hors-la-loi blancs ou mexicains, d'Indiens chassés de leurs tribus, de métis qui refusaient de se plier à toute forme d'autorité.

— Les Comancheros ne restent-ils pas plus vers le sud, habituellement? demanda-t-elle.

— Seulement lorsque l'armée les y oblige. Mais maintenant que la guerre est terminée, ils sont revenus par ici.

146

Mal à l'aise, Willow observa les kilomètres de prairie qui s'étendaient devant elle. Un point de rassemblement idéal pour des gens qui voulaient traverser les montagnes...

— C'est beau, n'est-ce pas ? dit Caleb avec une fierté un peu possessive. Vous ne pouvez le voir d'ici, mais il y a un torrent en bas de cette barrière rocheuse. On pourrait y bâtir une maison et dominer le paysage sur trois côtés. Quant au quatrième, seule une chèvre pourrait y passer. L'eau est claire, abondante...

Il y avait une telle émotion dans la voix de Caleb que Willow se tourna vers lui. Visiblement, il aimait beaucoup cette terre.

— Si on construisait une maison au bon endroit, poursuivait-il, on ne risquerait pas de se faire tirer dessus. Le bétail pourrait paître l'été dans les plus hautes terres, tandis que l'on couperait dans la plaine du foin pour l'hiver. Au bout de quelques années de dur labeur, un homme aurait une propriété aussi rentable que n'importe quel gentleman de Virginie.

Willow se mit à regarder l'endroit avec d'autres yeux, ceux de Caleb. Et elle vit des cachettes parfaites pour des embuscades, des endroits imprenables, d'autres qui seraient faciles à attaquer...

— Vous raisonnez toujours de cette façon ? demanda-t-elle.

— Voilà dix ans que j'ai envie de faire de l'élevage. Il faut simplement trouver le bon emplacement et l'argent pour démarrer.

— Non. Je voulais dire : vous pensez sans cesse à vous battre ?

Caleb lui jeta un coup d'œil à la fois amusé et incrédule.

— Tous ceux qui veulent survivre par ici doivent y penser, dame du Sud. C'est une seconde nature, comme se rappeler les points de repère devant *et* derrière soi, parce que les choses semblent différentes à l'aller et au retour. Cette région est une splendeur, un don de Dieu, mais si un homme n'ouvre pas l'œil, ne dresse pas l'oreille, il finit rapidement six pieds sous terre.

— Alors pourquoi voulez-vous vous y établir ?

— Dans l'Est et en Californie, la bonne terre est déjà prise. Pas ici. Ici, on peut avoir tout le territoire qu'on désire, à condition d'être prêt à se battre pour l'obtenir. Je n'ai pas peur de me battre, Willow, et je sais élever du bétail.

— C'est ce que vous souhaitez ? Vous installer, devenir éleveur ?

Caleb hocha distraitement la tête, sans la regarder.

— On trouve aussi des prairies de ce genre au sud des San Juan. Les pâturages sont excellents, mais il faudrait se débarrasser chaque matin des Apaches et des Comanches, et les bêtes auraient plus de flèches plantées dans le corps qu'un hérisson n'a de piquants. Pas très drôle, ni très profitable.

Willow l'observa attentivement. Son regard clair scrutait le moindre tremblement de feuille pour découvrir s'il était dû au vent ou à une quelconque présence humaine.

Celle des Comancheros.

Willow était de plus en plus inquiète. Elle ne s'était certes pas attendue à trouver la civilisation dans l'Ouest, mais elle n'avait pas compris non plus à quel point ce pays était sauvage. D'une certaine manière, cela ressemblait à la guerre : il fallait sans cesse se montrer vigilant, la moindre négligence pouvait se révéler fatale.

Cet aspect ne la gênait pas trop, car elle s'était habituée à vivre sur la défensive. Elle avait appris à écouter le moindre bruit, à ne dormir que d'un œil, à se réfugier dans la forêt avec sa mère dès qu'un danger menaçait.

Mais cette terre extraordinaire ne ressemblait en rien à la ferme. Ici, Willow dépendait de Caleb, de sa force, de son savoir, et cela l'effrayait.

« Il m'avait prévenue, se rappela-t-elle. Il me l'a clairement dit. »

Quelques-unes de ses paroles lui revinrent en mémoire, et elle frissonna :

— *Il n'existe aucune loi, là où je vais vous emmener. Dans ces montagnes, un homme doit prendre soin de lui, car personne d'autre ne le fera à sa place.*

— *Et une femme ? Que fait-elle ?*

— *Elle trouve un homme assez fort pour la protéger.*

Il lui semblait avoir entendu cet avertissement des siècles auparavant. Elle pensait alors que rien ne pouvait être pire que ce à quoi elle avait survécu durant la guerre. Grossière erreur...

Cependant, elle ne regrettait rien. Malgré le danger, cette région l'émerveillait au plus haut point.

Un cheval renâcla, frappa le sol du sabot. La selle de Caleb grinça. Un oiseau lançait son appel dans la prairie. Pas une odeur de fumée, de bois scié, de terre retournée.

— Bon sang, Willow, je vous ai dit que je ne vous abandonnerais pas ! Vous ne me croyez pas ?

Willow sursauta en ouvrant tout grands les yeux.

— Bien sûr que si !

— Alors, qu'est-ce qui vous tracasse ?

— Rien, répondit-elle avec un petit sourire. Enfin, pas comme vous l'entendez. Simplement, je... je viens de m'apercevoir que j'aime cette terre intacte, même si on n'y est guère en sécurité.

Ses lèvres tremblaient légèrement.

— Et j'ai un peu de mal à m'habituer à cette idée, conclut-elle.

Caleb l'observait intensément.

— Si vous cherchiez la sécurité, il fallait rester chez vous.

— Oui, souffla-t-elle. Je sais. Ne vous inquiétez pas, Caleb. Quoi qu'il arrive, c'est ma responsabilité, pas la vôtre. J'ignorais sans doute ce que j'allais trouver, mais je savais ce que je laissais derrière moi.

Caleb attendit, toutefois Willow ne s'expliqua pas davantage. Elle se contentait de regarder devant elle, goûtant le plaisir d'avoir réalisé une partie de son rêve — trouver un nouvel endroit pour vivre — et s'apercevant en même temps qu'une femme ne pouvait y habiter seule. Cela n'avait rien à voir avec la région clémente de son enfance.

— Que voulez-vous dire? demanda enfin Caleb.

— J'en avais assez des malheurs du passé, dit-elle lentement. Je voulais voir le Mississippi. Je voulais voir une plaine sans arbres s'étendre d'un bout à l'autre de l'horizon, avec des troupeaux de buffles dans les hautes herbes. Je voulais voir les Rocheuses s'élancer à l'assaut du ciel dans leurs écrins de pierre.

Sa voix s'éteignit tandis qu'elle imaginait ce qu'elle avait souhaité d'autre. Retrouver son frère préféré, rire avec lui, se rappeler l'époque où elle n'était pas seule...

Elle secoua la tête. Ces sentiments ne s'exprimaient pas avec des mots, mais ils éveillaient en elle une profonde nostalgie.

Elle soupira et se dit que, quoi qu'il arrivât, elle se sentait plus vivante ici qu'elle ne l'aurait été en Virginie. Rien ne l'avait jamais autant séduite que les montagnes environnantes, sauf l'homme à cheval à son côté. Comme la montagne il était dur, imprévisible, souvent déconcertant. Pourtant, comme la montagne aussi, il offrait parfois des moments de chaleur, de beauté.

Elle se tourna pour lui sourire gentiment.

— Allez-y, dit-elle. Je me sens bien, maintenant.

Il hésita un instant, puis lui tendit une grosse montre-oignon.

— Laissez-moi un quart d'heure d'avance, puis mettez-vous en route.

Les doigts de Willow se refermèrent sur le métal patiné, poli, qui dégageait encore la chaleur de Caleb, et les souvenirs se réveillèrent. Souvenirs de ses baisers, de la joue mal rasée contre sa peau fragile, du corps puissant moulé contre le sien, de ses gestes qui l'avaient à la fois choquée et ravie. Elle se mit à trembler.

— Ne vous inquiétez pas, dit Caleb, ému malgré lui. Je ne serai pas loin. Si vous entendez un coup de feu, jetez-vous à terre et attendez que je vienne vous chercher.

— Et si... et si vous ne venez pas ?

— Je viendrai. Je n'ai pas survécu jusqu'à présent pour me faire tuer par un vulgaire ivrogne.

Caleb enfonça son chapeau sur sa tête, prit les rênes et partit au galop sans se retourner.

Immobile, elle le vit disparaître, puis reparaître un instant plus tard, s'enfoncer de nouveau dans une cuvette...

Au bout d'un quart d'heure, elle sortit le fusil de son étui, le posa en travers de ses genoux et s'engagea vivement sur la lisière gauche de la clairière. Les autres chevaux, derrière elle, suivirent Ishmael.

Deux heures plus tard, Caleb la rejoignit et vint chevaucher à son côté à l'orée de la forêt. Le terrain était toujours dégagé, large ruban d'herbe traversant les parois de pierre.

— Vous avez vu quelque chose ? demanda-t-elle.

— Des traces, répondit-il succinctement. Quatre chevaux. Un seul ferré. Soit ils chassent le daim, soit ils nous cherchent.

— Comment le savez-vous ?

— Ils agissent comme moi : ils guettent des traces.

— Et où sont-ils, maintenant ?

— Ils se sont séparés deux par deux. Les uns ont pris sur la gauche, les autres vers la droite, le long d'un bras du fleuve. Il y a une bonne passe, de ce côté-là. Si je ne craignais pas ces bandits, nous passerions par là, c'est plus rapide. Nous arriverons au Great Divide dans quelques jours.

— Le Great Divide ? s'écria Willow.

Caleb ne put retenir un sourire devant son enthousiasme.

— Il y a des Comancheros qui nous guettent, mais vous ne tremblez pas, vous êtes seulement tout excitée à l'idée de franchir un nouveau col...

— Toute ma vie, j'ai vu des rivières se diriger vers l'Atlantique. En voir qui se jetteront ensuite dans le Pacifique...

Willow s'interrompit avec un petit rire ravi.

— Je sais que c'est idiot, reprit-elle, mais je n'y peux rien. J'ai grandi en lisant les lettres de mes frères qui me parlaient de la Chine, où une ville entière est faite de jonques attachées les unes aux autres, des îles Sandwich où les vagues sont plus hautes qu'une grange, de l'Australie... Et moi, tout ce que je connaissais, c'était le lever du soleil en Virginie, les poussins en train de picorer dans le jardin et la brume au-dessus des collines.

Caleb sourit, intrigué par la fougue de la jeune femme.

— On dirait que vous avez le goût de l'aventure, dans votre famille. Je ne m'étonne plus que vous ayez

152

eu envie de venir chercher votre homme lorsqu'il vous a demandé de le rejoindre.

— Je serais venue de toute façon, avoua Willow. Je ne supportais plus de rester chez moi, à m'accrocher aux souvenirs...

Willow se tut, et Caleb ne la pressa pas davantage. Cela valait mieux ainsi, à la fois pour qu'il se concentrât sur les alentours et afin de garder une certaine distance entre lui et la maîtresse de Reno. Il était si difficile de ne pas se rappeler la douceur de son corps entre ses bras.

« Une femme facile, c'est une femme facile. Dieu, pourquoi ne puis-je m'en souvenir lorsque je la regarde? Mais elle est si belle, sa bouche est si tentante... »

Il sentit soudain un douloureux désir monter en lui. Willow Moran exacerbait ses sens. Il reporta son attention sur le paysage...

Le temps passa. Parfois, il mettait sa monture au pas pour vérifier leur position au milieu des pics.

A un moment, il sortit de sa sacoche un compas, un crayon et le carnet à la couverture fatiguée de son père. Puis il prit son propre journal de route pour comparer les notes prises trois ans plus tôt à celles de son père. Il hocha la tête. Bien qu'il ne fût jamais passé de ce côté-là de la montagne, il savait où ils se trouvaient.

— Dans quelle direction allons-nous? demanda Willow en arrivant à sa hauteur.

C'étaient les premiers mots qu'ils prononçaient depuis des heures, mais le silence ne leur était pas pesant. Ils s'étaient habitués l'un à l'autre.

— A vous de choisir, dit-il. Les monts San Juan s'étendent à l'ouest et au sud. Nous pouvons descendre à peu près droit vers le sud pour couper au nord du pic Saint-Louis. Ou alors nous diriger vers l'ouest avant de piquer au sud. Ou encore un peu des deux routes.

— Laquelle est la plus rapide?

Caleb haussa les épaules.

— Celle du sud est plus facile mais plus longue. Vers l'ouest, nous ne rencontrerons pas de difficultés au début, mais après il y aura une rude montée et des lacets sur l'autre versant. Il faut savoir si votre homme est réellement près d'un affluent de la Gunnison, ou s'il s'est établi le long de l'Animas, de la Dolorès, du San Miguel, ou de l'une des dix autres rivières de quelque importance.

Willow hésita un instant.

— Matt n'a cité que la Gunnison. Il parlait d'une source chaude, d'une crique et d'une vallée étroite entourée de montagnes que l'on franchit par un seul passage escarpé.

Caleb eut un grognement dégoûté.

— Vous venez de décrire en quelques mots toute cette satanée région. Des montagnes, une source chaude. Bon sang, nous ne sommes pas arrivés!

— Et la vallée?

— C'est une vallée suspendue. Les Rocheuses en sont pleines.

— Une vallée suspendue? répéta Willow, les sourcils froncés. Qu'est-ce que c'est?

— Vous voyez cette crête, là-haut sur la droite?

— Oui.

— Regardez encore au-dessus.

— Il y a une cascade qui descend de la montagne.

— C'est ça. Les vallées suspendues sont cachées, mais on peut voir les torrents qui les irriguent.

— Je ne comprends pas...

— C'est comme si on brisait une vallée en deux ou en quatre et que l'on plaçait chaque morceau sur le flanc de la montagne, en guise d'escalier, avant de les relier par un ruisseau. Comme il n'y a pas d'autre accès qu'une chute d'eau et que le lieu est en surplomb, on les appelle des vallées suspendues. Un merveilleux endroit pour faire paître le bétail en été, si on arrive à l'y faire monter. Mais en hiver, c'est l'enfer. La neige y arrive tôt et s'y attarde longtemps.

Willow réfléchit un instant, puis elle secoua la tête.

— Cela ne ressemble guère à Matt. Il a horreur du froid.

— Est-ce un fermier?

— Si c'était le cas, il serait resté en Virginie, rétorqua Willow. Nous... je veux dire la famille Moran possédait plusieurs grosses fermes, avant la guerre.

— Un éleveur, alors?

Elle secoua la tête.

— Un trappeur?

Toujours la même réponse négative.

— On m'a dit qu'il y avait de l'or, dans quelques-unes de ces rivières, grommela Caleb.

Willow tressaillit.

— Dieu du Ciel! s'écria-t-il, contrarié. J'aurais dû m'en douter. Votre amant court après l'or...

Willow demeura silencieuse.

— Ça explique tout, reprit-il.

— Tout quoi?

— Pourquoi il vous a abandonnée. Un homme obsédé par le métal jaune ne se soucie de rien d'autre. Il ne pense plus à sa femme, ni à ses enfants, seulement à ces maudites pépites!

« Et il se soucie encore moins d'une jeune fille innocente qui lui a donné son cœur et son corps, pensa-t-il, amer. Pauvre petite Rebecca. Elle n'avait pas la moindre chance... »

Le visage de Caleb exprimait clairement sa désapprobation, et Willow rougit. Comme ses autres frères, Matt était parti dix ans auparavant, et elle ne l'avait revu qu'au cours de brèves visites entre deux voyages. Rien ne l'attachait au Nord, ni au Sud. Il était possédé par son amour de l'Ouest sauvage, par l'or qui brillait dans les torrents de montagne.

Le silence s'installa de nouveau, jusqu'au moment où Caleb tira vivement sur les rênes, porta les jumelles à ses yeux et jura entre ses dents.

Il scruta le paysage, mais il ne vit pas d'autre cavalier. Ceux qu'il avait aperçus galopaient vers eux, à découvert.

— Qui est-ce? demanda Willow.

— Des Comancheros. Deux d'entre eux. Sortez la carabine et pointez-la dans leur direction. S'ils se séparent, continuez à viser celui de gauche. S'il fait mine de sortir une arme, tirez sans perdre une seconde. Compris?

— Oui. Mais je... je n'ai jamais tiré sur un homme.

Caleb eut un mince sourire.

— Ne vous inquiétez pas, dame du Sud. Ce ne sont pas des hommes, mais des coyotes.

Il sortit son six-coups, son fusil, et attendit. Ils demeurèrent silencieux tandis que les deux cavaliers se rapprochaient à toute allure. Willow eut l'impression qu'ils allaient leur passer sur le corps, mais les Comancheros arrêtèrent leurs montures à la dernière minute, avec une telle violence que les chevaux se cabrèrent.

C'étaient des poneys, petits, non ferrés, maigres, mais ils n'étaient pas essoufflés par leur chevauchée.

Les hommes qui les montaient étaient à leur image : frêles, secs. Ils étaient également sales, nerveux, lourdement armés. Celui de droite était blond aux yeux bleus, celui de gauche un métis marqué.

— Holà, Homme de Yuma! cria le blond.

— Salut, Neuf Doigts, dit Caleb. Tu es bien loin de l'endroit où nous nous sommes vus la dernière fois.

Le Comanchero sourit, révélant une dent en or et un trou noir à côté. Puis il regarda Willow qui se sentit glacée de la tête aux pieds.

— Combien tu veux, pour cette poupée ? demanda Neuf Doigts.

— Elle n'est pas à vendre.

— Je te donnerai un bon sac d'or.

— Non.

Neuf Doigts lança à Willow un nouveau regard de convoitise.

— Combien pour une heure, alors ?

Caleb bougea doucement sur sa selle, et quand le bandit quitta enfin Willow des yeux, Caleb avait le revolver dans la main droite et le fusil dans la gauche. A cette distance, la première arme était la plus dangereuse.

— T'es un peu susceptible, on dirait, fit remarquer Neuf Doigts.

— Oui.

Caleb parvenait à garder une voix neutre en dépit de la rage qui bouillait en lui. Aucune femme ne méritait ce qu'il lisait dans les yeux pâles du Comanchero. A l'idée qu'il pût poser ses sales pattes sur Willow, les doigts de Caleb se crispaient sur la détente.

— Ouais, je pense que j'le serais aussi si je chevauchais un morceau de choix comme celui-là... sans compter les pur-sang.

L'autre Comanchero prit brusquement la parole :

— Tu veux Reno ? Je l'ai vu. Je peux te mener à lui.

— Non, merci. Je suis sur une autre affaire, pour l'instant.

Neuf Doigts eut un rire guttural et il dit quelque chose à son acolyte à propos de l'Homme de Yuma qui préférait monter une jument blonde plutôt que de poursuivre un fuyard.

Caleb jeta un coup d'œil à la jeune femme pour voir si elle avait compris le mélange d'espagnol et d'indien. Mais celle-ci ne bronchait pas.

— Puisque nous sommes amis, on pourrait garder cette poupée à ta place, offrit Neuf Doigts en se rapprochant un peu. Comme ça tu t'occuperais de Reno.

Le cliquètement du revolver fut une réponse suffisante. Neuf Doigts s'immobilisa, tandis que l'autre intervenait vivement :

— Toi pas tirer, Homme de Yuma. Mauvais hommes près d'ici. Très méchants. S'ils entendent, eux accourir tout de suite.

— Ça ne sera plus votre problème, rétorqua Caleb. Vous serez morts avant que le premier coup se répercute dans les montagnes.

Neuf Doigts sourit.

— Petit Chien dit la vérité. Jed Slater te cherche. Il a pas du tout aimé la façon dont t'as traité son frère, Kid Coyote.

Il éclata de rire.

— Il a promis de t'envoyer tout droit en enfer !

Caleb haussa les épaules.

— Il n'est pas le premier.

— Il parle d'une sacrée récompense pour ton scalp.

— Les coyotes parlent beaucoup, tu sais...

— Tous les chasseurs de primes entre ici et les Sangre de Cristo sont à ta recherche. Quatre cents dollars pour celui qui te tuera. Mille pour celui qui t'amènera vivant à Jed.

— Libre à toi d'essayer...

— Beaucoup d'argent, dit Petit Chien.

— Beaucoup d'ennuis, répliqua Caleb. Les morts ne peuvent plus dépenser leur argent.

Neuf Doigts éclata encore de rire et se tourna vers son compagnon.

— *Es muy hombre, no ?*

Petit Chien grommela en regardant le canon de la carabine que Willow maintenait pointé sur eux. Il écarta son cheval de quelques pas, et l'arme le suivit.

— Si Petit Chien bouge les mains, tirez, ordonna Caleb sans quitter Neuf Doigts des yeux.

Willow leva légèrement la carabine avec une aisance qui révélait qu'elle était familière des armes. Les Comancheros échangèrent un bref coup d'œil.

— Calme ! dit Neuf Doigts en direction de Willow. Réfléchis, ma petite. Si tu viens sagement avec nous, on sera gentils. Si t'attends que ton homme soit tué pour être mignonne avec nous, on écoutera pas tes pleurnicheries. On te prendra, on te mettra toute nue et quand on en aura assez de toi, on te vendra au plus offrant entre ici et Sonora.

Willow fixait toujours les mains de Petit Chien.

Neuf Doigts eut un sourire crispé.

— Elle obéit bien, hein ? J'aime ça chez une catin.

— Tirc-toi, ou tu es un homme mort ! gronda froidement Caleb.

— *Adios*.

Les deux Comancheros éperonnèrent leurs montures et repartirent par où ils étaient venus : la direction que Caleb et Willow devaient emprunter pour traverser la montagne.

Caleb les suivit des yeux jusqu'à ce qu'ils aient disparu dans un repli de terrain.

Comme il rengainait ses armes, trois coups de feu espacés résonnèrent. Caleb jura puis écouta. L'écho des détonations se répercuta sur la droite, et il y eut de nouveaux coups tirés, plus loin.

— Il ne manquait plus que ça ! grogna Caleb. Rangez la carabine et soyez prête à galoper comme si vous aviez le diable à vos trousses... parce que ça sera le cas dès que Neuf Doigts aura retrouvé ses amis.

10

Caleb maintint le galop durant plusieurs kilomètres en profitant du couvert de la végétation, sans cesser de surveiller la prairie à leur droite. Ils traversèrent quelques ruisseaux et trois rivières plus importantes. A la quatrième, il tira sur les rênes, vérifia leur position sur sa boussole, puis s'engagea vers l'ouest pour remonter le cours d'eau jusqu'à sa source dans les montagnes.

Pendant un bon moment, le paysage demeura le même : collines herbeuses, quelques bouquets de pins et d'épicéas, sommets couverts de neige dans le lointain.

Peu à peu, il devint évident que la rivière qu'ils suivaient pénétrait dans le flanc de la montagne. Les forêts se refermaient sur elle, la prairie se rétrécissait sérieusement.

Caleb passa au trot rapide et y resta, bien que la transpiration fonçât la robe des chevaux. Les hongres du Montana respiraient fort mais régulièrement, tandis que les arabes avaient plus de mal à tenir le rythme. Les narines de Colombe gonflaient, pourtant elle continuait à courir, soutenue par les encouragements affectueux de Willow à son oreille.

Enfin, après une éternité, Caleb permit aux bêtes de se mettre au pas. Non par mansuétude, mais par nécessité. La pente devenait abrupte, et toute autre allure les aurait menés à une mort certaine.

— Descendons, ordonna Caleb en joignant le geste à la parole. Nous allons changer de chevaux. Si vous voulez, allez faire un tour dans les buissons. Vous n'en aurez plus l'occasion avant la nuit.

Willow s'inquiétait davantage pour sa jument épuisée que pour elle. Dès qu'elle eut mis pied à terre, elle libéra Colombe de la selle pour lui permettre de respirer plus librement.

Caleb s'occupait de Diable.

— Sellez Ishmael, dit-il en voyant la jeune femme se diriger vers Penny. La chevauchée va être encore plus pénible, à partir de maintenant.

Willow se tourna vers lui, ennuyée.

— Ne croyez-vous pas que nous les avons semés ?

— Non. J'ai choisi la passe la plus proche, mais ils la connaissent sans doute. Aussi devons-nous continuer le plus vite possible. Malheureusement, vos chevaux ne sont pas habitués à l'altitude, contrairement à ceux des Comancheros.

— Et si nous tombons sur eux avant d'avoir atteint la passe ?

— Ça voudra dire que la chance nous a abandonnés.

Willow se mordit la lèvre.

— Mais comment connaîtraient-ils notre route ?

— C'est la seule passe accessible à cent kilomètres à la ronde. Même un Comanchero complètement soûl devinerait où nous allons. En amont de ce torrent, à une vingtaine de kilomètres, il y a un endroit où la route du Sud croise le chemin de la passe. C'est là que nous devons arriver avant eux.

Willow ferma les yeux. Vingt kilomètres ! Jamais ses chevaux n'y parviendraient. Ils étaient moins robustes que ceux de Caleb, qui pourtant portaient de lourdes charges.

Caleb débarrassait Diable de la selle porteuse pour la remplacer par la selle de monte, tout en parlant :

— Le problème, c'est que nous risquons de lâcher les juments en cours de route. Ishmael est plus résistant, alors c'est lui que vous monterez. Si les juments nous perdent, elles resteront seules.

Il la regarda intensément.

— Maintenant dites-moi, Willow. S'il n'y a pas d'autre possibilité... préférez-vous la mort, ou les Comancheros?

Willow se rappela l'immonde regard de Neuf Doigts et elle grimaça de dégoût.

— La mort! répondit-elle sans l'ombre d'une hésitation.

Caleb la fixa un long moment, et elle lui rendit son regard sans flancher.

— D'accord. De toute façon vous ne tarderiez pas à mourir. Les femmes ne tiennent guère longtemps avec les Comancheros. Mais il fallait que vous décidiez vous-même.

Willow se détourna sans un mot. D'ailleurs, qu'aurait-elle pu dire?

Quand elle sortit du couvert des arbres, les chevaux étaient sellés. Colombe respirait encore irrégulièrement, mais ne transpirait plus. Caleb, debout près d'Ishmael, attendait pour aider Willow à monter.

— Ce n'est pas la peine, dit-elle. J'y arrive toute seule, maintenant.

— Je sais.

Néanmoins, il croisa ses mains et la souleva vers la selle. Un fugitif instant, elle sentit ses doigts sur son mollet, mais il s'éloigna si vite qu'elle crut l'avoir imaginé.

— Caleb?

Il se tourna vers elle. Il paraissait tellement sombre...

— Quoi qu'il arrive, dit-elle très vite, vous n'avez rien à vous reprocher. Vous m'aviez avertie à Denver que mes arabes ne suivraient pas. Vous aviez raison.

En deux enjambées, il fut à côté d'elle.

— Venez là, dit-il d'une voix enrouée.

Elle se pencha, et il saisit son visage entre ses longs doigts, le maintint une fraction de seconde avant de

162

prendre ses lèvres en un baiser rapide et passionné auquel elle n'eut même pas le loisir de répondre.

— Vos chevaux se sont parfaitement comportés. Bien mieux que je ne m'y attendais, dit-il contre ses lèvres. Et vous aussi. Restez juste derrière moi, ma douce. Vos juments sont splendides, mais inutile de mourir pour elles.

Puis Caleb sauta sur sa monture qu'il lança au galop.

A sa grande surprise, les juments se collèrent au flanc de l'étalon et se mirent à suivre, vives comme le vent. Si elles traînaient, Willow leur parlait, et leurs oreilles se dressaient, l'allure s'accélérait.

Plusieurs fois durant les kilomètres suivants, Caleb vit les juments ralentir, Willow les encourager, et il se surprit à prier pour que les courageuses bêtes ne faiblissent pas. Il avait compris pourquoi Willow refusait de les abandonner. Il existait entre elle et ses juments un lien difficile à décrire. Elles couraient jusqu'à la mort pour leur maîtresse, sans qu'il fût besoin de fouet ni d'éperons.

— Nous y sommes presque, annonça enfin Caleb. Vous voyez ces arbres ? Nous n'avons plus qu'à...

Il fut interrompu par un coup de feu qui résonna dans la montagne. Diable trébucha, s'écroula.

Caleb se débarrassa des étriers tout en attrapant son fusil. Il y eut trois autres détonations, puis le silence, troublé seulement par le galop des arabes.

Caleb plongea derrière un arbre déraciné tandis qu'un cinquième coup retentissait.

Willow tira sur les rênes et fit faire à Ishmael un demi-tour si serré que la terre vola sous ses sabots. Plus le temps de penser, de réfléchir. A pied, Caleb n'avait aucune chance de s'en tirer.

Penchée sur le cou de l'étalon, elle le poussa vers l'endroit où Diable était tombé. En passant devant le tronc d'arbre, elle cria :

— Montez !

Tel un grand fauve, Caleb bondit, s'accrocha au pommeau de la selle et sauta derrière Willow.

Malgré la charge supplémentaire, Ishmael ne tarda pas à reprendre toute sa vitesse.

Willow s'attendait à un déluge de balles, mais il n'y eut que le bruit des sabots lorsque Ishmael doubla les juments déconcertées, les entraînant dans son sillage. Trey continuait à galoper de toutes ses forces. Caleb se retourna pour voir Diable se relever et tenter de suivre ses camarades.

Une détonation toute proche fit sursauter Willow, puis elle s'aperçut qu'il s'agissait de l'arme de Caleb.

— A droite ! hurla-t-il.

Elle obéit et, dès que l'étalon eut changé de direction, la terre se souleva sous l'impact de plusieurs balles à l'endroit où il aurait encore dû se trouver.

— Atteignez le haut de cette côte avant qu'ils n'aient le temps de recharger ! cria Caleb.

Willow encouragea sa monture qui accéléra l'allure malgré le terrain pentu et le poids de ses deux cavaliers.

— Je sauterai en haut, près des rochers. Emmenez les chevaux sous les arbres. Vous avez entendu ?

— Oui !

— Encore une centaine de mètres, reprit Caleb en regardant l'éboulis qui couronnait la montée. Fonce, Ishmael, fonce !

Les fers de l'étalon attaquaient le flanc de la montagne, soulevant des mottes de terre et, quand il arriva enfin au sommet, il avait du mal à respirer.

Caleb glissa à terre et se mit aussitôt à courir, le fusil à la main. Il se réfugia derrière un rocher à l'instant même où une balle faisait éclater le granit à quelques centimètres de lui. Il y eut encore trois coups, mal ajustés.

— Trop vite, les gars, marmonna-t-il. Il faut prendre son temps, viser. Surtout avec des fusils à un coup.

Lui-même choisit soigneusement sa cible parmi les sept qui s'offraient à lui. Quand il tira, un cri de douleur s'éleva tandis que l'un des Comancheros, en dessous d'eux, levait les bras et tombait de cheval. Les autres s'éparpillèrent dans la nature.

Caleb se dressa et tira à nouveau. Mais il était loin, et il ne put toucher que deux hommes avant d'être obligé de s'accroupir derrière les rochers. Il compta les cartouches dans son fusil. Cinq. Il allait devoir laisser les derniers Comancheros s'approcher et utiliser son revolver. Heureusement, il pourrait recharger avec les munitions qu'il portait à la ceinture. Ensuite, il lui resterait toujours son poignard...

Caleb eut un sourire amer. Les maraudeurs étaient avides et cruels, mais pas tout à fait stupides. Ou bien ils attendraient la nuit pour se jeter sur lui, ou ils allaient l'encercler et l'attaquer ensemble. Tous les atouts étaient de leur côté.

Diable se mit à hennir, et Trey lui répondit. Comme les arabes, ces deux chevaux avaient été élevés ensemble. Diable trottait, essoufflé, le long de la pente, malgré sa blessure.

Caleb pensa aux munitions qu'il portait dans les sacoches, et il envisagea un instant d'essayer de les atteindre, mais y renonça. S'il sifflait le cheval, les maraudeurs se douteraient de quelque chose, et ils abattraient Diable avant qu'il fût à sa portée. Si c'était Caleb qui tentait de rejoindre Diable, il serait tué inévitablement. Le cheval était à une bonne centaine de mètres, et l'herbe ne suffirait pas à le couvrir.

Caleb vit son cheval disparaître sous les arbres et reporta son attention sur les Comancheros. Rien ne bougeait. Les hommes devaient être couchés à terre.

Méthodique, il observa les environs, à la recherche d'une cachette possible.

Lorsque Diable rejoignit enfin son camarade, Willow prit ses rênes et lui parla doucement pour l'apaiser. Enfin elle saisit les sacoches où elle savait trouver des munitions.

Diable était trop nerveux pour permettre à Willow d'approcher de sa blessure, pourtant elle en avait vu assez. La plaie était profonde. Diable serait incapable de porter un cavalier, surtout du poids de Caleb.

Les juments étaient fatiguées et apeurées. Ishmael aussi. De tous, Trey était le moins éprouvé.

« Ne t'occupe plus des chevaux pour l'instant, se dit-elle. Tu ne peux rien pour eux. Mais tu dois apporter des munitions à Caleb. »

Elle remarqua différentes sortes de balles et de cartouches, or elle ignorait lesquelles convenaient aux armes que Caleb avait avec lui. Elle découvrit aussi les jumelles, la boussole et d'autres objets.

Elle décida d'emporter le tout. Chargeant les sacoches sur son épaule, elle s'empara de la carabine et se dirigea prudemment vers la limite des arbres. Caleb se trouvait à une trentaine de mètres sur le même niveau, séparé d'elle par une petite cuvette. Willow était trop loin pour pouvoir lui lancer les boîtes de munitions, et encore moins les sacoches. Si elle rampait, elle ne serait visible d'en bas que quelques secondes.

— Caleb, appela-t-elle doucement, j'arrive derrière vous.

Il se retourna d'un bond pour l'en empêcher, mais il était trop tard. Elle était déjà à plat ventre, à peine protégée par le fossé peu profond.

Vivement, Caleb tira dans la direction supposée des bandits, espérant les obliger à rester terrés pendant que Willow passait. Comprenant la manœuvre, elle se releva et se mit à courir de toutes ses forces. Elle se laissait tomber près de lui lorsque les balles vinrent ricocher sur les rochers avoisinants.

— Petite folle ! cria Caleb. Vous auriez pu vous faire tuer !

— Je...

Willow ne parvenait pas à reprendre son souffle. L'altitude, l'épuisement et la peur lui coupaient la respiration.

Caleb lui prit la carabine des mains et en dirigea le canon vers la pente. Dès qu'il perçut un mouvement, il tira. Il ne pouvait espérer toucher quiconque à cette distance, mais au moins les Comancheros s'abstiendraient de relever la tête pendant une ou deux minutes.

Caleb rechargea son arme, tira, la rechargea, tira encore. Willow avait une boîte ouverte devant elle et se demandait comment recharger le fusil. Ses mains tremblaient.

— Je m'en occupe, dit Caleb. Prenez la carabine et installez-vous le dos tourné à moi. Si vous voyez quelqu'un approcher, ne perdez pas de temps à m'avertir. Tirez.

Willow saisit l'arme, soulagée d'avoir les mains occupées. Assise en tailleur, elle scruta le paysage, espérant de toutes ses forces qu'aucun Comanchero ne surgirait.

Ce ne sont pas des hommes. Tout juste des coyotes...

Willow se répétait les paroles de Caleb tout en comptant mentalement le nombre de cartouches qu'il glissait dans le chargeur.

— Vous êtes une armée à vous tout seul, dit-elle enfin.

— Vous êtes sûrement moins étonnée que ne le seront ces bandits, répliqua-t-il avec un sourire carnassier. Mais tôt ou tard, quelqu'un leur vendra des fusils à répétition, et alors les honnêtes gens seront dans de sales draps !

Une fois l'arme rechargée, Caleb s'installa de manière à pouvoir viser par une fente entre deux rochers.

Les poneys des Comancheros broutaient dans la prairie, indifférents aux coups de feu.

— La blessure de Diable est-elle grave? demanda Caleb.

— Il a la poitrine brûlée et la jambe gauche enflée, sans doute à cause de la chute. Je ne pense pas qu'il puisse porter un cavalier.

— Il vous étonnera peut-être, ma douce. Saigne-t-il beaucoup?

— Non.

— Et les autres?

— Les juments sont épuisées, répondit Willow d'une voix aussi neutre que possible. Elles suivront tant qu'elles pourront, mais...

Caleb serra gentiment son épaule.

— Ishmael?

— Fatigué, mais encore assez vaillant pour continuer.

— C'est un sacré étalon! dit Caleb, admiratif. Je comprends mieux pourquoi Wolfe apprécie tant les mustangs.

— Que voulez-vous dire?

— Les mustangs descendent de chevaux espagnols qui eux-mêmes venaient des cheptels arabes. Donnez-leur une poignée de foin, un demi-seau d'eau, et ils parcourront deux cents kilomètres par jour pendant des semaines d'affilée.

Tout en parlant, Caleb s'était emparé des jumelles et balayait méthodiquement le paysage. Il parvint à repérer un certain nombre de maraudeurs, et cela confirma ses soupçons. Les Comancheros s'étaient répartis de telle façon qu'ils n'avaient pratiquement aucune chance de pouvoir arriver à la passe — surtout avec sept chevaux fatigués.

Il se retourna pour examiner le terrain derrière lui, à la recherche d'une route possible, ou d'un ennemi. Il ne perçut aucun mouvement, pourtant quelque chose le tracassait.

— Le journal de Père, murmura-t-il soudain.

— Pardon?

— Changez de place avec moi.

Willow obéit en silence.

— Si quelque chose bouge vers le bas de la pente, tirez!

Tandis que Willow surveillait les Comancheros, Caleb feuilletait vivement le carnet à la couverture de cuir. Il s'attarda sur une page, revint à la précédente, observa les pics environnants.

— Il y a un autre passage, dit-il à voix basse. Terriblement haut et difficile à franchir, mais un cheval devrait y parvenir.

— Les Comancheros le connaissent-ils?

— J'en doute. Selon mon père, personne n'avait emprunté cette route depuis longtemps quand il l'a découverte. Elle date de l'époque où les Indiens n'avaient pas encore de chevaux.

Le silence fut soudain déchiré par un coup de feu, et Willow tressaillit.

— Tout va bien, la rassura Caleb. Ils veulent simplement voir si nous ne sommes pas endormis.

Il prit le fusil à répétition et tira, tira, partout où il avait repéré des maraudeurs à travers ses jumelles. Il rechargeait au fur et à mesure, remerciant mentalement Winchester d'avoir conçu une arme aussi rapide.

Quelques cris étranglés s'élevèrent, et il continua à tirer jusqu'à ce qu'un Comanchero bondît hors de son abri pour trouver un refuge plus sûr. Caleb visa soigneusement et l'homme s'écroula, face contre terre. Il y eut deux coups tirés en retour. Deux seulement. Les derniers hors-la-loi ne semblaient guère pressés de toucher la récompense pour le scalp de Caleb.

Un nouveau bruit fit sursauter Willow, mais elle s'aperçut qu'il s'agissait d'un roulement de tonnerre, et soudain une pluie torrentielle s'abattit sur eux, si drue que bientôt on n'y vit plus à dix mètres.

— Prenez la carabine et courez près des chevaux, dit Caleb en tirant de nouveau afin que les Comancheros ne profitent pas du rideau de pluie pour grimper la pente.

— Et vous?

— *Courez!*

Willow obéit. Des coups de feu retentirent derrière elle, pourtant, lorsqu'elle rejoignit les chevaux, Caleb était sur ses talons.

— Surveillez nos arrières! dit-il.

Il débarrassa Diable de sa selle et envisagea un instant de prendre une des juments comme cheval porteur. Mais un coup d'œil à leurs têtes basses et à leurs flancs couverts d'écume l'en dissuada. Rapide, il transféra le plus possible de charges sur Trey afin de soulager Diable. Quand il eut terminé, celui-ci n'avait plus sur sa selle de bât qu'une quinzaine de kilos, et rien de vital pour les cavaliers.

Caleb enfila sa veste de peau retournée et hissa Willow sur le dos d'Ishmael.

— L'ascension va être rude et longue, dit-il d'une voix grave. Continuez à avancer, même si Diable et les juments ne suivent pas. Promettez-le-moi, Willow.

La jeune femme se mordit la lèvre, hocha la tête.

Caleb effleura doucement sa joue, puis il sauta en selle.

— Je n'ai pas l'intention de m'arrêter avant d'être

arrivé au sommet, annonça-t-il. Nous avons besoin de la lumière du jour pour franchir la passe.

Willow allait parler, mais déjà Caleb s'enfonçait dans la pluie. Les chevaux se mirent en file, Diable traînant la jambe en arrière-garde.

Au bout d'une demi-heure, Willow cessa de tendre l'oreille et de se retourner toutes les trois minutes. Ensuite, elle cessa même de vérifier si les juments suivaient bien. Bien qu'ils fussent au pas, elles soufflaient comme si elles venaient de galoper des heures. Selon les prédictions de Caleb, Diable marchait vaillamment, au rythme des juments.

Ils montaient régulièrement, et Willow ressentait parfois de fortes migraines et de brefs étourdissements qui lui faisaient craindre pour sa santé. Derrière le lourd rideau de pluie, mêlés aux pins et aux épicéas, apparaissaient de plus en plus souvent des bouquets de trembles.

Willow quittait à peine la silhouette de Caleb des yeux, seule certitude dans cet univers gris. Le tonnerre ne la faisait même plus sursauter.

Ils suivirent un ruisseau, grimpèrent le long d'une crête boisée. La route fut un instant presque plate, puis s'éleva vers une autre clairière où grondait un torrent. Caleb le traversa puis entreprit de le remonter. La pente de nouveau abrupte rendait chaque pas difficile.

Un moment, Caleb mit pied à terre, et la jeune femme l'imita, pour mener Ishmael par la bride. Au bout de quelques mètres, elle tomba sur les genoux, étourdie.

Caleb vint la relever et la prit dans ses bras.

— Restez à cheval, ma douce. Vous n'êtes pas habituée à l'altitude.

— Cela ne me gênait pas... à Denver, haleta-t-elle.

— Nous étions beaucoup plus bas. Ici, nous avons presque atteint quatre mille mètres...

Willow ouvrit de grands yeux.

— Ça ne m'étonne pas... si mes chevaux...

— Oui. Pourtant ils continuent à avancer. Comme vous.

Pour la première fois, Willow remarqua qu'il avait une ecchymose sur le front.

— Vous êtes blessé !

— Ne vous inquiétez pas. Vous êtes bien plus étourdie que moi, pourtant vous n'avez aucune marque.

Le soulagement qu'il lut dans les yeux de Willow l'émut et il la serra davantage.

— Merci, dit-il enfin.

— De quoi ?

— D'être venue vers moi quand les balles volaient dans tous les sens, alors que des hommes se seraient sauvés à votre place. D'avoir compris qu'il me fallait les sacoches et d'avoir eu le courage de me les apporter. D'avoir ri quand d'autres femmes auraient pleuré ou gémi, ou m'auraient traité de tous les noms. Vous êtes un sacrément brave camarade de route !

Willow se détourna de son regard d'ambre, à nouveau prise de vertige.

— C'est vous qui êtes très gentil, murmura-t-elle.

— Je ne suis pas gentil !

— Si, vous l'êtes. Je vous ai causé des ennuis, je le sais. Vous n'avez cessé de risquer votre vie à cause de mon entêtement à vouloir garder mes chevaux.

Elle sourit et lui lança un petit coup d'œil entre ses cils.

— Alors, poursuivit-elle, quand j'ai envie de pleurer, de crier ou de gémir, je pense à ce qui m'arriverait sans vous, et je me tais.

Caleb éclata de rire.

Elle est bien trop bonne pour un vaurien comme Matthew Moran...

172

A peine cette idée lui vint-elle à l'esprit qu'il fit un vœu dans le silence de son âme. Les ressources de courage, de loyauté et de passion de Willow méritaient mieux qu'un vil séducteur. Et sa sensualité méritait mieux qu'un homme qui l'abandonnait assez longtemps pour qu'elle eût oublié comment on embrassait.

Mais pas comment on répondait à un baiser! Cela, elle ne l'avait pas oublié...

« Une femme qui en aime un autre ne réagit pas ainsi, si vite, si totalement, pensa-t-il. Elle sera mienne avant d'avoir revu son amant. Je vais la séduire, et lorsque Reno sera mort, elle se tournera naturellement vers moi.

« Elle ne peut pas l'aimer. C'est tout simplement impossible. »

Il pencha la tête et prit ses lèvres comme pour sceller cette résolution. Ce baiser ne ressembla à aucun autre. Il était tendre, et en même temps si ardent que Caleb avait l'impression de se fondre en Willow, de boire à la source de son âme. Quand il se redressa, elle tremblait. Il la porta jusqu'à Ishmael et la posa sur la selle.

— Restez tout près de moi! déclara-t-il presque brutalement.

Avant qu'elle pût répondre, il s'était détourné. Monté sur Trey, il ouvrit le chemin vers l'étroite faille dans les remparts que son père appelait la Passe Noire.

Le vent gémissait, ébouriffait les longues crinières des chevaux. Caleb savait ce qui les attendait sur l'autre versant : son père était tombé amoureux des hautes vallées qui se succédaient jusqu'à un immense parc naturel. Ce parc était connu des Blancs, car il offrait un passage beaucoup plus accessible entre les hauts pics que la Passe Noire. Mais ils ignoraient les vallées secondaires qui menaient à la Passe Noire. Même les Indiens les évitaient, car ils trouvaient du gibier dans des endroits plus faciles à atteindre. Cependant, les anciennes tribus avaient utilisé cette passe : il restait une vague piste, souvenir d'hommes morts depuis longtemps.

Au bout d'un moment, Caleb dut s'éloigner du ruisseau, car les castors avaient construit plusieurs barrages, transformant la cuvette en véritable lac.

Après environ une heure de route, les arbres disparurent presque, pour reparaître tandis qu'ils descendaient vers une vallée où ils suivirent un nouveau cours d'eau.

Puis le chemin se remit à monter sous les sabots des chevaux. Caleb parvint difficilement à trouver un passage parmi les bouquets d'épicéas.

Il n'y avait plus de pins, maintenant, mais des sapins, des trembles, et des saules rabougris qui poussaient dans les couloirs d'éboulis et dans les petites prairies traversées par le torrent.

Caleb sentait qu'ils approchaient du but : le Great Divide, la ligne de partage des eaux entre les rivières qui se jetaient dans l'Atlantique et celles qui débouchaient dans le Pacifique. Son père avait dit qu'en haut, on avait le souffle coupé autant par la splendeur de la vue que par le manque d'oxygène, mais Caleb n'avait aucun moyen de le vérifier, la pluie ne lui permettant pas de voir au-delà de quelques mètres.

Un éclair dansa sur les hauteurs d'un pic invisible, suivi par un fracassant roulement de tonnerre.

La tête basse, les oreilles couchées, les chevaux s'enfonçaient au cœur de l'orage, tandis que les arbres gémissaient dans la tourmente. La végétation protégeait les cavaliers du vent, mais pas de la pluie glaciale qui se transformait peu à peu en neige fondue.

La tempête était si violente, si bruyante que Willow finit par crier, mais son hurlement se perdit dans le vacarme. Elle avait du mal à respirer et était tout juste capable de se tenir sur sa selle, gelée, trempée.

La piste montait toujours. Des flocons tombaient à présent, et le tonnerre s'éloignait. La neige couvrait le sol sur plusieurs centimètres, le torrent avait pris un aspect sombre, huileux.

Caleb consulta sa boussole puis engagea Trey en diagonale sur le flanc de la montagne. Avec la neige fraîche, l'ancienne piste brillait d'un blanc différent de celui qui recouvrait les terres où l'homme n'était jamais passé. Caleb se demanda si les chevaux auraient la force de la grimper.

Les trembles disparurent en premier, puis les sapins et les épicéas, jusqu'à ce que la forêt ne fût plus qu'une bordure noire qui dégringolait le long des ravins. Le torrent au-dessous d'eux était devenu un ruban foncé qui se déroulait au fond d'une faille.

Les sommets des montagnes disparaissaient dans le brouillard ; pourtant, pour la première fois, Caleb entrevit la fin de leur ascension. Mais ils devaient encore monter entre des blocs de rocher avant d'atteindre la dernière crête couverte de glace.

Quand Caleb mit enfin pied à terre, Ishmael et Diable étaient à une cinquantaine de mètres derrière lui. Les juments étaient éparpillées. Deux d'entre elles n'étaient pas encore sorties du voile de neige. Caleb attendit, mais elles n'apparaissaient pas. Enfin, comme le vent dégageait un peu la vue, il les aperçut, luttant vaillamment pour monter le chemin.

Ishmael arriva à la hauteur de Trey, la tête basse, le souffle court et caverneux.

Caleb prit Willow dans un bras tandis qu'il desserrait la sangle de l'étalon. Quand le vent se calmait, on voyait la robe des chevaux fumer, et on entendait davantage leur respiration difficile.

— Je... je vais marcher, dit Willow.

— Pas encore.

Caleb la déposa sur le dos de Trey, attacha une longue corde au cou d'Ishmael qu'il fixa à sa selle, puis il prit les rênes de son cheval et le conduisit sur le chemin.

Willow se retourna. Ishmael suivait, Diable boitillant derrière lui, et elle espéra que les juments seraient capables de continuer.

La route montait toujours davantage, la neige était plus épaisse. Caleb s'enfonçait jusqu'aux genoux à chaque pas. Il devait s'arrêter tous les cent mètres pour laisser souffler les chevaux. Même Trey était fatigué ; il avait la respiration haletante d'un animal qui vient de galoper indéfiniment, ce qui peinait Willow. Malgré une violente migraine et la nausée qui l'envahissait, elle profita d'une halte pour faire mine de descendre de cheval.

— Ne bougez pas ! dit Caleb. Trey est... bien plus... robuste que vous.

Il s'exprimait de façon hachée. Il était habitué à la montagne, mais pas à une telle altitude, et l'air raréfié combiné aux dures journées de voyage avait eu raison de lui comme de ses chevaux.

Quand ils atteignirent le pied de la dernière montée, Caleb s'arrêtait de plus en plus souvent, et les autres chevaux étaient dispersés le long du chemin.

Le ciel s'était enfin déchiré, de vrais nuages couraient vers l'ouest qui se teintait de rouge.

Trey respirait de plus en plus fort. Il était sans doute capable de marcher, mais certainement plus de porter un poids, fût-ce celui de Willow. Caleb fit descendre la jeune femme.

Les sacoches chargées sur son épaule gauche, il soutint Willow du bras droit, et reprit l'ascension.

Il s'arrêta une seule fois, pour lancer un sifflement

strident avant de jeter un coup d'œil derrière lui. Trey releva la tête et, à contrecœur, se remit à avancer.

Autour d'eux, les rochers balayés par le vent étaient sombres, presque noirs, fendus par le poids des ans et de la glace. Le chemin fantôme disparaissait, mais leur destination était visible, au-dessus d'eux.

Willow essaya de marcher seule. Elle y parvint le temps de vingt respirations, puis de soixante, puis de cent. Elle croyait y arriver encore lorsqu'elle sentit le bras de Caleb se resserrer autour de sa taille. Elle se rendit vaguement compte qu'elle serait tombée s'il ne l'avait soutenue. Elle tenta de s'excuser.

— Ne parlez pas, dit-il. Marchez.

Elle se remit en route, aidée par Caleb, encouragée par sa présence silencieuse et son bras solide.

Ensemble, ils escaladèrent la pente rocheuse, n'entendant que les battements assourdissants de leurs cœurs et leurs respirations saccadées. De temps à autre, Caleb sifflait pour appeler Diable et Ishmael qui étaient bien loin devant les juments.

Il changea plusieurs fois les sacoches d'épaule. Ils firent une halte tous les trente pas, puis tous les vingt pas, mais cela ne suffisait pas à Willow. Elle n'en pouvait plus...

Cependant elle continuait à avancer, s'efforçait de ne pas trop se reposer sur Caleb. En vain. Sans lui, elle se serait écroulée.

— Presque... arrivés, dit-il enfin.

Willow ne répondit pas. Elle avançait centimètre par centimètre, trébuchant plus qu'elle ne marchait.

Caleb regarda au-dessus d'eux et se rappela avec une clarté étonnante les mots utilisés par son père pour décrire la Passe Noire :

Abrupte, dure, plus froide que le téton d'une sorcière.

Mais la passe est bien là, pour celui qui a le courage de la franchir. Par-dessus le Divide, elle grimpe jusqu'à ce que l'on se trouve face à l'œil de Dieu, si haut que l'on pourrait entendre le chant des anges...

Soudain Caleb et Willow y furent, au bord du Paradis, le cœur battant, le souffle court ; des anges chantaient tout autour d'eux.

Caleb lâcha enfin Willow qui s'effondra au sol. Il posa les sacoches, se laissa tomber près d'elle, la saisit dans ses bras.

Elle s'appuya contre sa poitrine, cherchant désespérément sa respiration. Caleb la berçait, caressait ses cheveux, son cou, lui répétait que le pire était passé... Ils avaient atteint le point le plus élevé de la passe.

Avec un long soupir, elle ouvrit les yeux.

Caleb vit les couleurs revenir sur ses joues, et il en ressentit un soulagement presque douloureux. Il la serra plus fort, la tournant vers le soleil couchant. Les nuages n'étaient plus que des drapeaux d'or incandescent au-dessus des hauts pics, et la neige fondait déjà, laissant des traînées de larmes noires sur le flanc de la montagne.

— Regardez, dit Caleb.

Willow suivit la direction de son doigt. Une plaque de neige brillait, non loin, dans les derniers rayons du soleil. Elle vit une goutte se former, puis se détacher lentement et commencer son long trajet vers la mer.

L'eau se dirigeait vers le Pacifique, vers l'ouest, là où le soleil allait bientôt se coucher.

11

Willow fut réveillée par le soleil sur son visage et le hennissement frénétique d'Ishmael. Le cœur battant, elle s'assit, et il lui fallut un moment pour se rappeler où elle était : une minuscule vallée sur le versant ouest du Great Divide. Un petit bout de terre herbeuse entourée sur trois côtés par des montagnes abruptes. Le quatrième côté descendait si fort que le ruisseau le dévalait en cascade.

— Caleb ?

Pas de réponse.

Willow se souvint alors qu'il était parti bien avant l'aube, monté sur Trey, à la recherche des quatre juments qui n'avaient pas trouvé leur chemin jusque-là. Elle avait voulu l'accompagner, mais elle s'était écroulée au bout de trois pas, et Caleb l'avait ramenée sous les couvertures. Ses juments étaient-elles perdues ? pensa-t-elle, les larmes aux yeux.

Elle se glissa hors du lit improvisé, saisit la carabine que Caleb avait laissée à sa portée et alla voir ce qui dérangeait Ishmael.

A la position du soleil, elle se rendit compte que c'était la fin de l'après-midi. Elle avait dormi toute la nuit et une bonne partie de la journée...

Ishmael renâclait et tirait sur la longe qui le retenait à un piquet en hennissant sauvagement.

— Du calme, mon beau, dit-elle en regardant dans la même direction que lui. Qu'y a-t-il ?

Le cri de l'étalon déchira de nouveau le silence.

Porté par le vent, un cri semblable leur parvint. Quelques minutes plus tard, trois des juments débouchaient en trébuchant, épuisées, dans la vallée. Willow détacha l'étalon, l'amena près d'un rocher sur lequel elle monta pour sauter sur son dos, et le lança au galop vers les autres.

Elle scruta la forêt, espérant découvrir Caleb sur son gros cheval ou Colombe, la seule bête qui manquât.

Mal à l'aise, elle laissa Ishmael renifler les femelles pour s'assurer que c'était bien les siennes. Au bout d'un moment, celles-ci se mirent à dévorer l'herbe avec avidité, se désintéressant totalement de leur compagnon.

— Suffit, Ishmael. Allons voir ce qu'est devenu Caleb.

Ils atteignaient à peine l'orée de la clairière quand le cheval dressa les oreilles en hennissant doucement. Un autre hennissement lui répondit.

Trey arrivait au petit trot. Une page du journal de Caleb avait été déchirée et attachée au pommeau de la selle. Willow se hâta de la saisir :

Je ramène Colombe. Les autres juments ont retrouvé leur énergie et demandé à être lâchées. Elles étaient dans la bonne direction, aussi les ai-je laissées, ainsi que Trey. Donnez-leur du grain.

Colombe est épuisée mais très courageuse. Je resterai avec elle tant qu'elle tiendra debout.

Les larmes roulèrent sur les joues de Willow à la pensée de sa chère jument. Si elle n'en pouvait plus, c'était en partie parce qu'elle l'avait portée...

En attendant, elle devait se mettre au travail avant la tombée de la nuit, malgré sa fatigue. La vallée était beaucoup moins haute que la passe, mais l'altitude était encore pénible.

Elle conduisit Trey vers le campement, lui ôta sa selle et le laissa dans la prairie où il se roula avec délices dans l'herbe grasse et but au ruisseau, pendant qu'elle préparait des rations de grain. Il dévora sa part, affamé. Et Willow le comprenait ! Elle n'avait rien avalé depuis plus de vingt-quatre heures, à part quelques morceaux de viande séchée.

Caleb aurait faim, lui aussi, à son retour, car il n'avait pas emporté de nourriture avec lui.

Aussi vite qu'elle put, s'arrêtant de temps en temps pour reprendre son souffle, Willow tira les selles et les affaires sous le surplomb qui protégeait le campement. Elle ramassa du bois mort et alluma un feu qu'elle surmonta d'un trépied, puis elle alla chercher de l'eau. Elle avait l'impression d'avoir couru des heures chargée d'une malle !

Elle s'était déjà débarrassée de la lourde veste et du Levi's. A présent, elle rêvait d'un bain. Mais elle avait trop à faire avant que le soleil ne disparût derrière les sommets.

Les derniers rayons quittaient la clairière quand Caleb et Colombe arrivèrent enfin, effrayant un chevreuil qui paissait près des chevaux. Celui-ci revint au bout d'un moment. Ces animaux n'avaient pas été chassés depuis si longtemps qu'ils n'avaient pas peur des hommes.

Colombe ne remarqua pas le chevreuil : elle ne voyait que l'herbe et l'eau pure. Elle secoua la tête pour être libérée de la longe qui l'avait obligée à marcher. Caleb lui caressa le cou, lui murmura quelques mots gentils et la laissa rejoindre ses compagnons.

Willow versa du café dans la gourde, saisit une poignée de biscuits frais et se hâta à travers la prairie. Elle arriva près de Caleb hors d'haleine. Il donnait déjà du grain à Colombe.

— Comment va-t-elle ?

— Elle est épuisée, mais le repos et la nourriture la remettront d'aplomb. D'après sa respiration, elle ne semble pas avoir les poumons abîmés.

— Dieu soit loué !... Tenez, ajouta Willow en lui tendant la gourde et les biscuits. Vous devez mourir de faim ! Merci infiniment d'être allé chercher les juments.

Caleb l'attira à lui pour l'embrasser. Quand il releva la tête, il souriait malgré la fatigue qui marquait ses traits. Avec un petit rire, il se lécha les lèvres.

— Vous avez le goût du café et des gâteaux, dit-il. D'autre chose aussi...

— Du gibier, avoua-t-elle en riant. J'ai fait un ragoût avec ce qui restait.

Il bâilla en s'étirant pour détendre ses muscles douloureux, tandis que Willow débouchait la gourde, dont l'arôme vint jusqu'à lui. Il but longuement le liquide fort, chaud, réconfortant, qui se répandait en lui comme une coulée de miel. Puis il avala trois biscuits avant de reprendre du café.

— Venez près du feu, dit doucement Willow.

Elle avait perçu toute sa lassitude dans la lenteur de ses mouvements, les profonds cernes sous ses yeux.

— Vous n'avez presque pas dormi, ces derniers jours. Vous devriez manger un peu et vous coucher. Je monterai la garde.

Il bâilla de nouveau.

— Inutile de monter la garde. Vous voyez ces chevreuils ?

Elle hocha la tête.

— Nous sommes les premiers humains qu'ils rencontrent de leur vie, expliqua-t-il.

— Pourtant j'ai vu des traces de fumée le long de la falaise.

— Elles datent de très très longtemps, bien avant que les Espagnols importent des chevaux. C'est en tout cas ce que pensait mon père, or il en connaissait plus que quiconque sur les Indiens et ces contrées sauvages.

Caleb se tourna vers les hautes montagnes qui les environnaient.

— Il était persuadé d'être le premier homme depuis des siècles à voir cet endroit, poursuivit-il.

— Pourquoi les Indiens ont-ils délaissé cette vallée ?

— A cause des chevaux, sans doute. Si j'en crois le journal de route, le chemin pour sortir d'ici est aussi difficile que la passe que nous avons franchie. Possible pour un homme à pied habitué à l'altitude, mais trop dur pour un cheval. Il est sacrément plus facile d'emprunter des passes moins élevées et de se laisser porter par le cheval, ajouta-t-il en souriant. Les hommes sont paresseux de nature !

— Pas tous, protesta Willow. Sans vous, mes juments seraient restées bloquées de l'autre côté de la passe.

— Elles étaient parvenues trop loin pour qu'on puisse les abandonner. Comment va Diable ?

— Il a dû se fouler la jambe avant gauche en tombant, après avoir été touché. Elle est enflée sous le genou.

— Porte-t-il son poids dessus ?

— Il évite, mais il se sent mieux depuis que je l'ai bandé avec un morceau de ma veste d'équitation.

— Voilà au moins un bon emploi pour ce satané vêtement, grommela Caleb. Et la blessure ?

— Je craignais qu'elle ne fût infectée, mais elle me paraît aussi saine que le ruisseau qui traverse la clairière.

— Père avait raison là-dessus aussi. Rien ne s'infecte, ici. Sans doute grâce à la pureté de l'air. M'avez-vous laissé beaucoup de ce ragoût ?

— Les trois quarts, environ.

— Je mangerai doucement, pour vous laisser le temps d'en faire cuire davantage.

Elle sourit et lui prit la main pour l'emmener vers le campement.

— J'ai fait des tonnes de biscuits !

Willow observa Caleb du coin de l'œil tandis qu'il dévorait ragoût, biscuits, légumes sauvages.

— Pas de truite ? demanda-t-il, nonchalant, en sauçant la dernière goutte de jus avec son biscuit.

Willow secoua la tête en souriant.

— Elles se sont toutes enfuies devant moi !

— Il va falloir que je vous réexplique comment vous y prendre.

Willow s'empourpra au souvenir du jour où Caleb lui avait raconté comment on attrapait les truites...

— Ne vous inquiétez pas, ma douce. Pour l'instant, je suis si fatigué que je n'ai même plus la force de faire un geste.

Il s'endormit instantanément. Willow attendit que son sommeil fût assez profond pour lui ôter ses bottes, son holster, son poignard et poser sur lui d'épaisses couvertures. Elle plaça son revolver à portée de sa main, comme il l'aurait fait lui-même s'il n'avait été à ce point épuisé.

Bien que le soleil n'eût fui la vallée que depuis une demi-heure, il commençait à faire terriblement froid. La chaleur que dégageait Caleb attirait irrésistiblement la jeune fille. Elle se rapprocha de lui, soupira d'aise, se détendit contre son grand corps. Il s'agita légèrement et l'attira plus près encore comme si lui aussi avait froid.

Willow s'endormit en souriant, le cœur de Caleb battant régulièrement sous sa joue.

Elle se réveilla couchée sur le côté, le dos contre la poitrine de Caleb, la tête posée sur son bras, appuyée dans le berceau de ses cuisses... et elle réalisa que sa large main s'était glissée sur son sein.

Son cœur fit un bond ; elle se pétrifia, partagée entre l'envie de se dégager et le plaisir de cette intimité.

Au bout de quelques minutes, les battements de son cœur s'apaisèrent, mais le bout de son sein s'était durci dans la paume de Caleb.

Un désir douloureux s'emparait d'elle, un besoin de s'arquer contre lui comme un chat en quête de caresses. C'était si fort, si intense, qu'elle en eut le souffle coupé. Que lui arrivait-il ?

184

Elle tenta de se libérer sans le déranger, mais n'y parvint pas.

A demi réveillé par ses efforts, Caleb poussa un petit grognement, la serra davantage contre lui, et sa main libre vint se poser sur l'autre sein.

Willow frémit. Elle avait un mal fou à résister à l'envie de se frotter contre cet homme.

« Je dois être folle ! » se dit-elle.

Un peu haletante, elle s'obligea à ne plus bouger, à attendre que Caleb remuât dans son sommeil pour échapper à son étreinte involontaire.

Mais il ne la lâcha pas ; en revanche, la tension montait en elle. Incapable d'en supporter davantage, Willow repoussa doucement la couverture, premier pas vers la liberté.

C'était une erreur. La vue de la grande main de Caleb sur son sein, de l'autre enfouie sous une échancrure de la combinaison la fit tressaillir. Elle ferma les yeux puis, la première gêne passée, les rouvrit.

Rien n'avait changé. Le contraste entre la main hâlée et sa peau claire était toujours aussi...

Enivrant.

« Décidément, je perds l'esprit ! »

Willow aurait dû se lever, ou au moins rabattre la couverture sur ces mains qui la troublaient tant. Mais elle ne bougea pas. Elle demeura immobile, envahie de vagues d'émotion à chaque inspiration, à chaque léger mouvement contre les paumes de Caleb.

Un oiseau lançait une douce mélodie, un autre lui répondait dans la clairière, la brise chuchotait dans l'herbe haute, le soleil caressait la terre...

Caleb s'agita de nouveau, pressa légèrement le sein chaud de Willow. Suffoquée, elle prit sa main droite et la posa sur sa hanche. Puis elle essaya de glisser hors de sa combinaison pour repousser l'autre main sans le réveiller. Mais le vêtement était trop serré, et elle dut en délacer le haut.

Très doucement, elle tira les doigts de Caleb. Ce geste ne fit qu'amplifier la caresse sur le bout de son sein et elle ne put retenir un petit gémissement de plaisir. Puis elle se mordit la lèvre et tenta à nouveau de se dégager. Il marmonna quelques sons inarticulés, saisit le bout gonflé de son sein entre deux doigts.

Le petit cri qui lui échappa le réveilla tout à fait. Il sentit les courbes de son corps contre ses paumes et sourit.

— Caleb? souffla Willow, effrayée. Vous... vous dormez, n'est-ce pas?

— Plus tout à fait...

Elle rougit violemment.

— Je ne voulais pas vous réveiller, murmura-t-elle d'une voix à peine audible. Je... j'essayais juste de... retirer votre main.

— Celle-ci? demanda Caleb en remuant les doigts sur sa hanche.

— Non.... je veux dire oui, mais surtout l'autre...

Caleb sourit de nouveau, tout contre ses cheveux.

— L'autre? Où est-elle? Je ne la vois pas.

— Moi si, et c'est bien le problème.

Willow gémit intérieurement devant la sottise de ses paroles.

— Ah bon? Alors dites-moi où elle se trouve.

— Vous le savez parfaitement, Caleb Black, protesta-t-elle faiblement.

— Comment le pourrais-je? Elle est engourdie, mentit-il. Dites-moi où elle est, ma chérie.

— Sur ma... sur mon...

— Épaule? suggéra Caleb.

Quand elle secoua la tête, ses cheveux glissèrent, et il en profita pour poser la bouche sur son cou. Il la sentit frémir tout entière, et la réponse en lui ne se fit pas attendre.

— Sur vos côtes, peut-être ? demanda-t-il d'une voix grave en lui mordillant la nuque.

— N... non.

— Votre taille ?

Sous la caresse de Caleb, Willow était à présent tout à fait incapable de prononcer une parole, tellement son désir était fort, étouffant. Lorsqu'il serra délicatement le bout de son sein, elle ne put s'empêcher de gémir.

— Je vois maintenant où réside le problème, dit-il en se redressant sur un coude pour regarder par-dessus l'épaule de Willow.

— Et quel est-il ? chuchota-t-elle.

— Ceci...

Il remua encore la main, et elle se cambra instinctivement.

— Vous voyez ? reprit-il. Nous sommes empêtrés dans vos vêtements. Ne bougez pas, ma chérie. Je vais nous dégager.

Le souffle court, Willow le regarda, ses yeux noisette voilés de désir. Caleb passa un doigt autour du téton gonflé. La jeune femme se raidit.

— Chut, ma douce. Je vous fais mal ?

Elle émit un curieux petit son venu du fond de sa gorge, et il sourit, sans cesser de la caresser.

— Ça y est presque, dit-il.

Il la mit doucement sur le dos.

— Voilà, encore un moment et vous serez libre. Soulevez un peu votre épaule. Oui, comme ça. Maintenant, respirez longuement, profondément. C'est bien.

Un frisson le parcourut à la vue de la poitrine nue de la jeune femme.

— Dieu ! Vous êtes si belle ! Parfaite comme un bouton de rose...

Il inclina la tête et laissa courir sa joue ombrée de barbe soyeuse sur les seins blancs de Willow. Elle enfouit les mains dans ses cheveux.

— Oui, dit-il... Montre-moi ce que tu désires.

Choquée, gênée, elle tenta de le repousser, mais dans ce geste les lèvres de Caleb effleurèrent sa peau.

— Bien... C'est ce que je veux aussi, murmura-t-il.

Il prit le bout du sein entre ses dents et serra Willow plus fort pour l'empêcher de bouger tandis qu'il la caressait des lèvres, de la langue. Un éclair sauvage traversa la jeune femme qui poussa un cri.

— Willow? demanda Caleb en relevant la tête. Je t'ai fait mal?

— Nous ne devrions pas... Il ne faut pas...

Caleb ferma les yeux.

— Je t'ai fait mal? insista-t-il.

Son souffle sur le sein encore humide de ses baisers arracha un violent frisson à Willow. Ses hanches se haussèrent vers lui, en un réflexe qu'elle ne comprenait pas.

Caleb, lui, le comprenait.

— Dis-moi, Willow, poursuivit-il en embrassant le bourgeon dressé. Je t'ai fait mal?

Incapable de parler, la jeune femme secoua la tête.

— Tu aimes?

Elle rougit et cacha son visage contre la poitrine de Caleb, honteuse.

Très doucement, il frotta sa joue une dernière fois contre la peau si tendre avant de se détourner, craignant de ne plus arriver à se dominer devant le charmant spectacle qui lui était offert.

— Très bien, ma chérie. Je ne te forcerai pas.

Il se leva, se dirigea vers le feu, où Willow le rejoignit quelques minutes plus tard.

Ils prirent leur petit déjeuner dans un complet silence. Caleb ne fit pas allusion à la scène précédente.

« Une petite truite timide, prudente, qui n'a pas connu d'homme depuis longtemps. Un peu de patience, et elle viendra d'elle-même dans ma main. On m'a toujours dit que j'étais un homme patient. Pourquoi ai-je tant de mal à l'être avec elle ? »

Willow l'observait entre ses cils tandis qu'il s'affairait dans le campement, rangeait les provisions dans les sacoches, vérifiait sangles et têtières. Quand il se dirigea vers la prairie avec un sac de grain, elle le suivit.

Lorsque Caleb siffla, Trey et Diable accoururent, se laissant examiner pendant qu'ils mangeaient. Caleb leur parlait, les félicitait pour leur courage, leur énergie et leur bon caractère. Willow le contemplait, fascinée par sa souplesse, sa force, sa grâce virile. Il était si doux que Diable ne broncha pas lorsqu'il inspecta sa blessure.

— Elle est très propre, déclara-t-il en caressant l'épaule de son cheval. Je t'étrillerais bien, mon vieux, mais je pense qu'il vaut mieux te laisser tranquille un jour ou deux...

L'une des juments, attirée par l'odeur du grain, arriva au petit trot, les narines palpitantes. Caleb tira gentiment sur sa crinière.

— Salut, Penny. On se sent mieux après une bonne nuit ?

Penny poussa du nez le sac de grain.

Willow éclata de rire.

— Cessez de la faire attendre, la pauvre !

Caleb eut un sourire de biais.

— L'attente décuple le plaisir, l'ignorez-vous ?

Willow s'abstint sagement de répondre, mais elle ne put rien contre le feu qui lui montait aux joues.

Ishmael les rejoignait au petit galop, les oreilles dressées, l'allure souple et régulière.

— Il semble en forme, dit Caleb.

— Il respire un peu trop fort.

— C'est l'altitude. Il sera habitué dans une semaine ou deux.

— C'est bien ce délai qui m'inquiète, soupira Willow en se frottant les tempes.

Caleb déposait sur le sol du grain pour les arabes.

— Nous prendrons notre temps désormais, promit-il.

— Seulement douze heures par jour de chevauchée au lieu de dix-huit? marmonna Willow entre ses dents.

Elle avait parlé doucement, mais Caleb avait l'oreille exercée d'un animal sauvage. Il se redressa et vint vers elle.

— Migraine?

Comme prise en faute, elle interrompit le mouvement de ses mains.

— Un peu. Mais beaucoup moins que dans la passe.

— Attendez. Laissez-moi faire.

Willow ne songea pas à protester, et elle frémit de bien-être en sentant les doigts de Caleb sur son crâne.

— Détendez-vous, dit-il. Plus vos muscles seront noués, plus vous aurez mal.

Willow obéit, et elle eut un murmure de plaisir lorsque Caleb massa sa nuque, le haut de son dos, son cou. Elle finit par se laisser aller tout à fait, et inclina la tête en avant jusqu'à toucher la poitrine de Caleb.

Elle s'aperçut trop tard qu'il avait ouvert sa chemise et que son front reposait sur sa peau nue. Il sentait la laine, l'homme, le cheval.

— C'est bon, souffla-t-elle tandis qu'il continuait à assouplir ses muscles, à chasser la douleur.

— Tant mieux, répondit-il, heureux de sentir son souffle contre sa peau.

Ils demeurèrent silencieux un moment, puis Willow soupira.

— Jamais je ne pourrai vous payer de retour...

Il eut un rire amusé.

— Vous n'aurez qu'à me masser aussi.

— Je parlais des juments. Merci, Caleb.

— On ne pouvait pas les abandonner.

— Tout est ma faute.

— Ce n'est pas vous qui avez bâti ces montagnes, ma chérie. C'est Dieu.

Elle esquissa un sourire contrit.

— Mais j'ai loué les services d'un guide et j'ai refusé d'écouter ses conseils. J'ai failli tuer mes splendides juments qui n'avaient d'autre tort que celui de m'obéir. Elles seraient mortes, sans vous. J'aurais été incapable de retourner les chercher. J'ai essayé, mais...

Sa voix se brisa.

— Chut, ma douce. Ce n'est pas votre faute.

Elle secoua la tête.

— Je n'étais pas assez forte. Vous, oui. Vous n'étiez pas obligé d'y aller mais vous l'avez fait, alors que vous manquiez terriblement de sommeil.

Caleb interrompit un instant son geste, puis se remit à masser doucement le front de Willow. La bonne volonté avec laquelle elle reconnaissait ses erreurs ne laissait pas de le surprendre. La plupart des femmes — et des hommes — qu'il connaissait se déchargeaient de leurs fautes sur les autres quand les choses tournaient mal.

Plus Caleb fréquentait Willow, plus il se rendait compte qu'elle avait l'habitude de s'occuper d'elle-même comme de ceux qui l'entouraient.

« Dieu devait être distrait le jour où il l'a laissée aller vers une canaille comme Reno. Elle est trop bien pour lui. Elle ignore sans doute qui il est réellement, sinon elle ne se serait pas donnée à lui. Ce sera un cadeau pour elle le jour où j'enterrerai ce fils de chien. »

— Merci pour mes juments, Caleb, répéta calmement Willow, la joue contre sa poitrine. Jamais je ne pourrai assez vous remercier.

— Willow, souffla-t-il.

Elle ouvrit les yeux, renversa la tête pour le regarder. Les étincelles qui jouaient dans les profondeurs de ses yeux noisette envoûtaient Caleb.

— Vous m'avez sauvé la vie quand Diable a été touché. Vous m'avez apporté des munitions. Vous vous êtes battue à mes côtés. Vous ne me devez rien.

— Et vous, combien de fois m'avez-vous sauvé la vie depuis que nous avons quitté Denver?

— C'est différent.

— Vous trouvez?

— Oui.

Caleb effleura ses lèvres.

— C'est pour cela que vous m'avez engagé.

— Vous êtes excellent dans cette tâche... et dans d'autres aussi, d'ailleurs...

Elle pensait aux soins des chevaux, mais dès qu'elle eut prononcé ces mots, elle rougit en songeant à d'autres occupations où il excellait.

Caleb eut un petit sourire.

— Vraiment? A quoi faites-vous allusion?

— Vous le savez très bien, marmonna-t-elle.

— Non. Dites-le-moi.

Willow se détourna, regrettant une fois de plus cette fâcheuse manie qu'elle avait de parler sans réfléchir. Elle n'avait jamais été spécialement impulsive, or, depuis sa rencontre avec Caleb, elle passait son temps à dire des choses qui la faisaient rougir.

— Je parie que vous me trouvez efficace pour dénicher des vêtements confortables au milieu du désert...

Elle sourit.

— Entre autres.

— Et des selles.

Son sourire s'élargit.

— Cela aussi.

— Et pour attraper des truites.

Elle s'empourpra.

— C'est ça, Willow ?

Il la saisit par la taille et la souleva doucement jusqu'à ce que leurs visages soient au même niveau.

— Me trouvez-vous doué pour la pêche à la truite ?

Elle acquiesça.

— Vous y êtes particulièrement fort, dit-elle d'une voix enrouée.

L'espace de quelques secondes, Caleb fixa les lèvres pleines de la jeune femme avant de les prendre et de glisser sa langue sur les dents serrées.

— Ouvrez-vous pour moi, souffla-t-il. Laissez-moi vous goûter.

Il mordilla doucement sa lèvre inférieure, et elle ouvrit la bouche, surprise. Il en profita pour jouer avec sa langue jusqu'à ce qu'elle tremblât contre lui. Enfin elle répondit à son baiser avec un curieux mélange de retenue et d'ardeur.

Caleb ne s'était-il pas promis d'attendre qu'elle lui demandât elle-même de l'embrasser ?

Oui, mais il avait été incapable de patienter.

A contrecœur, maudissant la passion que Willow éveillait en lui, il releva la tête. Quand il ouvrit les yeux, il s'aperçut qu'elle fixait ses lèvres, fascinée.

— Suis-je doué aussi pour embrasser ? demanda-t-il d'une voix rauque.

— Caleb ! protesta Willow, gênée

— Sinon, dites-moi ce qui ne va pas. Je veux vous faire plaisir, Willow, jusqu'au plus profond de votre âme. C'est ce que je souhaite de tout mon cœur.

Le frémissement de ses lèvres contre les siennes

lorsqu'elle prononça son nom fut le plus beau présent que Caleb eût jamais reçu. Malgré la passion qui l'étreignait, il se fit tendre, sans exigence, ne prenant rien qu'elle ne lui donnât d'abord.

La chasteté de ce baiser surprit Willow qui en fut aussi rassurée, comme elle l'avait été plus tôt lorsqu'il s'était arrêté, à sa prière. La fois précédente, le jour où il la coiffait, il s'était montré furieux...

Mais pas aujourd'hui. Aujourd'hui, Caleb n'était pas en colère.

Elle laissa ses mains remonter vers ses épaules musclées, cherchant la peau sous la chemise, goûtant comme un chat le plaisir de son contact.

Caleb se demanda soudain si Reno était le genre d'homme à brutaliser une femme. Cela expliquerait la crainte qu'avait eue Willow quand il avait glissé une main entre ses jambes... Mais cela n'expliquerait pas l'entêtement qu'avait mis Rebecca à cacher l'identité de son amant. Rebecca avait toujours été une enfant protégée, choyée. Elle était pleine de gaieté, de vie, d'amour, jamais un homme cruel n'aurait pu gagner son cœur. Seul un gentleman pouvait y parvenir.

En un éclair, Caleb se rendit compte que lui-même ne se conduisait guère en gentleman, particulièrement à cet instant. Il devait sentir le cheval, et il portait les mêmes vêtements depuis bien trop longtemps. Willow, elle, dégageait un parfum de lavande, d'herbe, de soleil. Pas étonnant qu'elle n'eût guère envie de plus d'intimité. A vrai dire, Caleb se trouvait lui-même plutôt repoussant !

— J'ai encore un autre talent, déclara-t-il en reposant Willow au sol avant de s'éloigner légèrement. Je suis un excellent sourcier.

— C'est vrai ?

— Oui. Je découvrirais une source d'eau chaude n'importe où.

Cette nouvelle surprit Willow qui en oublia un peu sa déception d'être si vite séparée de Caleb.

— Même ici?

— Surtout ici. Mon sixième sens me dit qu'il y en a une au bout de la vallée, et qu'elle forme un bassin assez vaste pour que l'on puisse s'y tremper tout entier.

Willow sourit, se rappelant le journal du père de Caleb.

— Vous êtes tout simplement merveilleux, Caleb Black.

— A la vérité, je suis parfois un peu lent, mais j'essaie de m'améliorer.

— Nous jouons à pile ou face?

— Pardon? demanda-t-il, déconcerté.

— Pour savoir qui se baignera le premier.

Caleb s'abstint juste à temps de suggérer qu'ils pourraient le faire ensemble...

« Doucement, calmement, pensa-t-il. Pas de gestes brusques. Pas d'impatience. Tu as toute la vie devant toi... »

— Vous d'abord, ma chérie. Je m'occuperai des chevaux en attendant.

— Ce n'est pas juste...

— J'aime la compagnie des chevaux.

— Alors, je laverai vos affaires. Marché conclu? proposa Willow, la main tendue.

Caleb la prit, la porta à ses lèvres.

— Marché conclu.

Il la lâcha et entreprit de déboutonner sa chemise.

— Que faites-vous?

— J'ôte mes vêtements. A moins que vous n'ayez l'intention de les laver avec moi à l'intérieur?

— Euh... non.

Une fois de plus elle rougit, et Caleb sourit, ravi. Elle n'avait pas voulu faire l'amour avec lui, elle semblait avoir peur, pourtant son regard disait assez qu'elle le trouvait à son goût. Encore un paradoxe qui attirait Caleb et le désorientait en même temps.

Pour voir comment elle réagirait, il commença à défaire son pantalon. Avec un petit cri choqué, Willow détourna les yeux.

— Même problème que pour la chemise, expliqua-t-il le plus naturellement du monde.

Willow avala sa salive avant de répondre :

— Je vais vous chercher une couverture.

Elle fit volte-face pour traverser la clairière en courant, sous le grand rire joyeux de Caleb.

12

Willow flottait dans l'eau tiède en se demandant si elle n'était pas montée au paradis.

Au-dessus d'elle, l'eau jaillissait d'une fente dans la roche noire et se terminait en cascade dans la mare qui, au grand étonnement de la jeune femme, n'était pas sulfureuse.

— Caleb est vraiment un sourcier hors pair, murmura-t-elle. Si Matt a découvert une vallée de ce genre, je comprends qu'il n'ait pas eu envie de rentrer à la ferme.

Les arbres, tout autour, chuchotèrent leur assentiment, disant à Willow toute la beauté, tout l'attrait de l'Ouest sauvage. Pourtant c'était à Caleb qu'elle pensait, pas à la terre. Elle rougit au souvenir de la matinée... et en ressentit un désir renouvelé.

— Mais que m'a-t-il fait ? souffla-t-elle. Pas assez, reconnut-elle aussitôt. Pas assez, grand Dieu !

S'il n'avait été aussi tendre, elle aurait eu peur de ses propres pensées, de ses désirs, de son irrésistible envie de sentir les mains de Caleb partout sur elle, la caressant à la manière de l'eau tiède...

Un éclair la traversa, comme si c'était la bouche de Caleb qui effleurait ses seins, et elle frissonna, mais ce n'était ni de froid ni de peur.

— Je saurais dire non à un homme cruel, ou lâche, ou stupide, ou égoïste, confia-t-elle aux arbres et au soleil. Or, Caleb n'est rien de tout cela. C'est un homme dur, mais s'il était différent, il ne pourrait survivre dans cette contrée. Et il ne prend aucun plaisir à se battre, à tuer, il traite doucement ses chevaux. Je ne l'ai jamais vu se servir d'éperons acérés, ni d'un fouet...

« Il n'a pas eu une très bonne opinion de moi lors de notre première rencontre, pourtant il ne s'est pas montré grossier. Et il a été bon avec la veuve Sorenson, il est venu en aide à Eddy.

« Mieux, poursuivit-elle en frémissant de tout son être tandis que les souvenirs affluaient. Malgré l'envie qu'il en avait, il ne m'a pas forcée, comme d'autres l'auraient fait. A part la première fois, il ne s'est même pas mis en colère quand je me suis refusée à lui. C'est un gentleman alors que je ne me conduis pas tout à fait comme une dame...

Elle fut soudain glacée en se rappelant son regard lorsqu'elle l'avait prié de cesser de la caresser.

— *Un jour, jolie dame du Sud, vous me supplierez de ne pas arrêter...*

Jamais elle n'avait vu une telle colère ni une telle maîtrise de soi, et elle lui était reconnaissante de cette discipline de fer qu'il s'imposait.

Pourtant, elle souffrait de ce désir éveillé que n'apaisaient pas son sourire, ses mains, sa bouche ; elle en voulait davantage. Elle voulait encore des baisers, encore des caresses, elle voulait le goûter, elle voulait connaître... quoi, au juste? Elle l'ignorait...

Incapable de supporter plus longtemps ces pensées, Willow posa les pieds sur le fond rocheux de la mare et se dirigea vers la rive.

Après avoir séché ses cheveux, son corps, elle remit la camisole et le pantalon de batiste qu'elle avait apportés. C'étaient les seuls vêtements propres dont elle disposait, hormis une vieille robe de tous les jours, tellement portée qu'elle n'en supportait plus la vue. Quant à la chemise de Caleb, elle séchait au milieu de la prairie avec les autres affaires lavées.

En désespoir de cause, elle s'enroula dans la couverture de coton qui leur servait de drap, la coinça sous ses bras, la releva comme une jupe serrée et retourna vers la clairière. Caleb devait être en train d'étriller les chevaux, vêtu seulement d'une couverture nouée en guise de pagne.

Du moins le supposait-elle, car avec cette chaleur, il pouvait fort bien être resté en sous-vêtements.

Quels sous-vêtements? J'ai tout lavé...

L'idée de trouver Caleb nu la terrorisa... et lui fit chaud partout.

Les mèches mouillées étaient fraîches sur ses joues brûlantes quand elle arriva dans la prairie, en prenant soin de bien se montrer. Les chevaux dressèrent les oreilles, et Ishmael s'agita en sentant la familière odeur de lavande portée par le vent.

Caleb lui donna un autre coup de brosse avant de se pencher pour ramasser la couverture dont il s'était débarrassé dès que Willow avait disparu sous les arbres. Il s'en ceignit la taille avant de poursuivre sa tâche. Ce n'était pas sa pudeur qu'il voulait préserver, mais celle de Willow. Elle avait rougi comme une jeune vierge en le voyant torse nu, alors pour le reste...

198

— C'est votre tour, annonça-t-elle en s'approchant.

Il hocha la tête sans cesser de brosser Ishmael.

Willow essayait de ne pas regarder les muscles qui jouaient sous la peau dorée, la poitrine puissante qui s'affinait vers les hanches, la toison soyeuse.

Elle essayait... mais n'y parvenait pas. Quand elle s'aperçut qu'il l'observait du coin de l'œil, elle se détourna vivement.

— Ça ne me gêne pas, dit-il.

— Pardon?

— Cela ne me gêne pas que vous me regardiez.

En prononçant ces mots, Caleb comprit à quel point c'était vrai. Jamais il n'aurait imaginé tirer un tel plaisir du regard à la fois effrayé et sensuel d'une femme sur lui. Peut-être parce que celles qu'il avait connues jusqu'à présent étaient plus âgées, plus habituées au corps d'un homme. Elles avaient apprécié son efficacité dans la maison, loué ses talents au lit, mais aucune ne l'avait contemplé comme le faisait Willow, comme s'il incarnait à lui seul la lune, le soleil et les étoiles.

— En fait, reprit-il, j'aime la façon dont vous me regardez. J'ai l'impression d'être quelqu'un de tout à fait spécial.

— Vous l'êtes, répondit simplement Willow.

Il secoua la tête avec un sourire éblouissant.

— Je ne suis qu'un homme, ma douce. Un peu plus intelligent que certains, un peu plus bête que d'autres, et nettement plus endurci que la plupart.

— Je vous trouve spécial, insista-t-elle dans un souffle.

Caleb interrompit ses mouvements réguliers sur le dos de l'étalon.

— C'est vous qui êtes spéciale, Willow, dit-il avant de donner une tape sur la croupe d'Ishmael. Retourne manger, mon garçon. Tu peux prendre un peu de poids, cela ne te fera pas de mal.

Ishmael partit au petit trot rejoindre ses juments.

— Ne les laisse pas t'échapper, vieux, poursuivit Caleb sans le quitter des yeux. Elles sont aussi pleines de fougue qu'elles sont gracieuses. Et robustes. Je ne connais pas un cheval de plaine qui aurait tenu le coup comme ces juments.

— On les élève pour leur apprendre la résistance, la loyauté et le courage, expliqua Willow.

— Comment les Arabes y parviennent-ils ?

— Avec des méthodes plutôt brutales, répondit-elle en regardant les juments qui paissaient. Depuis des siècles et des siècles, les cheiks rassemblent les poulinières pour les conduire dans le désert sans leur donner d'eau. Ils les font marcher jusqu'à ce qu'elles deviennent folles de soif, puis les mènent à une oasis.

Caleb se tourna vers elle, frappé par l'intensité de sa voix.

— En sentant l'eau, elles se mettent à galoper, poursuivit la jeune femme. Alors on sonne de la corne, et seules les bêtes qui retournent vers leurs maîtres sans avoir bu auront le droit de procréer.

Caleb regarda de nouveau les chevaux arabes. Malgré la maigreur due à l'épuisant voyage, les juments restaient élégantes, vives, alertes. Si Willow en sellait une pour la diriger vers la passe, la jument obéirait jusqu'à ne plus tenir debout.

En cela, ces chevaux ressemblaient à leur maîtresse : ils ne renonçaient jamais. C'était une qualité que Caleb aimait chez un cheval, respectait chez un homme et appréciait par-dessus tout chez une femme.

— Peut-être les cheiks ont-ils raison, dit-il.

— En étant durs avec les juments ? rétorqua Willow.

Caleb sourit et changea de sujet :

— Avez-vous déjà rasé un homme ?

— Bien souvent.

— Parfait. Apportez mon rasoir à la mare dans une dizaine de minutes.

Il tourna les talons, se demandant pourquoi il était tellement irrité que Willow eût déjà rasé un homme.

— J'ai affûté la lame, alors attention à vos doigts, ajouta-t-il.

— Et à votre visage ? lança-t-elle innocente.

Caleb sourit malgré son agacement et jeta par-dessus son épaule un coup d'œil à la jeune femme simplement vêtue de la mince couverture.

— Si vous ne me coupez pas, je brosserai vos cheveux afin de les sécher, promit-il.

Elle le suivit des yeux alors qu'il rejoignait les arbres d'un pas vif.

Comme elle retournait vers le campement, elle s'arrêta pour retourner les affaires qui séchaient sur l'herbe et dut pousser Trey, qui, attiré par le parfum du linge propre, piétinait le Levi's. Elle-même, ravie, respira bien fort l'odeur de soleil, de lavande.

Le temps de trouver le rasoir et de traverser la clairière, plus de dix minutes s'étaient écoulées. Elle se hâta, pieds nus à travers les arbres, en prenant garde de repérer les pierres sous le tapis d'aiguilles de pin.

Lorsqu'elle arriva à la mare scintillante, Caleb était encore dans l'eau.

— Caleb ! appela-t-elle. Vous êtes prêt ?

— Bien sûr. Approchez-vous du bord.

Il était assis près de la cascade sur une roche plate qui formait une sorte de banc.

— Vous ne sortez pas ? demanda-t-elle.

— Moi, cela ne me dérangerait pas, mais vous, je crains que vous ne rougissiez jusqu'au bout des orteils.

— Oh !... Voulez-vous que je m'éloigne le temps que vous mettiez la couverture ?

— Inutile. L'eau me dissimule mieux qu'une couverture.

201

Willow ouvrit la bouche, mais aucun son n'en sortit. Elle respira un grand coup.

— Caleb?

— Mmmm?

— Je ne me suis jamais trouvée avec un...

Elle s'interrompit en se rappelant qu'elle était censée être mariée.

— Je veux dire... il y a longtemps que je n'ai pas...

— Rasé un homme? termina Caleb à sa place. Ne vous inquiétez pas, ma douce. Je resterai parfaitement immobile.

Hésitante, Willow se mordillait la lèvre. Caleb la sentait prête à tourner les talons et à s'enfuir en courant; et en même temps, elle le contemplait avec une expression bien proche du désir.

Petite truite prudente. Elle me sent approcher de plus en plus, et elle sait qu'elle devrait filer. Mais elle aime trop le contact de mes mains sur elle.

Et moi aussi, par Dieu!

Que lui a fait ce bâtard de Reno pour qu'elle soit si craintive?

— Cessez de martyriser votre bouche, ma chérie. Je ne voulais pas vous importuner. Posez le rasoir, je me débrouillerai seul. Ce ne sera pas la première fois.

— Mais vous n'avez pas de miroir.

— Je chercherai un endroit où l'eau est calme.

— Je... mes mains tremblent, expliqua Willow en guise d'excuse.

— Je vois. Retournez au campement, je vous rejoins dans quelques minutes.

Elle prit une profonde inspiration, mais elle ne se décidait pas à partir: elle avait trop envie de rester. Relevant sa couverture, elle se dirigea vers Caleb et posa le rasoir à portée de sa main. Incapable de résister, elle jeta un coup d'œil et s'aperçut qu'en effet l'eau écumante le cachait partiellement.

Presque tout le temps.

Pourtant un bref instant, à la suite d'un tourbillon, elle eut un aperçu de son corps. Heureusement, le courant le masqua bien vite jusqu'aux épaules.

Willow s'installa sur la berge, prenant soin de ramener la couverture sur elle, ne dévoilant que ses pieds nus.

Au bout de quelques secondes d'un silence tendu, Caleb s'empara du savon dont il frictionna sa barbe. Puis il tendit la main vers le rasoir. Willow le saisit avant lui :

— Si vous n'avez pas trop peur que je vous coupe, j'aimerais m'en charger.

Caleb ferma les yeux.

— Avec plaisir...

— Je suis trop loin, ici. Pouvez-vous vous approcher davantage du bord ?

— Pas sans vous embarrasser...

Il hésita un instant avant d'ajouter, sur le ton de la conversation :

— Il y a de la place près de moi, si vous ne craignez pas de vous mouiller. Vos cheveux vous serviront de vêtements.

Willow l'observa. Il avait les yeux fermés et paraissait totalement détendu, contrairement à son habitude. Rassurée, elle ramena ses longues mèches sur sa poitrine, se débarrassa de la couverture et descendit dans l'eau qui, de ce côté, devenait rapidement profonde.

Son pied glissa et elle poussa un petit cri de frayeur, mais Caleb la rattrapa vivement par la taille.

— Tout va bien, dit-il.

Il la tint un moment sur ses genoux, puis la repoussa gentiment.

— Il y a une autre plate-forme du côté de mes pieds. Vous la sentez ?

Elle chercha à tâtons un moment, puis hocha la tête, évitant avec soin de regarder Caleb. Le contact de son postérieur mouillé sur ses jambes nues lui avait coupé le souffle.

— Vous pouvez tenir debout ? demanda-t-il.

Willow avait bien du mal, car les eaux étaient agitées à cet endroit si proche de la cascade. Enfin elle parvint à s'équilibrer entre les genoux de Caleb.

— Ça va ?

— Je crois.

Il eut un léger sourire et ferma de nouveau les yeux.

— J'aimerais mieux que vous en soyez sûre, ma douce. Je n'ai qu'une gorge et j'y tiens.

Willow se mit à rire. Caleb était tellement naturel qu'elle aurait été stupide de se choquer de la situation.

— Ne bougez plus !

Comme toujours lorsque Willow avait accepté une tâche, ses mains ne tremblaient plus. Elle rasa Caleb avec des mouvements rapides, précis, rinçant la lame après chaque passage.

Caleb demeurait parfaitement immobile, mais non par peur d'être blessé... S'il faisait un geste, ce serait pour attraper la jeune femme dans ses bras. Si la proximité de Willow, sa propre nudité faisaient monter en lui un désir intense, la douceur de ses mains lui procurait un tout autre sentiment : celui d'être aimé, choyé.

— J'ai presque fini, annonça-t-elle. Vous voulez garder votre moustache, n'est-ce pas ?

— Oui, et bien droite !

— Tant mieux. J'aime la sentir sur ma peau, dit-elle, plus concentrée sur son travail que sur ses paroles. Voilà... c'est terminé.

Elle rinça le rasoir, le plia et croisa le regard fauve de Caleb. Il prit l'instrument, le posa sur la rive sans cesser d'observer Willow.

204

— C'est vrai ? demanda-t-il d'une voix grave.

— Quoi ?

— Que vous aimez le contact de ma moustache sur vous ?

Willow se rappela soudain ses paroles étourdies et elle rougit jusqu'à la racine des cheveux.

— Fermez les yeux, murmura-t-elle.

— Pourquoi ? Je vous ai déjà vue rougir.

— Je vais vous rincer le visage.

Les mains en coupe, elle essaya de porter de l'eau tiède à ses joues, mais le liquide lui filait entre les doigts.

— Attendez, dit-il.

Il posa les mains sous les siennes et les tint juste à la surface de l'eau. Puis il pencha la tête et frotta son visage contre les paumes de la jeune femme avant de les baiser.

— Merci, Willow. Aucune femme ne s'était suffisamment intéressée à moi pour me raser.

Sans réfléchir, elle enfouit les doigts dans ses cheveux mouillés.

— Je pourrais vous les couper aussi, si vous voulez.

— Je préférerais que vous me laissiez vous embrasser. Cela vous paraît-il possible ?

Elle sourit.

— Oui. J'aime beaucoup vos baisers, Caleb. Vraiment beaucoup.

Il fut parcouru d'un long frisson.

— Voilà une chose bien dangereuse à dire.

— Pourquoi ?

— Approchez-vous, je vais vous montrer.

Comme Willow obéissait, son pied glissa, mais Caleb la retint fermement et il effleura ses lèvres.

— Je veux vous goûter, murmura-t-il. Laissez-moi vous embrasser comme nous en avons tous les deux envie, ma chérie...

Il ferma doucement les dents sur sa lèvre inférieure, en une caresse qui était à la fois exigence et prière, et elle s'ouvrit pour lui avec un petit gémissement.

Elle répondit à son baiser comme il le lui avait appris, et ce fut une danse sensuelle de leurs langues qui l'absorba tout entière. A tel point qu'elle se rendit à peine compte qu'il l'avait attirée plus près, et qu'elle était à présent assise à califourchon sur lui. Elle voulait seulement se fondre davantage en lui, devenir partie intégrante de lui, et que ce baiser ne cessât jamais.

Pourtant, à contrecœur, Caleb s'éloigna un peu, cherchant à garder son sang-froid mis à rude épreuve par l'ardeur de la jeune femme.

— Willow... Willow...

Il ferma les yeux pour ne plus voir la si charmante image qu'elle offrait, avec ses lèvres rosies par la passion, sa longue chevelure qui flottait autour d'eux, ses seins révélés par la camisole mouillée, ses jambes galbées sur les siennes...

Willow fut soudain consciente de leur nudité. Comme un remous de l'eau lui dévoilait le désir évident de son compagnon, elle leva vers lui un regard choqué.

— Du calme, ma chérie. N'ayez pas peur, je n'agirai pas contre votre volonté. Seigneur, vous embrasser est déjà meilleur que faire l'amour à n'importe quelle autre femme... Vous m'enivrez comme le plus violent des alcools.

Il regardait ses seins, les yeux plissés, et Willow se rappela comme il était bon d'y sentir ses lèvres, ses mains... Il en avait envie aussi, elle le devinait, pourtant il se contentait de la fixer avec une ardeur qui la laissait pantelante. Il se contrôlait parfaitement.

Je n'agirai pas contre votre volonté...

Avec la sereine innocence des vierges, Willow décida qu'elle pouvait s'abandonner un peu plus à cette divine passion.

— Cela veut-il dire que vous avez envie de m'embrasser encore ? demanda-t-elle, lumineuse.

— Oui. Je le veux, Willow.

Elle glissa les mains dans ses cheveux, impatiente de sentir ses lèvres sur elle. Il baisa ses paupières, son front, ses joues, mais pas sa bouche qui tremblait de désir.

— Caleb, dit-elle enfin, je croyais que vous souhaitiez m'embrasser ?

— Je vous embrasse.

— Oui, et c'est très agréable, mais cette façon de m'embrasser me rend... nerveuse.

— Vraiment ?

Le sourire si viril de Caleb ne fit rien pour calmer Willow.

— Vous me taquinez ! protesta-t-elle.

— Je l'espère bien, ma chérie !

— Pourquoi ?

— Parce que je ne veux pas vous forcer, Willow. Je n'ai jamais rien connu de plus merveilleux que de vous tenir ainsi contre moi, au milieu de l'eau. Alors si vous en désirez plus, il faudra me le dire clairement. Je veux que cela dure longtemps, longtemps...

— Je ne veux pas non plus que cela se termine, avoua-t-elle en caressant du bout des doigts une fossette révélée par le rasage, puis descendant vers les larges épaules. C'est si bon...

Caleb ferma les paupières. Combien de temps tiendrait-il encore ?

— Dites-le-moi, ma chérie. Dites-moi ce que vous désirez.

— Vous ne le savez pas ? murmura-t-elle.

Il ouvrit les yeux, et la passion y lançait des éclairs. Quand il se pencha vers ses lèvres, elle se serra davantage contre lui, ses seins effleurant sa poitrine musclée, ses hanches si proches qu'il eut un mal fou à demeurer maître de la situation.

— Je sais ce que tu désires, mais je ne sais pas jusqu'où, reprit-il en lui mordillant la lèvre. Si tu es trop pudique pour me le dire, montre-moi. Fais ce que tu veux de moi, ma chérie. Tout ce que tu veux.

La tentation était à son comble, et Willow s'approchait de l'instant où il serait trop tard pour reculer.

— Ce que je veux, répéta-t-elle, la voix enrouée.

— Si tu en as envie...

— Je veux... tout.

Il lui donna un baiser qui ressemblait à l'eau elle-même, toujours changeante, toujours renouvelée, et Willow se serra davantage contre lui, caressa ses bras, ses épaules avec une sorte de faim qu'elle ne s'expliquait pas.

Quand elle passa la main sur le bout de ses seins, elle s'étonna de les sentir changer, et le baiser de Caleb s'intensifia encore.

Des éclairs de plaisir la traversèrent, la firent gémir. Lorsqu'il la lâcha, elle ne put retenir un petit cri de déception.

— Qu'y a-t-il? Dis-moi, Willow...

— Encore, répondit-elle d'une voix brisée. Oh, Caleb, *encore*...

Il dénoua les rubans de la camisole qui alla danser sur l'onde autour d'eux.

— Relève tes cheveux, ma douce.

Elle obéit et, les bras en l'air, dévoila ses seins au-dessus de l'eau turbulente.

— Caleb...

Il ne lut aucune crainte dans ses yeux, seulement de la passion.

— Oui?

— Voudriez-vous... m'embrasser comme ce matin?

Très doucement, il la souleva hors de l'eau, effleura le bout de ses seins et fut conscient du frisson qui la traversait. Il joua du bout de sa langue autour du téton durci, le mordilla, le câlina jusqu'à ce qu'elle enfonçât les ongles dans ses épaules, le souffle court, cambrée contre lui, ondulant sans même s'en rendre compte.

Il mourait d'envie d'explorer la fourrure d'or sombre entre ses jambes ; mais la dernière fois qu'il avait essayé, elle avait eu peur, elle l'avait supplié d'arrêter. Il serait incapable de supporter une telle frustration.

Comme il prenait de nouveau un sein entre ses lèvres, elle eut un cri de joie, et il la repoussa légèrement pour contempler les effets de la passion sur elle. Elle respirait rapidement, ses seins étaient gonflés, ses pupilles si dilatées que ses yeux paraissaient presque noirs.

Elle était ce qu'il avait vu de plus beau au monde.

— C... Caleb ?

S'il la regardait encore, il ne pourrait plus se retenir.

— Je... j'en veux plus. Mais je ne sais pas... quoi.

Willow frissonna.

— Aidez-moi, Caleb. *Aidez-moi !*

Soudain, il comprit qu'elle disait la simple vérité. Elle était envoûtée par la passion mais ignorait totalement comment trouver l'assouvissement.

— Ce que tu me demandes t'a fait peur, l'autre fois.

Il la vit frémir, fermer les yeux un long moment. Puis elle prit sa main, la fit descendre le long de son ventre, lentement. Arrivée au nombril, elle perdit courage.

— Reste avec moi, murmura-t-il contre ses lèvres. Ainsi je saurai que tu le souhaites aussi.

Les doigts de Willow le suivirent tandis qu'il continuait à glisser doucement sur son corps, sur ses hanches qu'il saisit à pleines mains. Elle frémit de nouveau.

— Peur? demanda-t-il gentiment.

— C'est... étrange.

— Désagréable?

— Non. Ça... ça me fait tout drôle...

— Où?

Il serra de nouveau ses hanches, et elle gémit.

— Là? questionna-t-il avec un petit sourire.

Elle secoua la tête.

— Où, ma chérie?

Willow se mordit la lèvre, déchirée entre la passion et une soudaine pudeur.

— Vous ne le savez pas?

— Je commence à croire que je ne sais pas grand-chose de toi, répondit-il à voix basse. Où as-tu mal, petite fille? Si tu n'oses pas me le dire, montre-moi.

Un instant, Willow crut qu'elle n'en aurait pas le courage. Mais un tourbillon exaspéra cette étrange douleur, et elle dirigea lentement la main de Caleb vers le cœur de sa féminité.

— Là? fit-il tendrement.

Les yeux clos, elle acquiesça. Il avait posé sa grande main sur elle et cherchait l'ouverture du sous-vêtement, la douceur de sa chair.

Instinctivement, elle tenta de se protéger en fermant les jambes, mais elle était au-dessus de Caleb, elle gardait son équilibre en s'accrochant à lui.

— Doucement, mon amour. Je ne te ferai pas mal.

Willow l'entendit à peine. La main de Caleb l'apaisait et faisait redoubler son désir en même temps. Des étincelles la traversaient tout entière, effaçant l'incertitude, ne laissant que le plaisir à l'état brut. Puis elle sentit la douce pénétration d'un doigt et eut l'impression de recevoir un coup de fouet.

— *Caleb!*

Il serra les dents, tenta de renoncer à la merveille

qu'il venait tout juste de découvrir, en fut incapable. Elle était trop bonne, trop douce. Il la pénétra de nouveau tendrement, et elle frémit mais ne recula pas.

— Veux-tu que j'arrête?

Willow répondit par un long gémissement. Quelque chose en elle se serrait, se détendait, se serrait encore, la poussait à onduler contre Caleb.

— Willow?

— Je ne connais pas les mots pour exprimer... ce que je veux, dit-elle d'une toute petite voix. Mais j'aime que vous me touchiez. J'aime vous sentir contre moi... en moi. Et vous, vous aimez?

Caleb menait un combat sauvage contre son corps. Une seule idée lui permettait de tenir bon : Willow n'était pas ce qu'il avait cru qu'elle était.

— Oui, j'aime. Mais tu t'es raidie.

Willow sentit une sorte d'incertitude dans sa voix. Elle le regarda, les yeux brillants.

— Je n'y peux rien... avoua-t-elle.

— Je t'ai fait mal?

Elle secoua la tête.

— C'était seulement inattendu.

— Et tu as aimé?

— Oui. Cela me fait chaud dans tout le corps, surtout là... J'aime vos mains, Caleb. Elles allument un feu merveilleux en moi.

Caleb était incapable de prononcer un mot. La passion le faisait trembler.

— Accroche-toi à moi, Willow, dit-il enfin. Accroche-toi bien fort. Je vais te toucher à nouveau. Il y a quelque chose que je dois vérifier...

Elle allait demander de quoi il s'agissait, mais le geste de Caleb lui coupa le souffle.

Il la pénétra doucement, tendrement, et elle crispa les doigts sur ses épaules. Il crut qu'il lui faisait mal, cependant elle ne tarda pas à gémir de plaisir. En souriant, il poussa davantage et heurta bientôt la légère barrière de son hymen.

Il aurait dû se retirer, la laisser intacte, il le savait.

Elle n'avait jamais été embrassée, jamais été touchée par un homme, et pourtant elle se trouvait là, à demi nue sur lui, acceptant sa présence dans toute son innocence, l'encourageant à explorer davantage des secrets qu'il était le seul à connaître.

Elle était à lui, rien qu'à lui, et cependant il ne la prendrait pas.

— Willow...

Elle répondit par un petit son à la fois de plaisir et d'interrogation.

— Tu es vierge, dit-il simplement.

Elle ouvrit la bouche quand il bougea doucement en elle.

— Je... c'est-à-dire...

Elle rejeta la tête en arrière, oubliant toute parole.

— Ne prétends pas le contraire, j'en ai la preuve sous mes doigts.

La passion rendait la voix de Caleb presque aussi brutale que son contact était doux.

— Qu'est-il, pour toi ? demanda-t-il.

— Qui ?

— Matthew Moran.

Willow cligna des yeux, essaya de rassembler ses idées.

— Mon frère. Matt est mon frère.

Caleb demeura un instant pétrifié, puis il soupira brusquement comme s'il venait de recevoir un coup au plexus.

Tuer l'amant de Willow était une chose. Mais tuer son frère...

Jamais elle ne le lui pardonnerait.

« Son frère. Celui qui a séduit ma sœur, celui qui a assassiné Rebecca aussi sûrement que s'il avait appuyé sur la détente... Le frère de Willow ! »

Il tenta de faire taire les exigences de son corps, de réfléchir. Il avait enfin trouvé une femme aussi profondément passionnée que lui, et il ne pourrait la posséder. Cela laissait en lui un vide immense, comme il n'en avait jamais ressenti.

Très lentement, il se retira d'elle, déchiré. S'il la prenait, elle se détesterait plus tard lorsqu'elle le verrait abattre son frère.

Le meurtrier de son frère...

Son amant...

— *Willow !*

Caleb ne sut qu'il avait prononcé son nom à haute voix qu'en sentant son souffle contre sa bouche.

— C'est bien, dit-elle, ardente. Je comprends. Je comprends enfin.

Elle l'embrassait à petites touches presque frénétiques.

— Écoutez-moi, reprit-elle. Vous m'avez dit un jour que je vous supplierais de ne pas arrêter. Vous aviez raison. Je vous en supplie, Caleb, n'arrêtez pas. Si vous cessez de me toucher, j'en mourrai. S'il vous plaît, Caleb, je vous en...

Avec un cri d'agonie, il prit sa bouche afin de la faire taire. Il voulait se noyer en elle si complètement qu'elle ne pourrait plus jamais se détourner de lui, quoi qu'il fît.

Mais les baisers ne suffisaient pas, tous deux le savaient. Willow laissa descendre sa main le long de leurs corps, toucha Caleb qui frémit de passion.

Il la fit venir sur lui, la pénétra doucement, s'interrompit.

— Repousse-moi, Willow, dit-il d'une voix rauque.

Elle le tenait dans sa main, mais ce n'était pas pour lui obéir. Elle adorait le sentir en elle, elle en désirait plus, et s'enfonça encore sur lui.

— Non! cria-t-il en la saisissant par la taille pour l'immobiliser. Si je prends ton innocence, un jour tu te haïras autant que tu me haïras.

Les yeux clos, elle appuya encore.

— Ô mon Dieu, Willow! Non!

— Je ne peux pas m'en empêcher. Je t'ai attendu toute ma vie sans même le savoir. Je t'aime, Caleb Black. Je t'aime.

Caleb avait envie de hurler son désespoir devant la cruauté du sort. Willow l'aimait... or, dès qu'il aurait trouvé Reno, cet amour se transformerait en haine.

Mais il était trop tard pour les regrets, trop tard pour les explications.

— Ouvre les yeux, Willow. Je veux te voir, je veux voir à quoi cela ressemble d'être aimé par toi. Parce que, aussi sûrement que le soleil se lève, un jour tu me détesteras.

La voix de Caleb était méconnaissable, et Willow ouvrit sur lui des yeux lumineux tandis qu'il la pénétrait plus avant. Il voulait lui demander s'il lui faisait mal, mais il n'aurait pu prononcer le moindre mot.

Il avait déjà fait l'amour avec affection, tendresse, plaisir, mais jamais il n'avait connu cette intimité bouleversante. Elle poussa un petit cri et il sentit les spasmes du plaisir monter en elle.

Il aurait dû parler, lui dire combien elle était belle, combien le cadeau de sa virginité était précieux pour lui, mais il demeurait muet, tout entier concentré sur leur plaisir.

— Je te fais mal? demanda-t-il enfin.

— Non. C'est bon... si bon. Comme de voler, ou de chevaucher le feu. N'arrête pas! N'arrête jamais!

Les mots de Willow finirent dans un cri. Elle hurla son nom, et il s'enfonça encore plus loin, les emportant dans un tourbillon fou tandis qu'il buvait à la source de ses lèvres. Il se fondait en elle, la caressait avec une sorte de fièvre, il voulait tout ce qu'elle pouvait lui donner.

— Pardonne-moi, mon amour, murmura-t-il en lui arrachant de nouveaux gémissements. Je ne peux plus me retenir. Je ne...

Willow se cambra contre lui. Le nom de Caleb revenait à chacun de ses souffles, à chacun de ses mouvements... Soudain le plaisir devint trop fort, la passion trop tendue, et elle poussa un cri qui était presque autant de douleur que de plaisir.

Et alors vint l'assouvissement, l'extase, si profonde, si totale que des larmes jaillirent de ses yeux.

Puis Caleb la berça contre lui, répétant son nom, refusant de penser au terrible futur qui les attendait.

13

— Tu te sens bien ? demanda-t-il enfin sans ouvrir les yeux.

La jeune femme n'avait aucune envie de troubler l'instant doré qui suit l'amour. Avec un murmure inarticulé, elle frotta sa joue contre la poitrine de Caleb.

— Willow ?

Elle renversa la tête en arrière pour croiser le regard fauve de son amant.

— Pardonne-moi, dit-il d'une voix enrouée. Je ne voulais pas te faire mal.

Il secoua la tête et ajouta :

— Jamais je ne m'étais laissé aller à ce point...

Le sourire épanoui que lui adressa Willow l'emplit de chaleur.

— Si tu crois que je vais m'en plaindre, tu peux attendre longtemps, très longtemps, dit-elle en déposant un petit baiser sur son épaule.

Du doigt, il lui releva le menton pour mieux sonder ses yeux. Il n'y vit ni douleur ni tristesse, seulement le rayonnement qui suit l'union totale entre un homme et une femme.

— Je ne t'ai pas blessée ?

— Eh bien, presque, au début... Tu es... euh...

— Trop brutal.

Willow lui jeta un coup d'œil surpris.

— Ce n'est pas ce que je voulais dire.

Il attendit.

— Caleb, s'écria-t-elle, exaspérée, tu l'as sans doute remarqué, tu es particulièrement fort. Tu as de grandes mains, de grands pieds, de larges épaules... Tu es... robuste, voilà tout.

Elle avait rougi, mais une étincelle amusée jouait dans ses yeux noisette. Il baisa tendrement ses lèvres. Il aurait tellement souhaité qu'elle fût n'importe qui sauf la sœur de Reno ! Même une femme légère qui aurait eu beaucoup d'amants.

Mais il l'avait prise vierge, et elle était bien la sœur de Moran.

« Inutile de gémir, se dit-il. Ce qui est fait est fait, et je ne l'effacerais pas même si j'en avais le pouvoir. Avec un peu de chance, Reno aura été tué par les Indiens, ou il se sera brisé le cou en cherchant son satané or. Peut-être sera-t-il mort avant que je le trouve. »

Cette idée apaisait son esprit enfiévré. Pourtant, la vie lui avait appris que les solutions les plus faciles n'étaient pas monnaie courante.

Caleb Black savait que la loi du talion n'était pas simple, et rarement juste. Mais sans elle, l'Ouest serait un pays où le faible ne serait jamais protégé ni vengé, où des hommes sans conscience assassineraient en toute impunité ceux qui n'étaient pas capables de se défendre seuls.

« Si Reno n'est pas encore mort, il ne tardera pas à l'être. Ou moi. Ou les deux. »

Déchiré, Caleb attira Willow et la serra dans ses bras. Très fort.

— Qu'y a-t-il ? s'inquiéta-t-elle. Tu n'as pas aimé ce que nous venons de faire ?

Il eut un sourire triste, enfouit son visage dans ses cheveux parfumés de lavande.

— Si je l'avais aimé un tout petit peu plus, j'en serais mort.

Willow eut un rire incertain.

— Oui, ça y ressemble, n'est-ce pas ? La mort, mais pas tout à fait. La renaissance, mais pas vraiment... Je ne serai plus jamais la même, Caleb. Tu fais partie de moi, à présent.

— Souviens-t'en, dit-il avec une sorte de sauvagerie. J'aurais dû me contrôler. Je n'ai pas pu. Jamais je ne me suis comporté ainsi avec une femme. Je suis désolé, Willow.

— Pas moi. Je t'aime.

Elle retint son souffle, attendant qu'il lui dît la même chose, mais rien ne vint que le murmure de l'eau autour de leurs corps unis. Caleb se tourna pour prendre ses lèvres en un baiser si tendre et si passionné à la fois que Willow en resta le souffle coupé.

— Un jour, tu te rappelleras tes paroles, et tu regretteras de ne pas avoir tenu ta langue, dit-il calmement. Mais je suis heureux de l'avoir entendu. Je suis heureux de t'avoir donné du plaisir.

Willow fut envahie d'un grand froid.

— Qu'y a-t-il, Caleb? Je ne comprends pas...

— Je sais.

Il prit une profonde inspiration et tenta de trouver les mots pour lui parler de sa sœur défunte, de l'homme qui l'avait séduite, mais il ne pouvait s'y résoudre. Il ne voulait à aucun prix éteindre cette lumière qui brillait dans ses yeux.

— Tu comprendras quand nous aurons trouvé ton frère.

Il étouffa ses questions sous un baiser. Elle percevait une part d'ombre en lui, comme elle avait perçu son désespoir lorsqu'elle avait parlé d'amour.

Et ce qu'elle désirait par-dessus tout, c'était apporter à Caleb joie et légèreté, chasser toute ombre de sa vie. Mais lui en laisserait-il l'occasion?

A regret, il mit un terme à leur baiser.

— Si tu ne descends pas de mes genoux, dit-il en lui mordillant l'oreille, toutes mes bonnes résolutions vont voler en éclats.

— Quelles bonnes résolutions?

— J'essaie de ne pas te faire encore l'amour.

— Plus jamais?

Caleb ferma les yeux. Il aurait mieux valu ne plus céder à la passion, pourtant cette idée lui était intolérable. Il n'avait jamais connu quelqu'un de semblable à Willow. Elle le ravissait comme personne, et lui montrait à quel point il avait été vide avant de la connaître.

— J'essaie de ne pas te faire l'amour maintenant, rectifia-t-il.

— Pourquoi?

— C'est trop tôt pour toi. Je ne veux pas te blesser.

Willow sourit.

— Tu ne me fais pas mal.

— Parce que je ne bouge pas. Mais si tu ne te lèves pas très vite...

218

Caleb la saisit à la taille et la souleva. Il l'entendit étouffer un petit cri de protestation et ses mains se serrèrent davantage sur sa peau douce. Elle gémit de plaisir.

— Arrête, dit-il en lui embrassant l'épaule.

Elle glissa les mains dans ses cheveux.

— Arrêter quoi ?

— De me donner envie de rester dans cette eau et de te prendre jusqu'à ce que je sois faible au point de me noyer.

— Faible ?

Elle tâta les muscles de ses bras en riant.

— Tu me parais aussi faible qu'une montagne !

— Tu l'ignores ? L'amour affaiblit un homme.

Joueuse, Willow s'agita un instant sur lui.

— Quand ? Dis-le-moi...

Il se mit à respirer plus fort.

— Quand est-ce que cela t'affaiblit ? insista-t-elle.

Le sourire de Caleb la fit frissonner de joie anticipée.

— Tu le sauras bientôt, promit-il.

Il serra les dents et la souleva avec un grondement de frustration.

— L'eau semble fraîche, après ton corps, dit-il.

— Je me sens toute vide, murmura Willow d'une voix brisée. Est-ce... est-ce normal que j'aie tellement envie de toi, tellement envie de rester ainsi pour toujours ?

Les yeux de Caleb étincelaient. Il était si heureux que Willow aimât l'avoir en elle.

— Comment as-tu pu rester vierge si longtemps ? demanda-t-il.

— Je n'ai jamais ressenti cela pour aucun autre homme. Seulement toi, répondit-elle, limpide. Même pas mon fiancé. Quand Steven me tenait la main ou m'embrassait la joue, c'était agréable, mais mon cœur ne se mettait pas à battre comme un fou.

— Ton fiancé? Tu as un fiancé?

— Il est mort il y a trois ans.

Caleb se détendit.

— La guerre?

Willow acquiesça.

— Tu l'aimes toujours?

— Non. Je sais à présent que je ne l'ai jamais aimé. Pas vraiment. Pas comme je...

Le baiser passionné de Caleb la fit taire.

— Sortez de l'eau, madame. Mes bonnes intentions s'amenuisent de minute en minute.

— S'amenuisent? marmonna-t-elle entre ses dents. J'aurais juré le contraire!

Un instant surpris, Caleb éclata de rire.

— File!

Il ponctua son ordre d'une poussée qui se termina en caresse.

Le souffle court, Willow sortit enfin de l'eau et s'enroula dans la couverture de coton. Elle se retournait lorsque Caleb émergea à son tour, tout scintillant de gouttelettes, son sexe dressé, impressionnant.

— Trop tard pour avoir peur, dit-il, taquin, en voyant les yeux de Willow s'agrandir d'étonnement. Nous sommes assortis comme un doigt dans un gant de velours, et cela t'a plu.

Elle devint écarlate.

— Désolée, répliqua-t-elle d'une toute petite voix. Je ne voulais pas te regarder ainsi.

— Tu regardes encore...

— Oh!

Elle ferma les yeux.

Caleb lui baisa tendrement la joue.

— Regarde tant que tu veux. Je plaisantais. C'est si agréable...

Il ramassa son rasoir, sa couverture et lui tendit la main.

220

— Viens. J'ai promis de te sécher les cheveux.

— Or tu tiens toujours tes promesses, n'est-ce pas ?

— Toujours. Même celles qui ne me plaisent pas. Surtout celles-là, ajouta-t-il, dur.

Œil pour œil...

— Tu n'es pas obligé de me brosser les cheveux, dit-elle, un peu hésitante. Je sais que c'est difficile de défaire tous les nœuds.

Caleb sourit.

— J'adore ça. C'est comme peigner le soleil... Viens. Il doit faire plus chaud dans la prairie.

Ishmael dressa les oreilles dès qu'ils sortirent du couvert des arbres. Il les observa un instant avant de se remettre à brouter.

— Il est prudent, pour un cheval qui n'a jamais vécu à l'état sauvage.

— Cette prudence m'a sauvé la vie pendant la guerre. Dès qu'il sentait des soldats approcher, il faisait un vacarme effroyable afin de nous prévenir. Alors ma mère et moi partions nous réfugier dans la forêt si elle était assez forte, ou sinon on se cachait dans la cave.

Caleb porta les doigts de Willow à ses lèvres.

— J'ai horreur de t'imaginer en danger, blessée, affamée...

Il hésita un instant, déconcerté. Il aurait donné sa vie pour la protéger.

— Cela me bouleverse, ajouta-t-il.

— Bien des femmes ont connu pire que moi. J'ai eu de la chance. Le seul soldat qui m'ait découverte m'a ignorée.

— Peut-être avait-il une sœur.

— Peut-être. Comme toi, se rappela-t-elle.

— Rebecca est morte.

Willow tressaillit devant la douleur qui perçait dans sa voix.

— Je suis navrée.

— Elle a été séduite, puis abandonnée. Je me suis mis à la recherche de son amant pour le ramener et l'obliger à l'épouser. Elle est décédée à la suite d'une fièvre puerpérale, et son bébé a péri quelques heures plus tard.

— Mon Dieu! Je suis navrée, répéta Willow.

Il plongea dans son regard si clair, compatissant, et se demanda comment elle réagirait s'il lui annonçait que le bébé en question était sa nièce.

— J'ai juré de le tuer, expliqua-t-il d'une voix déterminée. Et je le ferai dès que je l'aurai trouvé.

Willow n'en douta pas un instant. Elle se rappela sa première impression : cet homme était dangereux.

Œil pour œil, dent pour dent, vie pour vie.

Elle frissonna. La puissance, l'intensité de Caleb lui faisaient presque peur.

— Tu as froid, dit-il en l'enroulant dans sa propre couverture avant de la conduire au milieu de la prairie, dans une tache de soleil. Installe-toi là. Tu seras mieux au ras de l'herbe. Je vais chercher ton peigne et ta brosse.

Il s'éloigna avant que Willow pût lui dire qu'elle n'avait pas froid, pas dans le sens où il l'entendait. Puis elle s'étendit sur le ventre en essayant de ne pas penser à la sœur de Caleb ni à l'homme dont il avait juré la mort.

Caleb avait raison : près du sol, elle ne sentait plus la brise, et elle ne tarda pas à repousser la couverture de laine. Le soleil la réchauffait rapidement et elle s'étira, voluptueuse, heureuse de vivre.

— On dirait un chaton qui vient d'avaler une jatte de crème, lança Caleb qui revenait du campement.

— C'est exactement ce que je ressens, avoua-t-elle.

Elle ouvrit les yeux au moment où il s'agenouillait

près d'elle, toujours nu comme la nature, toujours puissant...

Il eut un petit sourire mi-amusé mi-penaud.

— Tu produis sur moi un effet irrésistible.

— J'ai remarqué.

— Tu n'as plus peur ?

Elle secoua la tête.

— Tu n'es plus gênée ?

— Eh bien...

Elle fut incapable de s'empêcher de rougir. Caleb lui caressa doucement la joue.

— Tu t'habitueras à moi, ma chérie. Comme je me suis déjà habitué à être nu devant toi.

Elle lui lança un regard intrigué.

— D'une certaine manière, lui confia-t-il, je suis aussi peu accoutumé que toi à ce genre de jeu.

Elle écarquilla les yeux.

— Vraiment ?

Caleb hésita, se demandant comment expliquer des sentiments qu'il ne comprenait pas encore tout à fait. Il voulait raconter à Willow que pour la première fois de sa vie, il avait rencontré une femme dont la sensualité était égale à la sienne, une femme avec laquelle il atteignait des hauteurs inexplorées et partagées, avec laquelle chaque baiser, chaque cri, chaque effleurement était une découverte.

— Aucune femme ne m'a jamais donné envie de me trouver avec elle nu comme un ver au milieu d'une prairie ensoleillée, dit-il enfin. Un seul regard de toi me bouleverse. C'est drôlement troublant, si tu veux tout savoir, ajouta-t-il presque à contrecœur. Tu touches en moi des coins secrets dont j'ignorais jusqu'à l'existence.

— C'est pareil pour moi.

A cet aveu, Caleb eut envie de la prendre et de la chérir à la fois. Il saisit la couverture de laine et entreprit

223

de frictionner les cheveux de Willow à gestes vifs et doux, sans trop la toucher.

Bientôt la chevelure de la jeune femme tomba en vagues brillantes sur ses épaules.

— Tu as les plus beaux cheveux du monde, dit-il quand il posa enfin la brosse.

Willow soupira, s'étira et d'un mouvement souple s'assit, les jambes repliées sur le côté. Électriques, les mèches collaient à sa peau jusqu'à ses hanches. Caleb dégagea son front, et elle baisa sa main.

— Merci, dit-elle en souriant. Je crois que tu ferais une merveilleuse femme de chambre...

Caleb sourit à son tour.

— Uniquement pour une dame du Sud. Dieu, quelle surprise tu as représentée pour moi...

— Pas du Sud, rétorqua-t-elle.

Puis elle regarda le fin coton qui moulait sa peau, révélant son corps plus qu'il ne le cachait, et elle ajouta :

— Pas une dame non plus.

— Chut ! Tu n'y es pour rien. Tout est de ma faute. Pourtant je ne le regrette pas, c'était trop bon. Même si j'avais le pouvoir de te rendre ton innocence, je ne le ferais pas. Jamais je n'ai reçu un cadeau plus merveilleux. Ne te le reproche pas.

Le sourire de Willow était aussi lumineux que son regard alors qu'elle contemplait l'homme qu'elle aimait, l'homme qui ne lui avait pas encore parlé d'amour. Pourtant il était si tendre lorsqu'il oubliait son rôle d'archange vengeur, dur et dangereux...

Elle baisa ses doigts en songeant que tout ce qu'il avait dit sur leur union était vrai. Elle aurait dû être gênée à ce souvenir, gênée de le voir nu, d'être elle-même si peu vêtue devant lui, pourtant elle ne ressentait aucune pudeur. Jamais elle n'avait éprouvé une telle vitalité, et en même temps une telle paix. Tout était bien, juste, elle en était persuadée au plus profond de son âme.

— Je ne la reprendrais pas, mon innocence, souffla-t-elle. Jamais je ne trouverais quelqu'un de plus digne que toi à qui l'offrir.

Caleb lui sourit.

— Comment te sens-tu? demanda-t-il. As-tu encore froid?

Elle secoua la tête et sa chevelure brillante se répandit en un flot d'or sur ses épaules.

— Je ne t'ai pas blessée?

Elle rougit légèrement, mais son sourire venait du fond des âges.

— Pas du tout.

En parlant, elle se pencha et, à travers le voile de sa chevelure, elle effleura le sexe de Caleb. Il prit une vive inspiration et recula instinctivement. Stupéfaite, Willow se redressa.

— Excuse-moi. Je ne voulais pas te faire mal.

Caleb lâcha enfin sa respiration.

— Tu ne m'as pas fait mal.

— Mais tu as... bougé.

— T'es-tu déjà trouvée si près d'un éclair que tu as pu le sentir te traverser? C'est ce qui m'arrive quand tu me touches. C'était du plaisir, pas de la douleur.

Willow ouvrit de grands yeux.

— Vas-y, mon cœur, reprit Caleb. Explore, caresse-moi tant que tu veux.

— Je crains de te faire mal, murmura-t-elle, timide.

— C'est quand tu ne me touches pas que j'ai mal.

Il était assis sur ses talons devant elle, la regardant tendrement. Willow avait le cœur qui s'affolait rien qu'à le regarder.

Cependant, malgré leur récente intimité, le corps de

cet homme était encore une sorte de mystère pour elle. Elle posa les mains sur ses cuisses, curieuse de sentir le contact de cette peau chaude de soleil. Sa peau était tiède, plus sombre que celle de Willow, mais pas aussi tannée que sa poitrine.

— Tu travailles souvent torse nu, non ?

— Cela m'arrive.

Caleb avait la voix lourde de désir. Le regard de Willow l'excitait presque autant que ses mains sur lui. La sensualité, la curiosité et l'admiration qu'il lisait dans ses yeux lui donnaient l'impression d'être invincible.

— Mais jamais tout nu, continuait la jeune femme.

— Je te l'ai dit, ma chérie. D'une certaine manière, tout ceci est aussi nouveau pour moi que pour toi.

Elle sourit, ravie.

— J'en suis heureuse. J'aime savoir que je te touche comme personne d'autre ne l'a fait.

— Tu me touches à peine, protesta Caleb. Mais tu as raison. Avec toi, tout est nouveau.

Sans le quitter des yeux, elle laissa remonter sa main le long de la cuisse de Caleb, le vit plisser les paupières, retenir sa respiration. S'enhardissant, elle finit par le caresser, de façon plus audacieuse.

Caleb gémit, traversé par une intense vague de désir. Elle s'immobilisa.

— Tu... tu aimes que je te touche ?

— A ton avis ? demanda-t-il dans un sourire.

Willow soupira longuement.

— Tu me rends impudique, Caleb, et je m'en moque.

Il l'embrassa tendrement.

— Il n'y a pas de place pour la pudeur, entre nous. C'est bon pour les gens qui trichent. Nous, nous sommes faits l'un pour l'autre, et c'est bien.

— Oui. C'est bien. Les deux moitiés d'un ensemble parfait.

Caleb éclata de rire, puis il retint son souffle comme Willow glissait de nouveau la main entre ses jambes pour en découvrir davantage sur leurs différences. Il se prêta volontiers à cette délicieuse inspection, tout en craignant de perdre son sang-froid.

— Cela t'ennuie? demanda Willow sans cesser de le toucher. Je découvre le plaisir que j'ai à te caresser là, j'aime voir tes yeux se rétrécir, ton corps se raidir. Tu es si fort, Caleb... J'aime cette puissance.

Caleb fut parcouru d'un long frisson et referma les doigts sur sa taille.

— Cela t'ennuie? répéta-t-elle.

— Touche-moi tant que tu veux, et laisse-moi te toucher aussi, murmura-t-il d'une voix entrecoupée par l'émotion.

Elle continuait à le caresser, franche, directe, et il craignit de ne plus pouvoir se contenir.

— Arrête, sinon je ne réponds de rien. C'est ce que tu veux?

Willow fixa ses yeux fauves, sentit la vie qui courait dans sa chair, et elle s'aperçut que oui, elle le voulait aussi.

Caleb luttait de toutes ses forces contre son propre corps. Les caresses de Willow l'avaient tout à fait déconcerté, et il sentit les premières pulsions de l'extase le traverser, de plus en plus fortes. Il s'abandonna entre les mains de la jeune femme qui l'observait, des étoiles dans les yeux.

Quand il reprit son souffle, il porta ses doigts à ses lèvres pour les baiser.

— Maintenant, tu sais, dit-il.

Le sourire de Willow fut une nouvelle caresse.

— Oui.

— A présent, c'est mon tour.

— Je ne comprends pas, dit-elle avec de grands yeux.

227

— Tu verras.

Il posa une main sur ses lèvres pour la faire taire, puis descendit le long de sa gorge où son pouls battait de plus en plus fort.

Quand Caleb fit glisser la couverture de ses épaules, elle n'émit aucune protestation. Puis il la regarda avec une profonde satisfaction, heureux de voir ses seins se dresser en réponse.

— A quoi penses-tu ? questionna-t-il.

Cette fois, Willow n'était plus gênée. Caleb s'était donné à elle sans la moindre retenue, elle se devait de lui rendre la pareille.

— A être embrassée.

— Ici ?

Il effleura la pointe d'un sein.

— Oui.

— Et là ?

Il touchait l'autre.

— Oui...

Caleb inclina la tête vers la poitrine de la jeune femme et se réjouit de l'entendre pousser des petits cris de plaisir... Sans cesser de l'embrasser, il fit glisser la culotte de batiste.

— J'ai envie de t'embrasser là aussi, murmura-t-il en posant un doigt sur son nombril.

La caresse inattendue fit éclater un feu d'artifice dans son ventre. La main de Caleb descendit encore.

— Et là...

Willow ne put retenir un gémissement de surprise et de plaisir mêlés.

Instinctivement, elle obéit et s'offrit pour qu'il pût pénétrer en elle.

Il l'allongea de tout son long sur la couverture.

— Arrête-moi si je te fais mal, dit-il. Tu es si menue...

228

— Caleb, je ne...

— Chut! coupa-t-il. Il s'est passé la même chose dans l'eau, mais tu ne pouvais t'en rendre compte. Moi, si.

Du pouce, il caressa son jardin secret, et un torrent de plaisir jaillit en elle, lui arrachant des cris de joie pure. Lorsqu'il retira sa main, elle eut un gémissement de protestation et avec un sourire il recommença, profondément, sensuellement.

— C'est ça, mon petit chat. Dis-moi que tu aimes mes caresses autant que j'aime les tiennes...

De la langue, il caressa le petit bouton de satin, et elle eut l'impression qu'une flamme vive la transperçait.

La force de ses sensations l'empêchait de parler, et Caleb jouissait de son plaisir, l'emportait plus haut, toujours plus haut, comme il ne l'avait fait avec aucune autre femme.

Tandis qu'un cri lui échappait, elle sentit tout son corps se raidir, elle hurla le nom de Caleb, auquel il répondit par une caresse dont l'intimité la transporta vers les sommets de l'extase...

Au bout de quelques instants, Caleb remonta le long de son corps en un chemin de baisers. Elle ouvrit des yeux émerveillés.

— De si beaux yeux, dit-il. Une belle bouche, de beaux seins, une belle... femme.

Willow frissonna et noua les bras autour de son cou pour le serrer contre elle. Elle tremblait, encore captive du plaisir insensé qu'il lui avait donné. Elle adorait sentir sur elle le poids de Caleb, la douceur de sa peau, et inconsciemment elle se frottait à lui, pour mieux le goûter. Lorsqu'elle perçut la force de sa virilité, elle retint son souffle.

— Tu me fais vraiment un sacré effet! marmonna-t-il. Arrête de t'agiter et de me serrer jusqu'à ce que je me calme.

— C'est ainsi que ça fonctionne?

— Je l'ignore, je n'ai jamais eu ce problème.

— Vraiment?

— Vraiment, avoua-t-il. Cela t'est réservé.

La chaleur et la puissance de Caleb bouleversaient Willow. Instinctivement, elle ondula sous lui.

— Caleb?

— Ne bouge pas, chérie.

— J'ai une meilleure idée.

Willow ouvrit de nouveau ses jambes jusqu'à ce qu'elle sentît son désir tout contre elle. Alors elle haussa les hanches à sa rencontre, à la recherche d'une autre intimité.

— Bon sang, Willow, je vais te faire mal...

— Et si je te désire plus que tout au monde? chuchota-t-elle.

Un long moment, il plongea en silence dans ses yeux noisette, comprenant avec certitude qu'il ne pourrait pas plus se détourner d'elle qu'un fleuve ne pouvait s'empêcher de couler vers la mer.

Il murmura son nom avant de s'emparer de ses lèvres, puis il prit ce qui lui appartenait et lui donna ce qui était sien, mêlant leurs corps en même temps que leurs âmes.

Avant qu'il pût trouver les mots pour lui demander s'il lui faisait mal, son corps avait répondu à sa place. Il sentit les vagues de plaisir monter en elle, et ces petites contractions les rapprochaient de la jouissance, jusqu'à ce que leurs corps fusionnent dans une union totale et parfaite.

C'était une sensation divine, et Willow avait envie de dire à Caleb ce qu'elle ressentait sans pouvoir décrire la magie de l'instant. Cependant le baiser de Caleb lui révéla qu'il était aussi transporté qu'elle. L'idée qu'ils étaient en communion parfaite augmenta encore son extase.

Ils ne savaient plus où commençait l'un, où finissait l'autre : ils n'étaient qu'un tout là où auparavant se trouvaient deux moitiés...

14

— Comment va-t-il ? demanda Willow.

— Frais comme un poulain. Tout ce qu'il fallait à Diable, c'était un peu de repos sans rien faire d'autre que manger à en éclater.

Caleb donna une tape sur la croupe de Diable qui partit en trottant dans la prairie silencieuse. Sa blessure cicatrisait parfaitement, et la foulure n'était qu'un mauvais souvenir.

— Il marche bien, dit Willow. Il ne boite plus du tout.

La nostalgie qui teintait la voix de la jeune femme était en contradiction avec ses paroles, mais Caleb la comprenait. Il ressentait la même impression... Les dix-huit jours qu'ils venaient de passer dans cette vallée secrète avaient été paradisiaques.

Maintenant que Diable était tout à fait remis et que les arabes s'étaient accoutumés à l'altitude, ils n'avaient plus de raisons de s'attarder.

— Nous pouvons rester encore, déclara Caleb. Nous ne sommes pas obligés de nous précipiter à la recherche de ton satané frère. Si le destin veut que nous le trouvions, nous le trouverons, où que nous soyons ; et si ce n'est pas le cas, à Dieu vat...

Willow tressaillit devant la dureté de son intonation. Elle s'était habituée à son rire, à sa gentillesse, à sa sensualité débridée. Pas une fois, durant ces journées bénies, elle n'avait aperçu le sombre archange qui pourtant faisait aussi partie de lui. Elle l'avait presque oublié...

— S'il ne s'agissait que de moi, jamais je ne quitterais cette vallée, répondit-elle, triste. Mais Matt a sans doute besoin d'aide, sinon il n'aurait pas écrit à mes frères. Il n'a pas eu de chance car tout le monde avait quitté la maison sauf moi.

Elle sourit et ajouta doucement :

— Mais moi, j'ai eu de la chance puisque cela m'a conduite vers toi.

Caleb ferma les yeux tandis que la colère s'emparait de lui. Colère contre Willow, contre lui, contre l'évidence : dès qu'ils auraient trouvé Reno, il perdrait la jeune femme à jamais.

— J'aimerais rester dans ce paradis, gronda-t-il.

— Moi aussi, mon amour. Moi aussi.

Willow glissa les bras autour de sa taille et se serra contre lui, goûtant la chaleur familière de son corps. Il la souleva de terre, l'embrassa avec passion avant de la reposer au sol, le regard farouche.

— Tu t'en souviendras, dit-il, dur ; c'est toi qui as voulu te remettre à sa recherche.

— Que veux-tu dire ?

Caleb eut un sourire crispé mais ne s'expliqua pas davantage.

— Caleb ? insista-t-elle, effrayée.

— Sors ta carte, jeune dame du Sud.

Elle frémit au ton de sa voix et au surnom qu'il n'avait pas employé depuis qu'ils étaient arrivés dans la vallée.

— Ma carte ?

— Celle que tu caches dans cet énorme sac de tapisserie, répondit-il en se dirigeant vers le camp à longues enjambées.

— Comment le sais-tu ?

— Facile. Les fous qui cherchent de l'or dressent toujours des plans pour que d'autres fous puissent les retrouver.

Il semblait hors de lui, et Willow hésita un instant, stupéfaite, avant de lui emboîter le pas.

Quand elle le rejoignit, il remuait les cendres du feu. Il ne leva même pas les yeux lorsqu'elle se mit à fouiller dans son sac, ni quand elle déchira la doublure pour en sortir une feuille de papier. Il ne la regarda pas non plus quand elle vint à lui.

— J'aurais dû te la montrer plus tôt, dit-elle calmement, mais elle ne nous aurait guère aidés.

Caleb lui lança un coup d'œil mauvais.

— Tu ne m'as pas fait confiance, nous le savons tous les deux.

Willow rougit.

— Il ne s'agissait pas de mon secret, mais de celui de Matt, or il m'avait demandé de ne communiquer le plan à personne.

Elle le lui mit entre les mains.

— Voilà. Regarde. Tu ne trouveras pas grand-chose que je ne t'aie déjà dit. Matt est d'un naturel plutôt méfiant. Il s'est arrangé pour que la carte n'indique rien à un voleur éventuel. Malheureusement, elle ne m'est guère utile non plus.

Caleb déplia le papier. Il était relativement facile de reconnaître les éléments principaux du relief, rivières et montagnes. Quelques passes étaient notées. On pouvait se servir de la carte si l'on venait de Californie, du Mexique, du Canada ou de l'est du Mississippi.

Il jeta un coup d'œil interrogateur à Willow.

— Matt ne pouvait savoir où se trouvaient nos frères, expliqua-t-elle. La lettre est arrivée à notre ferme principale, avec une note priant de faire suivre là où étaient les frères Moran. Je l'ai recopiée, puis je l'ai expédiée à la dernière adresse connue de chacun d'eux.

— Et où était-ce ?

— Australie, Californie, îles Sandwich et Chine. Mais il s'agissait d'anciennes informations. Ils peuvent se trouver n'importe où, à présent, même en Amérique.

— Ton frère s'y entend pour dessiner des cartes, grommela Caleb, mais il a oublié un détail : où est situé son foutu campement ?

— Je pense que Matt s'est montré prudent parce qu'il avait trouvé de l'or.

— Je le crois aussi. Quelques imbéciles en découvrent parfois.

Willow ouvrit de grands yeux, perturbée par le changement d'attitude de Caleb.

— Tu as quelque chose contre les chercheurs d'or ?

Il haussa les épaules.

— Je préférerais élever du bétail. Quand les événements tournent mal, on peut toujours le manger. Va donc te nourrir d'or...

— On achète de la nourriture, avec... fit remarquer Willow un peu sèchement.

— Sûr ! Sauf si un type qui trouve plus facile de voler ta mine que de creuser la sienne te tire dans le dos. J'en ai vu des tas, Willow. Leurs yeux reflètent le crime et l'avidité.

— Matthew n'est pas comme ça. Il est aussi honnête et correct que toi.

Caleb eut un rictus involontaire en s'entendant comparer à celui qui avait séduit et abandonné Rebecca, et il examina de nouveau la carte. Au cœur de la région des San Juan, cinq triangles bien dessinés

234

figuraient différents pics montagneux. Bien que l'endroit en fût plein, aucun autre n'était indiqué.

En travers de la carte, il était écrit : *Faites un feu, et j'arriverai*. En dessous s'étalait une ligne en espagnol que Caleb traduisit mentalement : *Trois points, deux moitiés, une réunion*.

Willow s'approcha.

— Ça non plus, je ne me l'explique pas, dit-elle. Pourquoi Matt a-t-il écrit en espagnol ?

— Le parles-tu ?

— Non.

— Alors c'est peut-être pour ça.

Il observait de nouveau les triangles, et Willow suivit son regard.

— Où sommes-nous censés faire ce feu ? demanda-t-elle. N'importe lequel de ces triangles pourrait représenter son campement.

— Ce ne sont pas des campements, mais des pics. Nous pourrions chercher cinq ans sans rencontrer rien d'autre que des terres sauvages...

— Pas la peine d'en paraître si réjoui, grommela Willow. Pourquoi n'as-tu pas envie de trouver Matt ?

Caleb lui lança un regard sauvage.

— Ce pays est dur. Laisse-moi te ramener près de Wolfe. Il te protégera et prendra soin des chevaux pendant que je partirai à la recherche de ton frère.

— Sans moi, tu ne l'approcheras jamais. Si Matt ne veut pas qu'on le trouve, tu as aussi peu de chances de le voir que de saisir le reflet de la lune sur l'eau.

Caleb ravala un juron. C'était exactement à quoi avait ressemblé sa quête jusqu'à présent : essayer d'attraper le reflet de la lune sur l'eau.

« Mais j'ignorais alors où se trouvait cette vermine. Maintenant, je le sais. »

Willow fronçait les sourcils.

— Je ne comprends toujours pas pourquoi Matt n'a pas laissé d'indices plus clairs. Ce n'est pas un garçon négligent. C'est lui qui m'a enseigné à naviguer grâce aux étoiles, à lire les cartes, à faire des tracés... Or j'arrive à une seule conclusion : si nous allumons un feu en haut de l'une de ces montagnes, il nous verra. Tu es familier de la région, tu dois connaître un endroit que l'on voit de loin, où nous pourrions allumer un feu et...

— Et recevoir une balle dans la tête ? coupa fermement Caleb. On n'allume pas un feu pour signaler sa présence dans ce pays sauf si on a envie de se faire tuer. Ton frère le sait forcément, sinon il serait mort depuis longtemps.

— Alors, pourquoi l'a-t-il écrit ?

— C'est un piège.

— Insensé ! Jamais Matt ne voudrait de mal à ses frères !

— Tes frères sont-ils des têtes brûlées ?

Willow éclata de rire.

— Sûrement pas ! Matt est le plus jeune, et il a appris presque tout ce qu'il sait de nos aînés.

— Alors aucun d'eux ne serait assez stupide pour allumer un feu en territoire indien et attendre comme une chèvre attachée à un pieu...

Willow avait envie d'argumenter, mais cela n'aurait servi à rien. Caleb avait raison, les frères Moran n'étaient pas fous.

— Un piège... répéta-t-elle, malheureuse.

— Comme tu l'as dit, ton frère est un homme méfiant.

— Alors il ne nous reste plus qu'à grimper sur tous ces sommets jusqu'à ce que nous ayons découvert son campement.

Devant son intonation déterminée, Caleb sut qu'elle

ne renoncerait pas avant d'avoir retrouvé son frère...
Reno avait appelé à l'aide, elle se rendrait à son appel.

— Tu es résolue à rejoindre ton frère coûte que coûte, c'est ça?

— N'en ferais-tu pas autant à ma place? rétorqua-t-elle, s'interrogeant sur l'hostilité évidente de Caleb chaque fois qu'il s'agissait de Matt.

Il ferma les yeux en imaginant Willow hurlant son désespoir tandis que son frère préféré et son amant s'affrontaient jusqu'à la mort.

— Qu'il en soit ainsi, dit-il d'un ton morne.

Willow fut traversée par un éclair d'angoisse.

— Caleb? Qu'y a-t-il? Qu'est-ce qui ne va pas?

Sans répondre, il se dirigea vers ses sacoches de selle, en sortit son journal, un crayon, une gomme, puis revint vers Willow, la carte à la main... et la peur au ventre. Il entreprit de tracer des traits.

— Que fais-tu? demanda-t-elle enfin.

— J'essaie de localiser ton satané frère.

— Mais comment?

— C'est un homme méthodique. Et il l'a été en dessinant ces triangles, bien qu'il les ait répartis bizarrement sur la carte.

— Je ne comprends pas.

— Ils sont tous semblables, avec un angle droit et deux de quarante-cinq degrés... Si tu coupes l'angle droit en deux et que tu traces un trait vers la base, tu obtiens deux triangles égaux.

— Alors?

— Alors, si tu prolonges ces lignes, elles se recoupent forcément quelque part... Cela devrait être...

— Là! s'exclama Willow en posant le doigt sur la carte. Tu as trouvé, Caleb! Matt est sûrement là!

En silence, Caleb mémorisa le point d'intersection dans son cerveau et sur sa propre carte, avant de jeter celle de Matt dans le feu. Willow poussa un petit cri choqué, mais les flammes s'étaient déjà emparées du papier.

— Heureusement que tes chevaux ont récupéré, dit Caleb. Ça va être l'enfer pour aller là-bas.

Il se tourna enfin vers la jeune femme dont les yeux, à la lueur du feu, avaient la couleur mystérieuse de la pluie en automne. L'idée de la perdre le torturait. Il tendit la main et elle la prit sans hésiter. Elle ne comprenait pas cette ombre qu'elle sentait en lui, mais elle savait qu'il avait besoin d'elle. Il l'attira et elle vint volontiers. Elle aussi avait besoin de lui. Durant de longues minutes, ils se contentèrent de rester enlacés comme s'ils s'attendaient à chaque instant à être séparés.

— Caleb, murmura enfin Willow en levant les yeux. Mon amour, qu'est-ce qui te tracasse ?

Il répondit par un baiser tout en commençant à la déshabiller.

Ils firent l'amour plusieurs fois, encore et encore, prenant, donnant, partageant comme s'il n'y avait plus d'hier, plus de lendemain, plus rien que l'instant magique où ils étaient un seul être.

Willow s'endormit avec Caleb en elle, et il écouta longuement sa respiration, regarda la lune jouer sur son visage, priant pour que Reno fût déjà mort...

Willow se dressa sur ses étriers et observa les oreilles dressées d'Ishmael. En contrebas, la terre s'étendait devant elle en une telle explosion de verts qu'elle n'aurait pu trouver d'adjectifs pour les décrire. Le paysage n'était ni montagneux ni plat. Quelques pics s'élevaient à l'horizon, mais devant eux, des kilomètres de forêts et de prairies alternaient comme si une immense couverture en patchwork avait été jetée sur un sol inégal. Il y avait des crêtes regorgeant d'arbres entre lesquelles s'étendaient de larges vallées sillonnées de rivières.

Willow respira profondément l'air vif, se félicitant d'être enfin habituée à l'altitude. Caleb lui avait dit qu'au point le plus bas, ils se trouvaient encore à presque deux mille mètres, et la plupart des pics atteignaient le double. Ils avaient l'impression de chevaucher le toit du monde, et c'était une sensation exaltante.

Pas de fumée, de bâtiments, de voies pavées, pas de barrières, aucun signe de présence humaine. Pourtant les hommes étaient là, quelque part. Caleb avait vu leurs traces aux endroits où les vallées formaient des routes naturelles.

— C'est là-bas que nous allons, dit-il, le doigt pointé. Les montagnes les plus lointaines que tu aperçois.

D'où elle était, Willow vit un amas de pics couronnés de pourpre, dont ils étaient séparés par une campagne aussi sauvage que somptueuse.

— Combien de temps nous faudra-t-il pour y arriver? demanda-t-elle, sachant qu'ici on évaluait les distances en heures plutôt qu'en kilomètres.

— Deux jours à vol d'oiseau. Mais nous aurons de la chance si nous n'en mettons que quatre.

— Pourquoi?

— Les Indiens. Ils en ont assez de tomber sur des Blancs dès qu'ils font un pas. Et puis il y a Slater et sa bande.

— Tu ne crois pas que nous les avons semés?

— Il est difficile de semer quelqu'un qui sait où tu vas, rétorqua Caleb.

— N'auront-ils pas renoncé, en ayant perdu nos traces depuis presque trois semaines?

— Et toi, tu laisserais tomber?

Willow se détourna. Il aurait préféré abandonner les

recherches, elle le savait, bien qu'il n'en eût rien dit. Cependant, dès qu'elle lui demandait pourquoi, il changeait de sujet avec une brutalité qui la blessait.

— Jed Slater est rancunier, dit Caleb en regardant au loin. Il ira jusqu'au bout, jusqu'à sa mort... ou à la mienne.

— C'est pour cela que tu n'as pas envie de retrouver Matt ? Parce que tu sais que Jed Slater t'attend, tapi quelque part ?

Caleb lança à Willow un regard voilé.

— Il faut être fou pour chercher les ennuis. Ils viennent bien assez facilement d'eux-mêmes.

Il pressa doucement les flancs de Diable, et le cheval se mit au trot en direction de la riche vallée.

Willow le regarda s'éloigner, peinée d'avoir formulé sa question avec une telle maladresse. Aucun homme n'aimait avouer qu'il évitait le combat.

Les sourcils froncés, elle poussa Ishmael en avant, pensant davantage à l'homme qu'elle aimait qu'à la route devant elle. Caleb était taciturne, depuis qu'ils avaient quitté leur petit paradis la veille. Il menait un train rapide, comme quelqu'un qui veut en finir le plus vite possible avec une tâche pénible.

Et pas une fois il n'avait parlé de ce qui se passerait entre eux lorsqu'ils auraient trouvé Matt. Jamais non plus il ne lui avait dit qu'il l'aimait, qu'il voulait l'épouser, qu'il souhaitait rester avec elle pour la vie.

Pourtant ce matin, au réveil, elle l'avait surpris en train de la regarder avec une telle passion qu'elle en avait eu le cœur serré. Mais il s'était levé en silence, la laissant au bord des larmes, un nœud douloureux à l'estomac.

Ce souvenir hanta Willow toute la journée, l'empêchant d'apprécier la splendeur du paysage.

La longue descente menait, comme toutes les autres,

à une vaste vallée encadrée de hautes montagnes. Ils longèrent une étroite rivière à l'eau claire et rapide, bordée de peupliers argentés et de petites fleurs de couleurs vives qui annonçaient l'arrivée du printemps.

Le soleil était chaud, et Willow avait ouvert sa chemise de daim. La combinaison de flanelle était roulée dans une couverture attachée à sa selle, ainsi que la grosse veste de laine. Elle avait soif...

Au moment où elle se résignait à l'idée de ne pas s'arrêter pour dîner, Caleb mit pied à terre et s'approcha.

— Nous allons nous reposer un peu.

Elle s'apprêtait à descendre de cheval lorsqu'il la saisit dans ses bras et la laissa lentement glisser le long de son corps. Le désir qu'elle lut dans ses yeux et sentit contre elle affola son cœur. Son malaise de la journée fut aussitôt remplacé par un immense sentiment de soulagement. L'espace de quelques inspirations, elle s'était transformée : elle était prête à recevoir son amant...

— Nous reposer ? répéta-t-elle, taquine, en posant la main sur son ventre. C'est vraiment ce que tu souhaites ?

Il sursauta légèrement.

— Je vais essayer d'attraper une truite...

— Bonne idée...

Elle le caressait doucement, se réjouissant de la flamme qui dansait sans ses yeux.

— Tout dépend de l'appât, reprit-elle.

— Tu n'es qu'un petit poisson effronté, murmura-t-il, le souffle court.

— Mais je me laisse sans cesse capturer par mon pêcheur.

— Non, chérie. C'est toi qui me captures.

Willow eut un petit rire aussi sensuel que le lent mouvement de ses doigts.

— Devons-nous discuter pour si peu ?

— Oui...

Il défit doucement la fermeture du Levi's.

— Dix contre un que je gagne, reprit-il.

— Tu es plus fort que moi !

Willow émit un petit son ravi lorsqu'il la toucha. Vivement, il la débarrassa de ses bottes et de son jean, mais il n'eut pas la même patience pour ses propres vêtements. Il se contenta de déboutonner son pantalon avant d'attirer Willow sur lui, fou d'un désir qu'il était incapable de contrôler.

— Dieu, gémit-il, tu es meilleure à chaque fois. Plus douce, plus chaude...

Grisée, Willow n'aurait pu prononcer un mot, tout au plaisir de le sentir si fort, si puissant. Il en devenait presque violent, comme s'il voulait tout posséder d'elle, d'une manière élémentaire, primitive. Des cris lui échappèrent tandis qu'elle se rendait corps et âme à l'homme qu'elle aimait.

L'intensité et la rapidité de la jouissance de Willow excitèrent autant Caleb que la douce chaleur qui émanait d'elle. C'était ce dont il avait besoin, ce qu'il avait cherché durant les longues heures passées à envisager désespérément une solution au dilemme que lui posait Matthew Moran. Cela était la vraie réponse, le seul apaisement, cette union comme jamais Caleb n'en avait connu. La passion de Willow était aussi brûlante que le soleil, aussi réelle que le temps, et il en était bouleversé au plus profond de son âme.

Or, bientôt, elle le haïrait avec la même ardeur...

— Encore des traces ? demanda Willow.

Caleb hocha la tête. Il ne s'était pas rasé depuis les six jours qu'ils avaient quitté la vallée, mais sa barbe ne pouvait dissimuler son air sombre.

— Ferrées ?

Il acquiesça de nouveau.

— Combien de chevaux?

Willow chuchotait, mais Caleb l'entendit quand même. Parfois, il avait l'impression de l'entendre alors qu'il se trouvait dans un complet silence.

— Pas moins de douze, répondit-il, bourru. Difficile de dire combien exactement. Ils ont été attachés aux mêmes piquets.

Willow fronça les sourcils. Ils étaient enfin arrivés dans la splendeur des monts San Juan, et se trouvaient au milieu d'un plateau herbeux de quelques kilomètres de diamètre, encerclés par les sommets neigeux d'une beauté à couper le souffle. Des trembles poussaient au bord du plateau, offrant abri aux daims ou aux gens qui, comme Willow et Caleb, ne voulaient pas être repérés depuis les hauteurs.

Mais le paysage se transformerait bientôt, comme les autres. L'herbe disparaîtrait, les montagnes se refermeraient et les torrents couleraient directement sur les parois de pierre jusqu'à ce qu'ils atteignent une plus petite prairie, puis une autre, et le cycle se répéterait : ils arriveraient tout en haut, à une autre passe. Alors la route descendrait, les torrents redeviendraient des ruisseaux.

— Existe-t-il un autre passage possible? murmura Willow.

— Il y a toujours un autre chemin ailleurs.

Elle se mordit la lèvre.

— Mais loin, c'est ça?

— Oui. Il nous faudrait revenir de plusieurs heures en arrière, à l'embranchement du ruisseau. Puis chevaucher trois jours de plus pour contourner cette montagne.

Caleb regarda Willow, attendant sa réaction.

— Sommes-nous proches de Matt? demanda-t-elle enfin.

— A vol d'oiseau, oui.

— Pendant que tu étais parti en reconnaissance, j'ai cru entendre des coups de feu.

— Tu as de bonnes oreilles.

Rien dans sa voix ne laissait supposer qu'il regrettait qu'elle eût perçu les détonations.

— C'était toi ? insista-t-elle.

— Non.

— Matt ?

— J'en doute. Plutôt un des hommes de Slater qui aura aperçu un chevreuil. Les hommes armés et en bande ne se soucient guère d'attirer l'attention des Indiens en chassant du gibier.

— Or Matt est seul.

— Il y est habitué.

— Il y a eu cinq coups, il me semble. Combien sont nécessaires pour tuer un chevreuil ?

Caleb se tut. Lorsque plus de deux coups étaient tirés, il s'agissait plutôt d'un affrontement.

— Matt a peut-être été blessé ! s'exclama Willow, angoissée. Il faut le rejoindre, Caleb !

— Nous avons plus de chances de tomber sur la bande de Slater si nous franchissons cette passe, déclara sèchement celui-ci.

Mais déjà il poussait son cheval vers le canyon qui montait de chaque côté de la rivière.

— Je pars en avant. Garde ton arme à portée de main. Il nous faudrait la chance du diable lui-même pour ne pas en avoir besoin.

Malgré les prédictions sinistres de Caleb, ils ne virent que des traces, ce jour-là. Le terrain grimpait devant eux, le cours d'eau se faisait plus vif, les montagnes se refermaient. Willow, d'après la respiration de ses chevaux, sentait que l'altitude augmentait à chacun de leurs pas.

Le ruisseau qu'ils suivaient se sépara. Les traces des chevaux ferrés se dirigeaient sur la droite, et Caleb prit à gauche, vers le point d'intersection des lignes tracées sur la carte qu'il avait brûlée. Comme il aurait aimé brûler aussi le passé...

Hélas, c'était impossible.

Qu'il en soit ainsi...

Les mots le torturaient, écho aux mises en garde de Wolfe :

— *Tu m'entends*, amigo ? *Reno et toi, vous vous ressemblez trop...*

Et la réponse de Caleb, la seule possible : œil pour œil, dent pour dent, vie pour vie, le cercle infernal...

Qu'il en soit ainsi.

Et ensuite ? Caleb ne pouvait laisser Willow seule dans les montagnes, sans personne pour la protéger.

« Mourra-t-elle, comme Rebecca, d'épuisement et de désespoir, en mettant au monde un enfant destiné lui aussi à mourir ? »

Œil pour œil, dent pour dent, vie pour vie...

Caleb eut un goût amer dans la bouche, tandis que le révoltait l'idée de faire souffrir Willow. Il ne pouvait imposer cela à la femme dont le seul péché était de l'aimer. Elle n'avait en rien mérité une telle trahison.

Rebecca non plus. Pourtant il y avait bel et bien eu trahison, et douleur, et mort. L'homme par qui le désastre était arrivé s'en était allé tranquillement, libre de séduire une autre innocente, de l'abandonner, de recommencer...

L'angoisse grandissait à chaque pas, tandis que Caleb cherchait en vain un moyen de se sortir de ce guêpier. Il en existait un seul : laisser le scélérat en vie, condamnant ainsi une jeune fille inconnue à la peine et à la honte, puis une autre, et encore une.

Alors qu'il escaladait l'étroit canyon, Caleb se demandait comment il pourrait laisser Reno en vie et se prétendre encore un homme.

15

Les remparts de pierre se dressaient autour de l'étroite fente, ne laissant passer qu'une fine bande de ciel bleu. Le sommet de la montagne était encore teinté de soleil, mais au fond du ravin régnaient seulement les sombres prémices de la nuit. Ces ombres denses étaient exactement ce que cherchait Caleb. Il descendit de cheval et se dirigea vers Willow.

— Pas de feu, dit-il à voix basse.

Elle hocha la tête. Elle avait entendu les coups de fusil une demi-heure auparavant. Deux détonations. Impossible de savoir d'où elles venaient, car elles s'étaient répercutées contre les murs de roc avant de leur parvenir.

— Quelle distance ? demanda-t-elle calmement.

Caleb savait de quoi elle parlait. Il haussa les épaules.

— Peut-être le prochain ravin. Ou à deux kilomètres, en haut d'un autre sommet. Les bruits portent loin, par ici.

Tandis qu'il attachait les chevaux, Willow remplit la gourde dans le torrent qui jaillissait d'une fente entre les rochers. L'eau était glaciale, comme le vent qui soufflait de la montagne. Elle frissonna malgré son épaisse veste de laine en tendant la gourde à Caleb.

— Jamais je n'ai bu d'eau si froide. J'en ai mal aux dents.

— De la neige fondue, répondit brièvement Caleb.

Il prit les mains de Willow pour les frotter entre les siennes.

— Il y a de la neige, en haut de ce défilé.

Il souffla sur les doigts de la jeune femme, puis les enfouit sous sa grosse veste.

— Ça va mieux ? demanda-t-il en souriant.

— Nettement !

Avec un petit soupir de plaisir, elle frotta ses mains contre le torse de Caleb. Puis elle ouvrit un bouton, juste au-dessus de la ceinture, et chercha la chaleur de sa peau.

— Tu vaux mieux que tous les feux du monde, murmura-t-elle. De la chaleur, mais pas de fumée qui pourrait nous trahir...

— Continue comme ça, et il risque d'y en avoir !

— Vraiment ? dit-elle en riant. Et où ?

— Ne me tente pas, ma chérie...

— Pourquoi ? J'y réussis, en général.

Caleb plissa les yeux et son cœur s'accéléra. On n'entendait que le chuchotement du ruisseau, pas assez fort pour couvrir la respiration soudain saccadée de Caleb quand la jeune femme essaya de glisser ses doigts sous la ceinture.

En souriant, il se débarrassa de son holster et de son grand couteau.

— Essaie encore...

Willow baisa la fossette de son menton, où la barbe avait poussé, et il saisit ses lèvres en un ardent baiser.

Quand il sentit les petits doigts frais glisser sous la ceinture de son pantalon, il gronda de plaisir.

— Beaucoup mieux, dit-elle.

— J'ai une idée pour que ce soit mieux encore...

Caleb déboutonna la grosse veste de Willow, dénoua les lanières qui fermaient la chemise de daim puis se fraya un passage jusqu'à sa peau soyeuse. La respiration de la jeune femme s'altéra aussi.

Pourtant, son plus grand bonheur était d'observer la réponse qu'elle éveillait chez Caleb. Elle aimait le voir réagir à chaque nouvelle caresse. Elle aimait remplacer les ombres dans ses yeux par des flammes, elle aimait sentir son corps se transformer. Elle aimait Caleb, tout simplement.

Et bientôt, il se rendrait compte qu'il l'aimait aussi, Willow en était sûre. Aucun homme ne pouvait manifester à une femme une telle ardeur, une telle tendresse sans l'aimer au moins un tout petit peu.

Dressée sur la pointe des pieds, Willow chercha ses lèvres. Il lui offrit ce qu'elle demandait, et tous deux se perdirent dans la chaleur de leur baiser.

— Eh bien! lança une voix ironique derrière Willow. Je sais à présent ce que vous faisiez, depuis des semaines que vous aviez disparu!

Il était trop tard pour récupérer le revolver...

— Matt? cria Willow en faisant volte-face.

L'homme était arrivé contre le vent, les prenant par surprise. La jeune femme scruta la pénombre puis, avec un petit cri ravi, elle se précipita dans les bras de son frère.

— Matt! Oh, Matt, c'est vraiment toi?

— C'est bien moi, Willy.

Reno la serrait contre lui, mais il y avait de la colère en même temps que du soulagement dans son expression.

Au bout d'un instant, il la repoussa pour faire face à l'homme au visage dur qui était en train de fixer son holster à ses hanches.

— Caleb Black?

Caleb ne répondit pas tout de suite.

— Matthew Moran...

Les yeux vert pâle de Reno se rétrécirent devant la haine que révélait la voix de Caleb, devant son attitude

— les jambes bien plantées au sol, les bras légèrement écartés du corps, la main prête à saisir le six-coups.

— On dirait que Wolfe s'est trompé à ton sujet, dit Reno, amer. Mais malgré l'envie que j'ai de t'écrabouiller la cervelle pour avoir fait de ma sœur une...

— Ne le dis pas, coupa Caleb, sauvage. *Ne le pense même pas*.

Horrifiée, Willow regardait les deux hommes, incapable de prononcer un mot. Elle s'était attendue à de la joie quand elle retrouverait son frère. Pas à de la rage.

— Matt ? demanda-t-elle enfin. Qu'y a-t-il ?

— Es-tu mariée avec lui ? interrogea Reno.

Un coup de vent particulièrement glacial rappela à la jeune femme que sa veste était ouverte, et elle la boutonna, la tête haute malgré la rougeur qui montait à ses joues.

— Non.

— Fiancée ?

Caleb allait répondre, mais elle le devança :

— Non.

— Dieu ! Et tu me demandes ce qui ne va pas ! Que t'est-il arrivé, Willy ? Que dira Mère lorsqu'elle apprendra...

— Maman est morte.

Reno ferma les yeux un bref instant.

— Comment cela s'est-il passé ?

— Elle n'a jamais été bien robuste. Lorsque Père a été tué, elle a cessé de lutter.

— Où sont Rafe et... ?

— Je l'ignore, répliqua Willow, sèche. Je n'ai vu aucun de mes frères depuis des années.

Toute colère disparut de l'expression de Reno, laissant la place à la tristesse. Il enlaça sa sœur et, la joue dans ses cheveux, il la berça doucement contre lui.

— Je suis désolé, Willow. Tellement désolé... Si

j'avais su, je serais revenu. Tu n'aurais pas dû être obligée de supporter cela toute seule.

Caleb les observait, les yeux plissés, se rappelant la fois où la jeune femme à moitié endormie lui avait tendu les mains :

— *Matt, oh, Matt, c'est bien toi ? J'étais si seule...*

Enfin Matt lâcha sa sœur, essuya ses yeux à l'aide de son foulard et baisa sa joue. Puis il s'adressa à Caleb :

— Nous discuterons plus tard, toi et moi, promit-il, sombre. Pour l'instant, il y a une douzaine d'hommes, dans les parages, qui aimeraient bien mettre la main sur moi, sur Willow et sur ses chevaux. Ils voudraient aussi avoir ta peau, mais ils devront attendre. J'ai la priorité.

— Je serai derrière toi à chaque seconde.

Reno haussa un sourcil, mais il resta silencieux, même lorsque sa sœur se dirigea vers Caleb, prit sa main dont elle baisa la paume avant d'enlacer ses doigts aux siens. Elle ouvrait la bouche pour parler lorsque Ishmael leva brusquement la tête. Les oreilles dressées, les narines palpitantes, l'étalon humait le vent qui descendait du petit ravin.

Caleb eut un geste vif, mais il fut gêné par Willow. Reno n'avait pas ce problème. Avec la rapidité de l'éclair, un pistolet jaillit dans sa main. Willow avait du mal à y croire ! Elle n'avait pratiquement pas vu son geste.

— Matt ? souffla-t-elle, sidérée.

Reno lui fit signe de se taire et s'avança lentement. Caleb l'en empêcha.

— Pas de coups de feu, murmura-t-il. Il y a un moyen plus silencieux.

Il ôta ses bottes, saisit son poignard et, en chaussettes, se glissa vers les fourrés avec la souplesse d'un puma.

Willow ramassa le fusil et vint se poster le dos à son frère. Ils attendirent ensemble le retour de Caleb, tout en surveillant chacun un côté du ravin.

Ces longues minutes d'immobilité permirent à Matt de comprendre combien sa sœur avait changé. La jeune fille dont il se souvenait était une véritable chipie qui cherchait la protection de ses frères contre les colères de leur père. Celle qui se tenait près de lui aujourd'hui était une jeune femme grave, déterminée à se battre pour sa vie. Et celle de son amant...

Willow ne sut pas combien de temps s'était écoulé avant que ne retentît l'accord d'harmonica qui annonçait le retour de Caleb. Elle se tourna dans sa direction au moment où il sortait des fourrés. Elle courut à lui, les mains tendues. En voyant du sang sur sa veste, elle poussa un cri étouffé.

— Ça va, chérie. Je n'ai rien.

Willow tremblait à présent, et il lui prit le fusil.

— Le sang, souffla-t-elle.

— Ce n'est pas le mien.

Il l'embrassa sauvagement.

— Pas le mien, répéta-t-il.

Elle hocha la tête pour lui montrer qu'elle avait compris et se serra davantage contre lui.

Reno les observait. A contrecœur, il dut reconnaître que Wolfe avait raison sur une chose : Caleb était un homme dur, voire brutal, mais il savait prendre soin des plus faibles que lui.

— C'est réglé, déclara Caleb au-dessus de la tête de Willow.

— Combien ?

— Un seul. J'allais le laisser partir, mais il a repéré la trace des chevaux.

Willow ne demanda pas ce qui s'était passé. Elle le devinait trop bien.

— Tu l'as reconnu ?

Caleb acquiesça.

— J'avais eu des mots avec lui, à Denver.

— Il s'agissait de Kid Coyote ? interrogea Reno.

— Non. Seulement d'un de ces minables individus qui volent les concessions minières des autres. Un type de Californie.

Reno se raidit.

— Tu es sûr ?

— Absolument, répondit Caleb avec un mince sourire. A mon avis, il s'imaginait qu'un fou avait trouvé de l'or, par ici.

Reno lança un coup d'œil glacial à Willow :

— Tu lui as dit... ?

— Elle n'en a pas eu besoin, coupa Caleb. Une seule raison pousserait un homme à risquer sa vie dans ces montagnes. Cette saleté de métal jaune.

— L'or n'a rien de sale, contra Reno, les yeux très brillants dans son visage hâlé. Les Indiens prétendent qu'il vient des larmes du dieu Soleil. Et j'ai tendance à les croire.

Caleb eut un grognement dégoûté.

— Autant croire lorsqu'il pleut que les anges font pipi.

Il baissa les yeux vers Willow.

— Navré, ma douce. Je sais que tu es fatiguée, pourtant nous ferions mieux de trouver un autre endroit pour notre campement. J'ai renvoyé le cheval de ce type vers le pied de la montagne, mais Jed Slater est un bon pisteur. Tôt ou tard, il nous rattrapera, sauf si nous continuons à avancer, ou qu'une bonne pluie vienne effacer nos traces.

— Il ne pleuvra pas cette nuit, dit Reno.

— Peut-être demain matin, rétorqua Caleb avec un coup d'œil vers le ciel.

— Peut-être. De toute façon, nous devons partir d'ici. J'ai un camp pas loin. Nous pourrons y attendre Wolfe.

— Que fait-il dans cette région ?

— Il s'inquiétait pour toi. Il y a environ trois semaines, il est arrivé à mon campement pour m'annoncer que tu m'amenais ma « femme » et que tu aurais besoin d'aide.

Caleb songea que Wolfe avait su où se trouvait Reno sans le lui dire...

Vous êtes trop semblables.

Avec une petite grimace, Caleb se dit qu'une fois de plus, Wolfe ne s'était pas trompé. Reno était exceptionnellement rapide pour dégainer, et calme. Il existait fort peu de chances pour que l'un des deux survécût à un duel et pût aider Willow à sortir indemne des montagnes.

S'ils mouraient, elle mourrait. Mais pas rapidement, pas dignement. Elle périrait des mains cruelles des hors-la-loi qui n'auraient pas d'égards pour son rire, pour son intelligence, pour son courage.

— Où est Wolfe en ce moment ? demanda Caleb.

— Il file Slater. Il était sûr que si ce bandit te trouvait avant moi, tu aurais besoin d'aide. S'il avait su que tu profiterais de l'innocence de Willow...

Reno ravala un juron et regarda le pistolet qu'il tenait encore à la main.

— ... il serait venu te chercher avec un fouet, poursuivit-il. Il te considérait comme un homme d'honneur... C'est la première fois que je le vois se tromper.

Willow prit une grande inspiration, mais Caleb la devança :

— Tu es très mal placé pour parler de l'innocence des jeunes filles ! s'écria-t-il, sauvage. Maintenant, on y va, ou as-tu l'intention d'attendre ici que Slater nous abatte comme des poissons dans un tonneau ? A moins que tu n'envisages de te servir de ton arme contre moi ?

Reno remit prestement le revolver dans son étui.

— J'attendrai. Pas Slater. Allons-y !

Le campement de Reno était si bien caché dans des replis de terrain que Willow se demanda comment il avait pu découvrir un tel endroit.

L'étroit ravin au fond duquel coulait un petit ruisseau était pratiquement indécelable, et il y en avait beaucoup de semblables dans la montagne. Rien ne paraissait le différencier des autres, on ne pouvait imaginer qu'il s'ouvrait en réalité sur une sorte de terrasse formée par un énorme bloc de pierre qui s'était détaché de la paroi.

Avant de pénétrer dans le défilé, ils avaient chevauché un bon moment dans l'eau glaciale du torrent afin d'effacer leurs traces.

Il n'y avait pas de chemin, pas de branches brisées ni d'arbres abîmés qui pussent trahir la présence d'un homme. A l'entrée du passage, Reno mit pied à terre et détacha de fines lanières reliant discrètement deux arbres qui poussaient presque parallèles au sol, écrasés par le poids de la neige. Dès que les liens furent lâchés, les branches se séparèrent, révélant l'étroit accès au défilé.

— Maintenant, il va falloir marcher, annonça Reno.

Caleb descendit de cheval et se dirigea vers Willow pour l'aider, mais Reno avait été plus rapide. Ce n'était pas la première fois qu'il intervenait entre sa sœur et son amant.

Caleb serra les dents mais ne protesta pas. Il ne voulait pas que Willow fût présente lorsqu'ils aborderaient leurs différends...

Œil pour œil, dent pour dent.

Chacun reprochait à l'autre d'avoir souillé sa sœur.

— *Je vous en supplie, Caleb*, avait dit Willow. *Si vous cessez de me toucher, j'en mourrai. S'il vous plaît, Caleb...*

Il se demanda s'il en avait été de même pour Rebecca, si elle avait connu cette fièvre si violente, si elle avait supplié Reno. Avait-il essayé de la repousser, s'était-il aperçu qu'il en était incapable?

Caleb ferma les yeux, envahi par des souvenirs où se mêlaient l'enfer et le paradis :

— *Je te fais mal?*

— *Non. C'est bon, si bon... Comme de voler, ou de chevaucher le feu. N'arrête pas, n'arrête jamais...*

Il avait obéi.

Quand il ouvrit les yeux, Reno l'observait. Ce dernier remarqua ses mains crispées sur les rênes, l'expression sauvage qui flamboyait dans ses yeux d'ambre.

Brièvement, il indiqua à Caleb de mener les chevaux dans le passage, avant d'effacer toute trace de leur passage.

Le crépuscule tombait lorsqu'ils arrivèrent enfin au campement. Willow finissait d'attacher la dernière jument, et elle fut frappée par la ressemblance des deux hommes. Ils étaient également grands, larges d'épaules, avec des membres longs, musclés.

Elle se rappela la rapidité avec laquelle Matthew avait dégainé. Encore une similitude.

Et soudain elle eut peur.

— Je suis un peu inquiète pour les fers de mes chevaux, Caleb, dit-elle. Voudrais-tu les vérifier, s'il te plaît?

Si Caleb fut surpris, il n'en dit rien. Il aidait toujours la jeune femme à s'occuper des chevaux, mais c'était la première fois qu'elle sollicitait son concours.

— Bien sûr, répondit-il en lui caressant la joue. Je ne serai pas long. Si tu as besoin de moi, tu sais où me trouver.

Elle sourit bravement.

— Tout ira bien.

Reno attendit que Caleb fût hors de portée de voix pour se tourner vers sa sœur :

— Bien, Willy. Alors, que s'est-il passé ?

Ses yeux vert pâle étaient de glace. Intimidée, Willow ne savait par où débuter.

— Te rappelles-tu nos soirées d'été ? commença-t-elle d'une voix basse, voilée. Les dîners, quand la table regorgeait de mets savoureux, quand Rafe et toi jouiez à qui me ferait rire le premier ? Te souviens-tu de l'odeur du foin fraîchement coupé ?

— Willy...

Elle ne tint pas compte de l'interruption.

— Te rappelles-tu les nuits où les hommes de la famille, sous la véranda, parlaient de pur-sang, de récoltes et de pays lointains ? Je me glissais derrière vous pour écouter, et vous faisiez semblant de ne pas me voir, parce que ce n'étaient pas des histoires de filles.

— Quel rapport avec...

— T'en souviens-tu ? répéta Willow d'une voix vibrante.

— Bon sang, oui, bien sûr !

— C'est tout ce qui me restait. Des souvenirs. La lune brillait toujours, mais il n'y avait plus de prairie, ni de paddock, ni de barrières blanches. La maison et la véranda avaient brûlé, ainsi que la petite chapelle où Père et Mère se sont mariés. Il ne restait plus que les colonnes qui se dressaient comme des fantômes au milieu des mauvaises herbes.

— Willy... risqua encore Reno, malheureux.

— Non, laisse-moi terminer. Je ne pouvais plus vivre de souvenirs, tu comprends ? Je suis une fille, mais j'ai mes rêves, moi aussi. J'avais gardé toutes tes lettres.

Quand la dernière est arrivée, celle dans laquelle tu demandais de l'aide, j'ai vendu les terres, j'ai écrit à M. Edwards et je suis partie vers l'Ouest. J'avais juste assez d'argent pour le voyage. Et Caleb Black a accepté de me servir de guide jusqu'aux monts San Juan.

Elle eut un petit sourire amer.

— Mais je ne peux pas lui donner les cinquante dollars que je lui ai promis.

— C'est donc ça ? s'exclama Reno, la voix dure. Tu t'es vendue simplement pour...

— Non ! cria Willow, avant de répéter plus calmement : Non.

Elle ferma les yeux un moment, les rouvrit et affronta son frère sans flancher.

— J'aurais aimé que Caleb vienne me courtiser dans notre ferme de Virginie. Il aurait complimenté Père sur la qualité de ses chevaux, Mère sur sa façon de jouer de l'épinette et moi sur mes tartes. Après le souper, il se serait assis pour parler de récoltes, d'élevage, de la pluie qui menaçait...

Reno ne disait rien, bouleversé.

— Mais nos parents étaient morts, il ne restait que quelques chevaux, la terre était dévastée et mes frères dispersés aux quatre coins du monde.

Il tendit la main vers elle, mais elle recula hors de portée.

— Je ne sais pas ce que l'avenir me réserve, continua-t-elle à voix basse, mais je sais ceci : s'il le faut, je me débarrasserai du passé comme un serpent se débarrasse de son ancienne peau. De tout le passé, Matthew. Même de toi.

— Willy, souffla Reno en lui ouvrant ses bras. Ne t'éloigne pas de moi.

Avec un petit sanglot, Willow courut se jeter contre lui.

— Ça va aller, dit-il en fermant les yeux afin qu'elle ne pût lire sa froide résolution. Tout ira bien, Willy. J'y veillerai.

Quand Caleb revint au campement, il trouva Willow en train de sortir les derniers morceaux de gibier qu'ils avaient fait sécher durant leur séjour dans leur petite vallée. Reno en attaqua un avec un grognement d'approbation.

— Nous l'avons fumé pendant que Diable se remettait de sa blessure, expliqua Willow.

— Je suis surpris que Caleb ait pris le risque de tirer un chevreuil.

— Je n'ai pas tiré, répliqua l'intéressé derrière lui. Je l'ai pris dans un piège, puis je l'ai égorgé.

Reno se retourna avec la rapidité de l'éclair. Il haussa les sourcils.

— Tu es diablement silencieux, pour un homme de ta corpulence. Je m'en souviendrai.

— Pourquoi? demanda Willow, mordante. Tu n'es pas un chevreuil!

Le sourire que Reno adressait à Caleb était plus inquiétant qu'amical, mais il s'adoucit lorsqu'il revint à sa sœur :

— Tu peux faire un petit feu? Il y a si longtemps que je n'ai pas mangé de biscuits tout chauds! Autrefois, tu faisais les meilleurs que j'aie jamais goûtés.

— Tu es sûr?

— Certain! Je rentrais des champs, pour le souper, en humant le vent comme un chien de chasse. Si je décelais l'odeur de tes biscuits, je filais à la cuisine pour en cacher des poignées avant le retour de Rafe. Jamais je n'ai pu en avaler autant que lui en une seule fois!

Willow éclata de rire à ce souvenir, puis elle se rembrunit en se rappelant que ces temps heureux étaient morts...

— Je voulais dire : tu es sûr que l'on peut faire du feu ? On ne risque rien ?

Reno haussa les épaules.

— Prépare un bon tas de biscuits, Willy. Nous n'aurons peut-être pas l'occasion de faire un nouveau feu avant longtemps.

— D'accord.

Sans échanger un mot, les deux hommes regardèrent Willow s'affairer et, lorsque le repas fut prêt, ils mangèrent rapidement, sans en laisser une miette.

Ensuite, Reno interrogea sa sœur sur la famille, et Caleb s'éloigna pour installer son lit tout en entendant vaguement leurs voix assourdies qui parlaient du passé, d'une époque à jamais révolue.

Willow aimait beaucoup son frère... Caleb en était glacé. Jamais elle ne comprendrait... Elle ignorait l'autre aspect de Reno. Wolfe non plus ne le connaissait pas vraiment. Rebecca, si, et elle l'avait payé de sa vie.

Amer, Caleb étendit des branchages sous l'abri d'un sapin. Soudain il s'aperçut que les voix s'étaient tues. On n'entendait plus que le murmure du vent et le chant du petit ruisseau. Il sentit une présence et se retourna vivement.

— Où vas-tu dormir ? demanda froidement Reno.

— Ici.

— Tu as besoin d'un matelas ?

— Willow aime bien ça. Malgré tout son courage, c'est une petite personne fragile.

Reno s'avança, dangereux, félin.

— J'espérais qu'elle serait endormie avant que nous ayons cette conversation, mais à Dieu vat.

— Je devrais te tuer !

— Essaie toujours...

Caleb écumait de rage. Entendre un vil séducteur

comme Reno jouer le protecteur de sa petite sœur le rendait furieux. Pourtant, il ne pouvait rien dire... Reno réagissait de la même façon que lui.

En tout cas, Caleb lui avait déjà rendu la pareille, en séduisant Willow.

Œil pour œil, dent pour dent.

Mais cette idée ne le réconfortait pas.

Reno l'observait, froid.

— Un coup de feu, et Slater nous tombe dessus comme un orage d'été, dit-il.

— C'est pourquoi tu es encore vivant. Je ne veux pas mettre Willow en danger pour un serpent venimeux de ta sorte.

La haine qui perçait dans les paroles de Caleb étonna Reno.

— Je sais pourquoi je souhaite te tuer, dit-il lentement, mais j'ignore ce que tu as à me reprocher. C'est autre chose que Willow, n'est-ce pas ?

— Oui. Ne viens pas t'interposer entre elle et moi, Reno. Tu n'y gagnerais que d'être blessé, et cela la peinerait. Elle est ma femme, et elle dormira près de moi si elle en a envie.

La petite voix de Willow s'éleva, près du feu :

— Matt ? Caleb ? Il y a un problème avec les chevaux ?

— Ils vont bien, chérie, répondit Caleb.

— Voudrais-tu jouer de l'harmonica ? Matt a une voix superbe, tu sais.

— Je serai heureux de jouer pour toi.

Reno lança à Caleb un regard menaçant.

— Nous parlerons quand elle dormira, grinça-t-il entre ses dents.

— Tu peux y compter.

Caleb passa devant Reno pour se diriger vers la jeune femme qui lui tendait les bras, souriante, une expression à la fois inquiète et soulagée dans les yeux.

— Tu es sûr de ne pas être trop fatigué? demanda-t-elle.

Il posa un tendre baiser sur ses lèvres.

— Je ne suis jamais trop fatigué pour te faire plaisir.

Willow s'accrocha à lui et murmura :

— Matt n'a pas de mauvaises intentions. Je t'en prie, ne sois pas en colère.

Caleb la lâcha avec un sourire et s'assit près du feu. Aussitôt, les notes nostalgiques d'une vieille ballade s'élevèrent au-dessus des flammes : l'histoire d'une jeune fille certaine d'avoir trouvé l'amour de sa vie.

Au bout de quelques secondes, Caleb faillit cesser de jouer. Il venait de se rappeler que c'était une des chansons favorites de Rebecca.

Je sais où je vais.
Je sais qui vient avec moi.

Willow et Matt chantaient ensemble, et Caleb fut surpris par la belle voix de la jeune femme, car il ne l'avait jamais entendue chanter quand il jouait dans la vallée. Elle se contentait alors de se lover contre lui et de fixer les flammes avec un sourire rêveur.

La ballade suivante parlait aussi d'amour, mais la femme partait et l'homme restait seul, face à un avenir sombre, sans enfants, sans douceur féminine. Dans la troisième, c'était l'homme qui était volage et la femme qui gémissait. Reno et Willow connaissaient toutes les paroles, car dans leur famille on passait souvent les soirées à chanter autour du feu.

Cependant, leurs voix s'éteignirent peu à peu quand Caleb joua l'histoire d'un homme déchiré entre l'amour et le devoir. L'harmonica pleurait sur les choix cruels de la vie comme aucune voix humaine n'aurait pu le faire.

Willow frissonnait. Elle avait mille fois entendu cet air, elle l'avait chanté en souriant, parce que les dramatiques paroles lui faisaient paraître sa vie encore plus douce. Mais cette fois, lorsque la dernière note vibra dans le silence, des larmes traçaient de fins sillons d'argent sur ses joues.

Caleb se leva en silence, lui tendit la main, et elle la prit. Il réalisa seulement à cet instant combien il avait eu peur qu'elle ne refusât de le suivre en présence de son frère.

— Bonne nuit, Matt, dit-elle.

Reno répondit par un bref signe de tête. S'il n'avait vu l'amour qui brillait dans les yeux de sa sœur, il aurait sauté à la gorge de Caleb. Mais l'amour était bien là, sans l'ombre d'un doute, et il ne pouvait rien y changer. Il ne voulait surtout pas détruire son bonheur... elle en avait eu si peu, durant toutes ces années !

Soudain, il se sentit en communion avec l'homme de la ballade, écartelé entre amour et devoir...

Caleb demeura un instant aux aguets, puis il se rasséréna. Reno était un homme de parole... Il ne bougerait pas avant que Willow fût endormie.

— Tout va bien, dit-elle en se glissant sous la couverture. Matt n'est pas ravi, mais il accepte.

— Je ne crois pas, petite fille, rétorqua Caleb en s'allongeant à ses côtés.

Willow allait parler quand il prit ses lèvres en un baiser aussi profond que tendre. Il releva la tête, puis revint à elle comme un homme assoiffé.

— Caleb, murmura-t-elle, tremblante. Qu'y a-t-il ?

Il répondit par d'autres baisers, et elle finit par oublier sa question. Elle ne sentait que la retenue que Caleb s'imposait. A chaque baiser, il se persuadait qu'il devait cesser, il ne voulait pas que Reno en la regardant le lendemain pensât à ce qu'elle avait fait la nuit, il ne voulait pas que Willow eût honte.

Et pourtant il la désirait comme jamais auparavant.

Enfin il souffla, contre ses lèvres :

— Il faut dormir.

— Oui, bientôt...

— Willow, insista-t-il en glissant les mains le long de son corps, as-tu envie de moi?

— J'ai toujours envie de toi, Caleb. Je t'aime.

Caleb reprit sa bouche tout en la déshabillant lentement, et elle fit de même jusqu'à ce que leurs peaux se touchent, douces, tièdes.

Les sensations familières et pourtant toujours renouvelées émerveillaient Willow; ses caresses, la tendresse de ses baisers... Avec douceur, avec amour, il l'emporta jusqu'à l'extase, et il étouffa de la main ses petits cris de bonheur.

Enfin il l'embrassa gentiment, mais ne fit pas mine de s'unir à elle.

— Tu n'as pas envie de moi? murmura-t-elle.

— Je...

Il s'interrompit alors que Willow le caressait intimement.

— Tu me surprendras toujours, dit-elle avec un lent mouvement qui le rendait fou. Si dur, et pourtant si doux...

— Et toi si tendre... Je te désire, Willow. Un peu plus chaque fois. *Je te désire!*

Frémissante de plaisir, Willow regarda le visage de son amant éclairé par la lune tandis qu'il la pénétrait enfin.

— Un peu plus chaque fois, répéta Caleb.

Il la sentait trembler davantage à chaque poussée, leurs souffles se mêlaient, il voyait ses yeux se voiler de passion. Enfin elle se raidit de nouveau, et il s'obligea à rester calme et tendre, pour lui donner plus de plaisir qu'elle n'en avait jamais éprouvé.

Ses gémissements d'extase moururent dans la

bouche de Caleb tandis qu'elle atteignait le plaisir suprême. Il continuait à bouger en elle lentement, la caressant de tout son corps.

— Caleb, je...

Elle se cambra contre lui.

— Encore, Willow, souffla-t-il. Encore, jusqu'à ce que plus rien n'existe que toi et moi. Plus de frère. Plus de sœur. Plus d'hier, ni de demain. Seulement nous et ce plaisir si violent qu'on pourrait en mourir.

Willow ouvrit les yeux ; elle voulut parler, mais c'était impossible. Elle n'avait plus de voix, plus de pensées, plus d'hier, plus de demain, seulement Caleb et ce plaisir si violent qu'elle aurait pu en mourir.

16

Willow s'étira, arrachée à ses rêves par une sensation de froid. Caleb n'était plus à ses côtés. Ensommeillée, elle se redressa. Elle allait l'appeler quand elle entendit sa voix près du feu de camp où son frère avait installé son couchage. Reno répondit. Leurs intonations étaient loin d'être amicales...

Elle s'habilla à la hâte, angoissée à l'idée de laisser les deux hommes seuls.

— Tu as pris ton temps ! disait Reno, agressif.

— Je voulais être sûr.

— Je m'en doute ! Et elle est endormie, maintenant ?

— Baisse le ton, si tu veux qu'elle le reste.

— Ne me dis pas ce que je dois faire, sale bâtard. Je ne reçois pas d'ordres de gens comme toi.

— Si, quand il s'agit de Willow, rétorqua Caleb d'une voix tout aussi dure.

Reno fit un bond en avant, les muscles bandés, prêt à frapper.

— Tu as intérêt à l'emmener rapidement devant un prêtre, gronda-t-il. Et si cette idée t'ennuie, alors dégaine ton revolver. Franchement, c'est même la solution que je préférerais.

— Assez d'idioties. A la première détonation, le gang de Slater s'abattra sur nous. Même si nous ne faisons pas de bruit, nous avons laissé des traces. Slater n'est pas un imbécile, il se rapproche. Nous ne serons pas trop de deux pour nous débarrasser de lui.

— Ce sera mon problème, pas le tien. Toi, tu seras mort.

— Et Willow. Tu sais comment ces bandits se comporteraient avec elle.

— Comme toi...

Une poussée de rage envahit Caleb, qui faillit perdre son sang-froid.

— Je ne l'ai pas violée. Elle en avait envie autant que moi.

La respiration de Reno s'accéléra.

— Ferme-la, fils de chien !

— Non ! J'en ai assez de t'entendre parler comme si tu n'avais jamais été avec une femme.

— Jamais je n'ai déshonoré une vierge !

— Menteur.

Caleb marcha sur Reno, puis se maîtrisa.

— Ma sœur était aussi innocente que Willow, reprit-il d'une voix basse, lourde de colère. Tu l'as séduite, puis tu l'as abandonnée, et elle a passé des jours à pleurer, à scruter la route, à attendre l'homme qui avait prétendu l'aimer, qui lui avait promis de l'épouser. Il n'est pas revenu car il ne l'aimait pas. Il n'aimait que le plaisir qu'elle lui donnait, ce plaisir que pouvait lui offrir n'importe quelle autre femme. Alors, quand la fièvre de l'or s'est emparée de lui, il l'a quittée sans un regard en arrière.

A quelques pas de là, Willow s'était mis la main sur la bouche pour retenir un cri de douleur.

Tu as séduit ma sœur, puis tu l'as abandonnée...

Il ne l'aimait pas, il n'aimait que le plaisir qu'elle lui donnait...

— Ma sœur est morte en mettant ton bâtard au monde, poursuivait Caleb, la vengeance au fond des yeux.

Reno savait que cet homme était sincère, qu'il formulait ce qu'il croyait être la vérité.

Mais lui, il savait que c'était faux.

— Quand? demanda-t-il sèchement.

— L'année dernière.

— Où?

— Allons, tu...

— Où? répéta Reno.

Il voulait connaître le nom de la ville, mais s'il posait la question, Caleb sortirait son arme. Une minute plus tôt, Reno en aurait été ravi.

Plus maintenant.

Caleb avait raison. Tant que Slater et ses hommes rôderaient dans les parages, la grande perdante de n'importe quelle bagarre serait Willow.

— Territoire d'Arizona, articula Caleb.

Reno ouvrit de grands yeux tandis que le puzzle se reconstituait.

— Tu es l'Homme de Yuma?

— Dans le mille, Reno. Je te cherche depuis des mois.

Willow frissonna en entendant la haine dans la voix de Caleb. Elle se rappela ce qu'Eddy avait dit à son ami, le premier jour : il lui ferait savoir s'il apprenait quelque chose sur un homme nommé Reno. Une angoisse épouvantable la saisit à la gorge.

Caleb avait-il toujours su que son frère était sur-nommé Reno ? Était-ce la raison pour laquelle il l'avait séduite ? *Œil pour œil...*

— Tu te trompes gravement, Homme de Yuma. Jamais je n'ai posé la main sur ta sœur. Marty, oui. Il était fou d'elle.

Il y eut un silence tendu, tandis que les deux hommes se mesuraient du regard au-dessus des cendres du feu de camp. Caleb avait une telle envie de croire ce que disait Reno, de ne pas être obligé de tuer le frère de Willow, qu'il en tremblait.

— Qui est Marty ? demanda-t-il doucement.

— Martin Busher, mon associé. En tout cas il l'était jusqu'à ce qu'il rencontre Rebecca Black. J'ai vu comment les choses tournaient, et je suis parti.

— Où se trouve-t-il à présent ?

— Il est mort.

Caleb expira longuement.

— Tu en es sûr ?

— Il devait me retrouver ici il y a environ huit mois, pour partir prospecter. Il n'est jamais venu. J'ai attendu deux semaines, puis je me suis mis seul au travail, per-suadé qu'il s'était marié, installé.

L'expression de Reno se durcit et il poursuivit :

— Un jour, j'ai entendu deux coups de feu. Je suis allé voir ce qui se passait, mais le combat était terminé, et Marty mort.

— Les Indiens ?

— Sans doute. Les chevaux ne portaient pas de fers.

Caleb hésita un instant, puis il mit très lentement la main à sa poche, s'assurant que son geste était net sous la lune.

— Du calme, Reno. Ce n'est pas ma main droite. Je voudrais te montrer quelque chose...

Reno avait déjà remarqué que Caleb était droitier,

pourtant il le surveillait étroitement. Il était fréquent qu'un homme se fît descendre parce qu'il fixait la mauvaise main...

Caleb sortit de sa poche un médaillon en or qu'il ouvrit du pouce.

— Gratte une allumette, dit-il.

Reno obéit, en se servant de sa main droite, car lui était gaucher.

Le bijou scintilla un instant sous la flamme, et Willow se rappela que Caleb le lui avait montré, lui demandant si les gens du portrait étaient les parents de son « mari ». Épouvantée, elle fit comme autrefois, pendant la guerre, quand elle se cachait des soldats et que la panique menaçait de la submerger : elle se mordit violemment la main pour que la douleur physique prît le pas sur tout le reste.

— Tu les reconnais ? interrogeait Caleb.

— Sans doute les parents de Marty.

— Sans doute ? Pourquoi ?

— Les oreilles. Marty en aurait remontré à un pot à lait.

Caleb émit un petit rire soulagé. Pourtant il ne comprenait pas ce qui avait pu le lancer sur la trace d'un homme qui n'était pas le bon.

— Quand j'ai demandé à Rebecca qui était le père, elle m'a parlé d'un individu qu'on appelait Reno, un homme dont le vrai nom était Matthew Moran.

Ses mots résonnèrent dans la tête de Willow, ses pires craintes clairement énoncées par l'homme qu'elle aimait.

Et qui ne l'aimait pas.

Il avait pourchassé Matthew sans le trouver. Alors il s'était servi de ce dont il disposait : une jeune fille qui le conduirait à son ennemi juré.

Willow fut soudain glacée. Caleb était bien tel qu'il lui était apparu à Denver : un ange vengeur.

Œil pour œil, dent pour dent.

Sœur pour sœur...

— Rebecca m'a dit que son amant lui avait donné le médaillon quand il était parti chercher de l'or.

Reno jura doucement entre ses dents.

— Ta sœur a menti à mon sujet, Homme de Yuma.

— Je commence à le croire. Mais pourquoi?

— Qu'avais-tu l'intention de faire, lorsque tu aurais mis la main sur l'homme qui avait séduit ta sœur?

— Lui infliger la raclée de sa vie et le traîner devant un prêtre avec Rebecca.

Reno eut un sourire amer.

— Exactement la conduite que j'aimerais adopter. Ta sœur s'en doutait-elle?

— Elle me connaissait assez.

— Alors elle essayait sans doute de protéger son amoureux. Marty n'avait guère plus de dix-neuf ans. C'était un bon petit, mais il n'aurait pas fait le poids contre toi, quel que soit le genre de combat. Moi si, ajouta-t-il, farouche. Je sais comment me comporter vis-à-vis d'un homme capable de forcer une innocente jeune fille.

— Je n'ai pas forcé Willow, tu le sais.

— Foutaises, Homme de Yuma. Tu étais seul avec elle, elle était à ta merci, et...

— Dis-lui, Willow! l'interrompit Caleb d'une voix coupante.

Sans quitter Reno des yeux, il tendit la main gauche derrière lui, vers la jeune femme qui se tenait dans l'ombre, immobile, silencieuse. Il avait voulu lui épargner cette épreuve, mais c'était trop tard, désormais.

— Dis à ton frère ce qui s'est passé entre nous, insista-t-il.

— Éloigne-toi de lui, Willy!

Sans un mot, Willow s'avança jusqu'à effleurer de ses

bottes les cendres du feu de camp. Négligeant la main de Caleb, elle se planta entre les deux hommes, sans les regarder, sans les toucher. Une goutte de sang s'écoulait de sa main, larme noire sous le clair de lune.

Ce fut la seule qu'elle versa. Les larmes naissaient de la peur, ou de l'espoir, or Willow ne ressentait ni l'un ni l'autre. Seulement un grand froid.

— Willy ? demanda Reno, inquiet du calme presque irréel qui avait envahi sa sœur.

— Je l'ai supplié de me faire l'amour.

Un instant, la signification de ces paroles échappa aux deux hommes, tant ils étaient choqués par son intonation. Sa voix, habituellement un peu voilée, joyeuse, était dure, désincarnée.

— Je ne peux te croire, Willy. Tu n'as pas été élevée...

— Suffit ! coupa Caleb. Tu as posé la question, elle a répondu ; le sujet est clos.

Il caressa les cheveux de Willow, la priant en silence de venir se réfugier contre lui, mais elle demeura immobile, comme si seuls les rayons de la lune la touchaient. Quand les doigts de Caleb passèrent sur sa joue, elle se détourna. Avec un juron, il s'adressa à Reno :

— Tu peux cesser de monter sur tes grands chevaux. J'épouserai Willow dès que je trouverai un prêtre.

Il y eut un long silence, suivi par un soupir de Reno qui abandonna enfin sa posture d'attaque. Son poing se serra, se détendit.

— C'est une sacrément bonne idée, Homme de Yuma.

Willow se rappela la rapidité avec laquelle son frère avait dégainé un peu plus tôt, et elle comprit pourquoi Caleb acceptait de l'épouser. Une fureur indescriptible la submergea, aussi froide que sa passion avait été torride.

— Bonne? répéta-t-elle à voix basse. Un menteur préfère se marier avec moi plutôt que d'affronter mon frère, et ce serait une bonne idée?

Reno se raidit de nouveau.

— Tu veux dire qu'il a menti pour t'attirer dans son lit?

— En quoi t'ai-je menti? demandait Caleb en même temps. Dis-le-moi, Willow. Veux-tu dire que je t'ai séduite grâce à des mensonges? T'ai-je promis le mariage?

Willow émit un petit rire amer.

— Non. Pas de promesses.

— T'ai-je parlé d'amour éternel, comme le font les séducteurs?

Willow avait du mal à respirer.

— Non. Rien sur l'amour éternel.

— Alors, en quoi t'ai-je menti? répéta-t-il. *Parle!*

Willow ravala la boule qui lui bloquait la gorge, et ferma les yeux un bref instant. Caleb disait vrai, ils le savaient tous les deux. Il n'avait pas eu besoin de recourir au mensonge. Elle était tombée dans ses bras comme un fruit doré par le soleil. Il avait même sûrement été déconcerté par la facilité de sa victoire. Pas étonnant qu'il l'eût prise pour une femme légère.

— Tu ne m'as pas dit que tu étais à la recherche de mon frère, murmura-t-elle enfin sans le regarder.

— Je croyais que tu étais sa maîtresse, répondit-il, dur. Tu représentais mon meilleur espoir de venger Rebecca. Or je n'arrivais pas à trouver ton frère. Je n'aimais guère l'idée de me servir d'une femme pour parvenir à mes fins, mais je n'avais pas le choix.

Willow le regarda, pour la première fois depuis qu'elle était sortie de l'ombre des arbres et entrée dans une ombre plus dense encore, à laquelle elle ne voyait pas d'issue.

— J'espère que Marty a vraiment menti à ta sœur, dit-elle d'une voix soyeuse et froide comme la neige. J'espère qu'elle a entendu des milliers de mensonges d'amour, j'espère qu'elle est morte en y croyant. Cela rendrait le souvenir moins... honteux.

— Il n'y a rien de honteux dans ce que nous avons fait! répliqua furieusement Caleb qui sentait son sang-froid le quitter.

Willow avait toujours cet effet sur lui! Lui qui avait la réputation de rester de marbre en toutes circonstances...

— Nous ne sommes pas les premiers à avoir fauté avant le mariage, reprit-il.

— Quel mariage?

— Celui qui aura lieu dès que nous serons sortis de cette fichue région.

— Je ne t'épouserai pas, Homme de Yuma.

Caleb en demeura muet de surprise.

Mais pas Reno :

— Soit tu l'épouses, soit tu l'enterres. A toi de choisir, Willow.

Caleb lui lança un coup d'œil meurtrier, mais il s'exprima calmement :

— Les balles ne sont pas comme les mots, on ne peut revenir dessus quand la colère s'est apaisée.

Willow regarda à travers Caleb comme s'il était transparent, puis elle soupira longuement.

— Oui. Mon frère est plutôt rapide au pistolet, n'est-ce pas?

Ce n'était pas ce que Caleb avait voulu dire, mais il était trop troublé par l'intonation de Willow pour protester. Elle avait la voix d'une inconnue...

— Il est assez rapide en effet, dit-il, distrait.

Le silence s'installa. Willow contemplait l'homme qu'elle avait aimé avant de connaître sa véritable nature. Pourtant, même si la vérité était affreusement douloureuse, elle savait que tout était sa faute, pas celle de Caleb.

« Petite truite stupide, qui ignores la différence entre amour et plaisir physique, qui prends un remous pour la rivière de la vie... »

Willow ferma les yeux, revit l'instant où le pistolet était apparu comme par magie dans la main de Reno. Sans le moindre signe d'avertissement, sans hésitation, seulement la rapidité et l'intention de tuer.

Elle serra ses mains l'une contre l'autre, et une nouvelle larme de sang tomba. Elle sentit à peine la douleur, elle ne sentait plus rien.

Caleb ne m'aime pas, mais il préfère m'épouser que d'affronter mon frère.

Caleb qui lui avait plus d'une fois sauvé la vie, Caleb qui ne l'avait pas forcée à devenir sa maîtresse. C'était même plutôt elle qui l'y avait forcé, en quelque sorte.

« Il est normal qu'il ne m'aime pas. Ce genre d'homme ne peut aimer une femme légère. Il s'en sert... il tire d'elle le plaisir qu'il peut y trouver. »

Le souvenir de sa propre sensualité fit monter en elle une vague brûlante d'humiliation.

— Alors, Willy ? insista Reno, agacé. Un mariage ou un enterrement ?

Willow devait choisir, pourtant elle ne voyait aucune solution. Il lui était impossible de condamner Caleb à mort. Mais il lui était également impossible de se condamner à vivre avec un homme qui la considérerait au mieux comme un fardeau. Et au pire...

Une femme légère.

Cet homme ne ressentait pour elle que du mépris et un désir qu'il pourrait assouvir avec n'importe quelle autre femme.

Lentement elle ouvrit les yeux, et son regard alla de

son frère, qui ne la comprenait pas, à Caleb, qui ne l'aimait pas.

— J'agirai comme je le dois, dit-elle.

Caleb sentit le tourment qui perçait sous ses paroles, mais Reno se contenta de hocher la tête, satisfait.

— Le prêtre le plus proche se trouve au fort, derrière le Great Divide.

Il sourit à sa sœur.

— Je te conduirai à l'autel, Willow, même si cela me coûte une bonne partie de ma saison.

— Inutile.

— Cela me ferait plaisir.

— Plaisir ?

Les deux hommes échangèrent un regard gêné, un peu inquiet.

— Il n'y a pas de plaisir dans un mariage décidé sous la menace, continua-t-elle. C'est pourquoi tu veux m'accompagner : pour être bien certain que le mariage aura lieu.

— Tu as tort, Willy.

Elle contempla son frère comme si elle ne l'avait jamais vu.

— Qui te dit que Caleb ne m'abandonnera pas dès qu'il ne sera plus sous la menace de ton arme ?

— Pour qui me prends-tu ? intervint Caleb avec colère.

— Pour un justicier impitoyable, répondit Willow. Je ne suis rien pour toi, rien d'autre qu'un moyen d'arriver à tes fins. Œil pour œil, vierge pour vierge. Dieu te pardonnera sûrement d'avoir séduit la sœur d'un homme qui n'était pas le bon, puisque tes intentions étaient pures.

— Je ne t'ai pas prise dans un esprit de vengeance, grinça Caleb. Tu le sais parfaitement. Je te désirais !

— Pas autant que *je* te désirais.

Willow. Repousse-moi.

— Willow, souffla-t-il en tendant la main vers elle. Elle recula hors de portée.

Il baissa les bras et se tourna vers Reno :

— J'épouserai ta sœur. Tu as ma parole.

— Je n'en ai jamais douté. Nous partirons dès le prochain orage. Ainsi j'aurai la possibilité de garder cet endroit secret assez longtemps pour en demander la concession.

La lune se refléta dans les yeux dorés de Caleb tandis qu'il scrutait le ciel.

— Demain peut-être. Difficile à dire...

Willow regarda alternativement les deux hommes. Elle ne dit rien, car elle craignait de trahir sa ferme intention de ne pas se marier. Pourtant elle ne voulait pas non plus de funérailles...

— Viens, ma chérie, dit gentiment Caleb en lui tendant de nouveau la main. Tu as besoin de te reposer.

Willow se déroba encore.

— Cesse de faire la sotte, Willy, protesta Reno, impatienté. Caleb t'a séduite, il répare : tout est bien qui finit bien.

— Non, répondit la jeune femme, le regard lointain. Un mariage doit être dicté par l'amour, pas par le devoir.

Reno eut un petit rire.

— Une femme m'a enseigné, en Virginie, que l'amour est le rêve des jeunes gens qui ignorent tout de la vie. Caleb est un homme. Il sait où se trouve son devoir, et il serait temps que tu apprennes où est le tien, Willy. Tu as bien dansé, il est temps à présent de payer le musicien.

— Oui, murmura-t-elle, acceptant les conséquences de ses propres choix. Je comprends.

— Bon ! approuva Reno, soulagé, en venant la prendre dans ses bras.

275

Elle demeura raide, figée.

— Allez, Willy, arrête de bouder. Si tu n'étais pas amoureuse de Caleb, tu ne te serais pas donnée à lui. S'il n'avait pas voulu de toi, il ne t'aurait pas prise. Vous allez vous marier. Où est le drame?

Willow leva le visage vers lui, et il plissa les yeux, alerté.

— Willy?

— Dis-moi comment tu te sentirais, à ma place. Comment te sentirais-tu si une femme acceptait de t'épouser uniquement parce que l'autre possibilité était la mort?

Reno ouvrit la bouche, la referma, trop ému pour parler.

Un juron de la part de Caleb fut la seule réponse que reçut Willow. Et c'était suffisant.

— Oui. C'est un bon résumé de ce que je ressens, dit-elle en s'éloignant d'un pas, les bras serrés autour d'elle, gelée. Excusez-moi, j'ai à faire. Je ne voudrais pas être prise au dépourvu si un orage éclatait brusquement.

— Je vais t'aider, proposa Caleb.

— Non.

— Du diable si...

— Oui, coupa Willow. Au diable. Droit en enfer.

Les deux hommes la regardèrent s'enfoncer dans la nuit. Quand elle eut disparu, Reno poussa un profond soupir.

— Dieu merci, elle ne possède pas de fusil! Elle serait allée le chercher... Et heureusement qu'elle croit t'aimer, Homme de Yuma. Sinon elle te trancherait la gorge pendant ton sommeil.

Caleb secoua la tête.

— Non. Elle m'affronterait directement, bien éveillé, même en sachant qu'elle risquerait de perdre. Il n'y a rien de lâche en elle, et je l'admire pour ça.

— Elle était si facile, étant petite.

— Les petites filles dociles, il faut les mettre dans du coton sur une étagère, si on veut qu'elles le demeurent.

Caleb se tourna dans la direction où avait disparu Willow.

— Je préfère une femme qui n'abandonne pas à la première difficulté. Une femme qui sait choisir et qui ne gémit pas lorsque les choses ne se passent pas comme elle l'avait prévu. Je préfère la passion d'une femme aux rires d'une petite fille. Je préfère... Willow.

— Tu l'as, dit Reno dans un sourire. Elle est furieuse comme un chat à qui l'on veut faire prendre un bain, mais elle se calmera, elle se raisonnera. Elle n'a pas le choix, et elle le sait.

— J'aurais mieux aimé qu'elle vienne à moi de son plein gré.

— A ce que j'ai pu comprendre, jusqu'à présent, tu n'as pas eu à te plaindre de sa mauvaise volonté, dit Reno, sardonique.

— Prêtre ou pas, Willow est *ma femme*, rétorqua Caleb, farouche. Elle s'est donnée à moi en toute innocence, et si tu dis quoi que ce soit qui puisse lui faire honte, nous aurons ce combat que tu cherchais. Je t'en donne ma parole !

Reno haussa un sourcil, puis il se mit à rire et tendit la main à Caleb.

— Bienvenue dans la famille, mon frère. Je suis heureux que Willow ait trouvé un homme aussi valeureux.

Caleb finit par sourire en acceptant la main offerte.

— Merci, Reno. Si un jour tu as besoin d'un fusil supplémentaire, fais-le-moi savoir. Je serai à tes côtés.

— Eh bien, je vois un combat s'approcher sans que j'aie besoin de te prévenir. J'espère que Wolfe n'est pas trop loin. Deux tireurs contre la bande de Slater, ce n'est pas assez.

— Ça pourrait l'être si tu avais un fusil à répétition.

— Wolfe m'en a parlé. Il dit que tu peux charger et tirer presque dans la même seconde.

Caleb hocha la tête.

— En effet. Existe-t-il un autre passage pour sortir d'ici?

— Peut-être; ça dépend des chevaux. Regarde...

Reno s'accroupit et se mit à dessiner un plan dans les cendres à l'aide d'une brindille, tout en décrivant les lieux à mi-voix.

De l'autre côté de la petite vallée, Willow se raidit, l'oreille aux aguets. Elle n'avait pas compris ce que se disaient les deux hommes, mais elle avait entendu leurs voix malgré le murmure du vent et le chuchotement du ruisseau.

Soudain, elle ne distinguait plus rien et craignait que Caleb ne vînt bientôt se coucher. Or elle avait besoin de quelques minutes encore...

Rapidement, elle enfouit le journal de Caleb dans la poche de sa veste avec le crayon. Caleb avait soigneusement tracé le plan de la contrée qu'ils avaient traversée ensemble, ainsi que des passes plus faciles qu'ils n'avaient pas utilisées. Grâce à cette carte et aux étoiles, elle trouverait son chemin à travers les montagnes.

Elle se dirigea vers les chevaux, munie de sa selle et de quelques affaires ramassées à la hâte. L'une de ses poches était pleine de viande séchée, seul aliment qu'elle mangerait jusqu'à Canyon City. Cette perspective la tracassait beaucoup moins que l'idée d'abandonner ses juments. Mais celles-ci seraient bien plus en sécurité avec Caleb.

Le vent tourna, lui apportant le murmure de voix masculines, et elle se détendit un peu. Elle aurait préféré être partie avant que Caleb vînt la rejoindre, mais c'était trop dangereux. Si quelques minutes seulement les séparaient, il la rattraperait sans mal. Il lui fallait mettre une bonne distance entre eux afin que toute poursuite devînt dérisoire.

Ishmael renifla doucement en la sentant approcher. Elle posa la selle à terre et déroula le sac de couchage qu'elle avait préparé comme si elle avait l'intention de dormir près des chevaux dans la prairie. Les couvertures étaient gonflées par les différents objets qu'elle avait emportés, mais Caleb ne le remarquerait sans doute pas, dans le noir. Elle n'avait pas pris son sac de tapisserie, qui l'aurait trahie.

Elle s'assit pour écrire :

Matt, je suis désolée de ne plus être l'innocente jeune fille de tes souvenirs. Obliger Caleb à m'épouser ne changerait rien à ce qui s'est passé.

Ne te mets pas à ma recherche. Laisse-moi tout oublier et recommencer ma vie.

Si tu vois nos frères, dis-leur que je pense souvent à eux avec tendresse.

Elle s'interrompit. Le courage lui manquait pour la suite. Pourtant il fallait poursuivre, expliquer à Caleb qu'il n'avait aucun devoir envers elle.

Prends une jument, Caleb, en paiement pour m'avoir conduite jusqu'à mon frère. S'il te plaît, confie les trois autres à Wolfe. Il pourra en garder une aussi s'il s'occupe des deux dernières en attendant que je vienne les chercher.

Après cela, tu ne me devras plus rien. Nous serons tous les deux libres.

L'esprit vide, Willow demeura un instant figée, puis elle alla dire au revoir à ses juments, qui prirent cette visite nocturne avec bonne humeur, comme tout ce qui venait de leur maîtresse bien-aimée. Willow avait les yeux brûlants de larmes tandis que les nez de velours se frottaient contre elle, à la recherche de caresses.

— Caleb vous soignera bien, mes belles. Mieux que je ne le ferais.

Ishmael dressa soudain les oreilles et regarda au-dessus de la tête de Willow qui se retourna lentement, devinant qui se trouvait derrière elle.

— Il est trop tard pour commencer à faire lit à part, dit Caleb en désignant le sac de couchage et la selle en guise d'oreiller.

Incapable de parler, Willow se contenta de hausser les épaules.

— Allons, viens te coucher avec moi, chérie. Rien n'a changé.

Elle secoua la tête, lasse.

Caleb la saisit par le bras au moment où elle se détournait, et elle poussa un petit cri étonné. Elle avait oublié combien il était vif.

— Ne me touche pas, je te prie.

Caleb cligna des yeux sous son intonation distante, mais ne la lâcha pas.

— Tu es ma femme.

— Je suis ta catin.

Il l'attira à lui et l'emprisonna contre son corps, regrettant qu'il fît nuit.

Puis il vit l'expression de son regard, et il regretta qu'il y eût autant de clair de lune...

Ses yeux n'étaient pas plus vivants que sa voix. Elle fut traversée par un long frisson, qui autrefois aurait trahi sa passion. Mais à présent, ce n'était qu'un affreux mélange de honte et de résignation.

— Tu n'es pas ma catin, lança Caleb, sauvage. Tu ne l'as jamais été !

— Femme légère, catin, comme tu voudras... Le nom importe peu. Lâche-moi !

— Non ! cria-t-il en la serrant davantage.

Elle ne s'attendait pas à ce refus brutal, ni au désir qu'il ne faisait aucun effort pour dissimuler.

Willow en fut choquée. Elle ne pensait pas qu'il insisterait pour l'avoir dans son lit ce soir.

Elle s'était trompée. Et ce n'était pas la première fois qu'elle se trompait au sujet de Caleb.

— Je vois, dit-elle en déboutonnant sa veste, les doigts tremblants. Tu veux encore jouir de mon corps...

Il posa une main sur sa bouche.

— *Suffit !* gronda-t-il. Tu es ma femme, pas une fille de joie, et tu le sais parfaitement !

Les yeux de Caleb n'étaient plus que deux fentes argentées sous la lune, sa bouche une ligne sombre.

Willow sentait sa rage, une rage comme elle n'en avait jamais vu. Brusquement, il remplaça sa main par sa bouche, écrasa la sienne, exigeant, la laissant impuissante contre cet assaut violent.

Mais bientôt il se fit tendre, caressant, d'une sensualité bien plus dangereuse que la force. Ses mains glissaient sur elle, la faisaient trembler.

Willow était désespérée. Caleb la connaissait trop bien... Elle enfonça ses ongles dans ses bras.

— Oui, souffla-t-il. Viens. Tu as mal, tu es en colère, et je ne sais plus quoi faire. Décharge-toi sur moi, Willow, je n'ai pas peur. Débarrasse-toi de ce qui te tracasse.

Il avait compris qu'un feu dévorant brûlait en elle, et un petit cri de désespoir échappa à la jeune femme, de se voir ainsi découverte.

— Arrête, je t'en prie, arrête, supplia-t-elle d'une voix tremblante. Laisse-moi un peu de fierté, Homme de Yuma. Même les catins en ont besoin.

Caleb fut soudain glacé.

— Cesse de répéter cela, tu m'entends ? *Tu n'es pas une catin !*

— Prouve-le. Laisse-moi dormir où je veux. Laisse-moi dormir seule !

Un lourd silence s'éternisa, à tel point que Willow eut envie de hurler. Pourtant aucune émotion ne transparaissait sur son visage. Elle se contentait de regarder Caleb froidement tandis qu'elle attendait son verdict.

— Dors où tu veux quand tu veux, dit-il enfin. J'en ai assez d'être traité de vil séducteur à la fois par toi et par ton frère.

Il la lâcha et Willow recula de quelques pas.

— Fais-moi signe quand tu seras fatiguée de bouder, quand tu voudras que je te traite comme ma femme. Alors je te dirai si j'ai encore envie d'être ton mari.

17

Willow était à plusieurs kilomètres de l'étroit défilé par lequel elle était sortie de la vallée lorsqu'elle mit pied à terre et débarrassa les sabots d'Ishmael des derniers lambeaux de sa veste d'équitation dont elle les avait enveloppés.

L'étalon renâcla et tapa du pied.

— Je sais, dit doucement la jeune femme en lui caressant le flanc. Cela t'a ennuyé, mais c'était indispensable pour ne pas faire de bruit sur les rochers.

Elle leva les yeux vers le ciel qui pâlissait à l'est. Elle aurait aimé pouvoir se cacher durant la journée, mais elle était encore beaucoup trop près de la vallée. Il lui faudrait chevaucher sans relâche tout le jour, et aussi la nuit suivante.

Demain, à l'aube, elle pourrait attacher Ishmael dans une petite prairie et dormir à ses pieds. Demain seulement. Pas aujourd'hui.

Elle se remit en selle. Autour d'elle, le paysage émergeait de la nuit, les montagnes se découpaient sur le ciel. Elle garda Ishmael à la lisière de la forêt afin de s'y dissimuler en cas de besoin.

Le lourd fusil reposait en travers de ses cuisses, la gênant parfois un peu, mais elle était rassurée par la crosse de bois poli, les deux canons chargés, prêts à faire feu.

Soudain Ishmael dressa les oreilles et tourna la tête vers la gauche, de l'autre côté de la prairie.

Sans hésiter, la jeune femme le dirigea à droite, sous les arbres, fuyant ce que l'étalon avait senti. Ils s'enfoncèrent profondément jusqu'à ce qu'Ishmael eût du mal à se frayer un passage entre les troncs, et Willow à éviter les branches basses. Puis elle lui fit suivre un chemin parallèle à la lisière de la forêt.

Elle n'entendait que le grincement de sa selle, le bruit des sabots sur le tapis d'aiguilles de pin, le murmure du vent dans les feuilles.

Peu à peu, la forêt devint moins dense, se transforma en quelques bosquets, puis en quelques arbres, pour enfin déboucher sur une immense prairie où couraient quelques ruisseaux bordés de saules.

La route qu'indiquait le journal de Caleb traversait ce vaste bassin de part en part, parfois à l'orée de la forêt, mais plus souvent à découvert. Le début serait le pire : elle devrait chevaucher sur environ quatre kilomètres sans guère de protection.

Willow raffermit sa prise sur le fusil et sur les rênes, tandis qu'elle scrutait l'étendue d'herbe et de fleurs sauvages, à la recherche du moindre mouvement. Elle n'y voyait guère, dans la lueur qui précède l'aube, pourtant elle aperçut quelques formes, sans doute des chevreuils, qui progressaient lentement à la lisière des arbres. Tout était silencieux, hormis le cri d'un aigle qui se lançait à la recherche de sa première proie de la journée.

Willow inspira profondément. Aucune odeur de fumée, aucune trace de vie humaine, rien qu'une étrange sensation de picotement sur sa nuque...

Brusquement, Ishmael fit un écart, renâcla. Devinait-il le malaise de sa maîtresse, ou avait-il flairé l'odeur d'un autre cheval ?

— Du calme, mon beau, murmura-t-elle. Je n'aime pas cet endroit plus que toi, mais c'est la seule route. Dépêchons-nous d'en finir avant le lever du soleil.

Elle effleura ses flancs, et il se mit au galop.

Il y eut soudain un cri venant de la forêt, à la gauche de Willow.

« Ça ne peut pas être Caleb. Après ce qu'il a dit cette nuit, il ne me suivra pas. Et il fait à peine jour. Lui et Matt doivent être en train de se réveiller. »

Il y eut un autre cri, et Willow jeta un coup d'œil par-dessus son épaule. Quatre cavaliers s'approchaient, montés sur de gros chevaux bais aux longues jambes. Ils gagnaient du terrain à chaque foulée.

De la voix et du geste, elle poussa Ishmael qui allongea son galop. Les autres suivaient toujours.

Le fusil bien serré, elle se pencha sur le cheval, l'encouragea à accélérer encore.

L'herbe et les buissons passaient comme l'éclair, le vent faisait pleurer Willow, lui coupait la respiration, les sabots martelaient le sol. L'allure était beaucoup trop rapide, compte tenu de la faible lumière, mais la jeune femme n'avait pas le choix : il lui fallait semer ses poursuivants.

Elle se pencha davantage, reposant alternativement

sur chaque épaule du cheval afin de peser moins lourd, mais le fusil gênait à la fois la monture et la cavalière. Elle parvint à le ranger dans son étui de selle.

Au bout d'un moment, elle regarda encore derrière elle et se glaça. Les inconnus se rapprochaient dangereusement. Dans le mouvement, le vent fit voler son chapeau, et ses cheveux claquèrent comme un drapeau dans son dos. Elle se pencha sur le cou de l'étalon.

Quelques minutes plus tard, elle s'aperçut qu'ils avaient distancé leurs poursuivants. Ceux-ci, en désespoir de cause, se mirent à tirer.

La lumière insuffisante et le galop effréné du cheval les sauvèrent. Au-dessus du grondement des sabots d'Ishmael, Willow entendit les détonations, mais aucune balle ne semblait s'approcher de son but.

Willow encouragea encore l'étalon, tandis que l'aube teintait de rouge les sommets environnants...

Le ruisseau surgit de nulle part, dissimulé par un repli de terrain. Willow eut à peine le temps de voir la barrière de rochers et d'eau qui se mettait en travers de leur route. Elle ne faisait qu'un avec le corps du cheval qui s'éleva en un saut prodigieux.

Mais il avait été surpris, et il trébucha en atterrissant. Willow leva les rênes bien haut, crispée sur les étriers, et lui fit retrouver son équilibre. Leste comme un chat, l'étalon se remit aussitôt au grand galop.

Les poursuivants perdaient du terrain. L'un des chevaux avait même abandonné. Ils n'avaient pas l'endurance d'Ishmael sur une longue distance.

Willow en eut la tête qui tournait de soulagement. Toujours inclinée sur le cou de l'animal, elle le félicita pour son exploit, et il remua les oreilles, écoutant sa cavalière. Il respirait fort, mais son pas restait égal. Cependant, il ne maintiendrait pas ce train indéfiniment, elle le savait...

Des détonations retentirent de nouveau derrière Willow qui se retourna brièvement. Tous les chevaux avaient abandonné la course, sauf un. Il avait l'allure longue, racée d'un pur-sang, pourtant il perdait lui aussi du terrain.

Willow en demanda davantage encore à son étalon qui allongea le cou et obéit. Elle savait qu'elle le menait trop vite, trop durement, trop longtemps, mais elle n'avait pas le choix.

Quand ils eurent traversé toute la prairie, Ishmael avait du mal à respirer, il était couvert d'écume, mais sa foulée demeurait régulière. Willow s'essuya les yeux d'un revers de manche et se retourna.

Le dernier poursuivant disparaissait rapidement à l'horizon, incapable de courir davantage.

Avec des larmes de soulagement, Willow remit Ishmael au petit galop. Ils arrivèrent à un endroit où la prairie contournait une langue de pierre qui descendait de la montagne. Personne ne la suivit dans la courbe, et elle ralentit encore son étalon.

Soudain elle tira si fort sur les rênes que le cheval se cabra.

Dans l'indécise lumière du jour, cinq cavaliers, déployés autour de Willow, se refermaient sur elle à vive allure. Inutile de faire demi-tour pour repartir dans l'autre sens. Ishmael ne pourrait supporter une autre chevauchée du même acabit, et ce serait retomber entre les griffes des premiers poursuivants. Il était tout aussi impossible de s'échapper par les côtés, car la vallée, étroite à présent, était cernée de hautes parois rocheuses.

Willow choisit la seule solution envisageable : elle sortit son fusil et poussa une fois de plus Ishmael au grand galop. Les cheveux au vent, elle chargea les hommes qui fonçaient sur elle.

286

Caleb vit l'herbe écrasée là où s'était trouvé le sac de couchage de Willow, compta les chevaux et jura violemment.

« Elle ne peut pas s'être enfuie. Nous l'aurions entendue... »

Comme il se détournait, il aperçut la feuille de papier accrochée à un buisson. Il l'arracha, la lut, et eut l'impression de recevoir une douche glacée.

Willow avait préféré s'en aller seule dans la nuit plutôt que d'affronter la journée avec lui.

— Tu l'as trouvée ? demanda Reno en s'approchant.

— Elle est partie cette nuit avec Ishmael.

— On l'aurait entendue ! Elle s'est sûrement cachée sous les arbres.

— Son étalon n'est pas là, et elle non plus. Elle a emmailloté les sabots.

Il s'agenouilla, roula ses couvertures et les attacha derrière sa selle.

— Elle a laissé un mot pour répartir ses juments.

— Mais pourquoi ? s'exclama Reno.

— Elle aime ses juments comme une mère aime ses petits, pourtant sa haine envers moi est la plus forte. Elle traverserait l'enfer pour m'échapper.

— Willy n'est pas idiote ! Où espère-t-elle aller ? Elle ne connaît pas ces montagnes.

— Elle a emporté mon fusil et mon journal de route.

Tout en parlant, Caleb prenait dans sa sacoche deux boîtes de cartouches qu'il glissa dans la poche de sa veste.

— Elle risque de se perdre, mais ce n'est pas là son seul problème.

— Slater ! s'écria Reno. Pourtant elle sait bien qu'il rôde dans les parages. Dieu, que lui as-tu fait, cette nuit ?

— Je me suis conduit en gentleman ! rétorqua sèchement Caleb. Elle m'a dit qu'elle voulait dormir seule, et j'ai cédé. Mais ne t'inquiète pas, Reno. C'est la dernière fois que je me comporte de façon aussi stupide !

Comme un rayon de soleil effleurait le plus haut sommet, le sifflement de Caleb déchira le silence, et ses deux grands chevaux arrivèrent en trottinant. Caleb se dirigea vers Trey tandis que Reno rejoignait son campement. Il reparut quelques minutes plus tard avec une selle et une bride.

Peu après, ils émergèrent de l'épais taillis qui protégeait l'accès à la petite vallée. Reno, sans se soucier d'en masquer de nouveau l'entrée, se penchait sur le cou de son cheval, à la recherche d'indices. Caleb lui fit un signe et se mit à descendre le long du ruisseau, sans essayer de dissimuler ses traces en marchant dans l'eau.

Reno ne protesta pas. Que l'on découvrît l'emplacement de la vallée était bien le cadet de ses soucis. Il fallait trouver Willow avant Slater.

Soudain, Caleb tira sur les rênes de son cheval et leva la main pour imposer le silence. Les deux hommes se dressèrent sur leurs étriers, aux aguets, se demandant s'ils avaient réellement entendu des coups de feu et d'où ils venaient.

Il y eut encore quelques détonations, suivies du son d'un fusil à double canon, loin au-dessous d'eux.

Caleb éperonna Trey, Reno sur ses talons. Tous deux avaient sorti leurs armes, mais ils n'avaient guère d'espoir d'arriver à temps pour s'en servir. Les coups avaient été tirés à des kilomètres. Ils ne découvriraient sans doute que des cartouches vides quand ils seraient sur place.

Wolfe les attendait juste à l'orée de la grande prairie, à l'endroit où Willow avait scruté le paysage, à la recherche d'une présence humaine.

— Slater et sa bande ont la fille ainsi que l'étalon, annonça-t-il. Elle n'est pas blessée, et ils ne lui feront pas de mal avant un moment. Slater essaie de lui faire avouer où vous vous trouvez, mais si nous attaquons, il est bien capable de lui trancher la gorge rien que pour t'embêter, Caleb. Tu le connais...

— Oui, répondit Caleb, tendu. Peux-tu nous montrer où ils sont?

Wolfe hocha la tête et engagea à travers la prairie son étrange jument gris-bleu à la crinière et à la queue noires, qui ressemblait à un mustang.

Les trois chevaux traversèrent la grande plaine en diagonale pour se retrouver à la lisière d'une forêt où ils ralentirent leurs montures. Spontanément, Wolfe avait pris soin de se tenir entre Reno et Caleb. Ses yeux indigo allaient de l'un à l'autre. Caleb savait-il que son compagnon était l'homme qu'il recherchait?

Au bout d'un moment, il s'adressa à Reno:

— Tu es sans doute Matthew Moran.

— On l'appelle Reno, répondit Caleb à sa place.

Wolfe se détendit quelque peu.

— C'est aussi sous ce nom que je le connais. J'ignorais que tu étais marié, Reno.

— Willy est ma sœur. Et bientôt l'épouse de Caleb.

— Épouse? répéta doucement Wolfe.

Caleb acquiesça.

— Eh bien, si cette guerrière blonde que j'ai aperçue ce matin t'a mis la corde au cou...

— Où l'as-tu aperçue?

— Tu vois ce petit piton, là-haut?

Il s'agissait d'un promontoire qui surplombait la prairie.

— Oui.

— J'y étais installé avec mes jumelles, en train de surveiller la bande de Slater, expliqua Wolfe. La fille avait fait quelques centaines de mètres dans la prairie quand elle a remarqué les hommes derrière elle. Elle n'a pas perdu une minute, elle a lancé son étalon au triple galop, Slater derrière elle avec son grand cheval de course.

Reno secoua la tête en jurant entre ses dents.

— Elle n'avait pas une chance...

— C'est ce que pensait aussi Slater, reprit Wolfe. Au bout d'un kilomètre, il avait gagné du terrain. Au deuxième, il avait du mal à soutenir l'allure. Ensuite, il s'est fait distancer. Il a tiré, mais c'était trop tard.

— Je le tuerai! gronda Caleb.

Wolfe lui lança un coup d'œil de côté.

— C'est tout ce qu'il mérite.

— C'est à ce moment-là qu'il l'a attrapée? Elle s'est rendue lorsqu'il a ouvert le feu?

— Bon sang, non! Elle a continué à pousser son cheval. Ils ont sauté une rivière; l'étalon a failli tomber, mais elle l'a remis d'aplomb et l'a encouragé à continuer au même train. Et il a obéi. Je n'ai jamais vu ça!

— Quoi? questionna Reno.

— Un pareil étalon. Ta sœur l'a fait galoper ventre à terre pendant des kilomètres, sans cravache, sans l'éperonner. Elle était seulement collée à son cou comme un chardon. Le cheval de Slater est courageux, mais il n'a pas l'endurance de celui-là!

— Alors, comment l'a-t-il rattrapée?

— Il n'a pas pu. Mais il avait divisé son équipe. Il y en avait la moitié de l'autre côté. A un tournant de la prairie, elle est tombée sur eux.

Wolfe jeta un regard à Caleb et demanda :

— Tu es sûr de vouloir l'épouser?

— Sacrément sûr.

— Dommage. Je dois t'avouer, Caleb, que s'il s'agissait d'un autre que toi, je tenterais ma chance...

— Ne t'y risque pas !

Wolfe eut un sourire éblouissant dans son visage hâlé.

— Je te comprends. Cette petite est vraiment quelqu'un ! Elle a vu les hommes déployés autour d'elle, et son cheval s'est cabré. Alors, elle l'a lancé vers l'écart le plus grand entre les bandits, elle a sorti son fusil, et elle a foncé.

Reno était abasourdi.

— Elle a fait ça ?

Wolfe acquiesça.

— Tu n'as pas l'air surpris, Caleb ?

— Non. Quand les Comancheros nous ont attaqués, mon cheval a trébuché, je suis tombé. Willow est revenue vers moi malgré les balles qui fusaient de partout.

— Je comprends que ça t'ait donné des idées de mariage, dit Wolfe en souriant. Moi-même, en la voyant se jeter sur les hommes de Slater... Les demoiselles que j'ai connues à Londres étaient belles comme l'aurore, mais elles n'auraient pas tenu longtemps dans nos régions.

— Willow s'est débrouillée à merveille dès que je lui ai trouvé des vêtements appropriés, dit Caleb.

— Oui, je les ai reconnus, fit Wolfe. Les hommes de Slater ont mis quelques secondes à comprendre que c'était une femme qui chevauchait l'étalon. Ils se sont dit qu'ils n'auraient pas de mal à la maîtriser. Ils ont tiré quelques coups, elle a riposté, mais l'un d'eux a pu la saisir au moment où elle passait à sa portée.

Caleb crispa les doigts sur son arme.

— Lui a-t-il fait du mal ?

— Pas autant qu'elle lui en a fait. Il aurait aussi bien pu se battre avec un chat sauvage. Le temps que je m'approche, Willow était ligotée au sol, et il ne restait plus guère de peau sur le visage de l'homme qui l'avait attrapée.

Wolfe s'abstint de préciser que Willow portait sur les joues des traces de griffures, elle aussi.

— Alors Slater est arrivé et il a commencé à la questionner à ton sujet, poursuivit-il. Elle a répondu qu'elle s'était perdue, qu'elle ignorait où tu te trouvais.

— Il l'a crue? demanda Reno.

Wolfe ôta son chapeau, se passa la main dans les cheveux.

— Non. Il a trouvé un carnet qu'elle avait sur elle. Apparemment il contenait une carte, et quelques notes.

— Mon journal, expliqua Caleb. Elle l'avait emporté.

Wolfe plissa les yeux, mais ne posa pas les questions qui lui brûlaient les lèvres.

— Slater lui a dit de montrer sur la carte l'endroit d'où elle venait. En le regardant bien droit dans les yeux, elle a affirmé qu'elle ne savait pas lire. Il lui a lancé le carnet à la figure et lui a conseillé d'apprendre avant que les chevaux aient fini de se reposer.

— Combien nous reste-t-il de temps? interrogea Reno.

Wolfe regarda les alentours, l'angle du soleil.

— Encore une heure, peut-être. Les chevaux étaient couverts d'écume. C'est pourquoi j'ai pris le risque de venir vous chercher. Je m'étais donné encore cinq minutes pour vous attendre, et puis je serais reparti là-bas.

Caleb serra les dents. Jed Slater était habitué à obtenir ce qu'il voulait de la façon la plus efficace. Sa réputation de cruauté n'était pas usurpée.

Wolfe devina ses pensées. Malgré lui, il ne put s'empêcher cette fois de poser la question qui le tracassait :

— Comment as-tu été séparé de Willow?

Caleb ne répondit pas, mais Reno jura avant d'avouer :

292

— Elle a emmailloté les sabots de son cheval, et elle a filé pendant la nuit.

Wolfe demeura un instant silencieux.

— Elle vous a bernés tous les deux, dit-il enfin.

— Oui.

— Bon sang! Et tu ignores pourquoi elle s'est enfuie?

Ce fut Reno qui prit de nouveau la parole :

— Elle pense que Caleb l'a séduite pour se venger de moi, car il croyait que j'avais déshonoré sa sœur.

— Par le Ciel! jura Wolfe. Mais pourquoi...

— Les chevaux ont suffisamment récupéré, coupa Caleb. Allons-y!

Sans se préoccuper de savoir si les autres le suivaient, il lança Trey au galop. Une minute plus tard, Wolfe prenait la tête. Ils ne parlèrent plus jusqu'à ce qu'il fît signe d'arrêter.

— Il faut abandonner les chevaux ici, dit-il.

Tandis que Reno attachait leurs montures, Caleb ôta ses bottes, enfila des mocassins. Wolfe se dirigea vers un promontoire rocheux d'où ils auraient une bonne vue sur la vallée. Ils parcoururent les derniers mètres en rampant.

Le campement de Slater était établi à environ trois cents mètres de là, au bas d'une pente trop abrupte pour accueillir de la végétation. L'autre accès était une prairie où paissaient dix chevaux, tandis que cinq autres étaient promenés à la longe afin de les reposer de leur épuisante chevauchée.

Ishmael faisait partie de ces derniers. Il faudrait bien encore une demi-heure pour qu'ils soient suffisamment remis et puissent rejoindre les autres. Alors Slater reviendrait interroger Willow.

Elle devrait être partie avant.

Prenant bien soin de ne pas envoyer de reflets, Caleb chercha la jeune femme à l'aide de ses jumelles.

Elle était dans un coin du campement, les pieds et les mains liés, sur un amas de matériel. Une corde reliait dans son dos ses chevilles à ses poignets.

A quelques mètres, un homme appuyé à une selle se curait les ongles à l'aide d'un canif. Il avait le visage griffé comme s'il s'était battu avec un chat sauvage.

Willow bougea un peu et ses cheveux glissèrent, révélant une marque rouge sur sa joue. Caleb retint son souffle et fixa longuement le garde. Puis il reprit son exploration, notant mentalement les positions des autres bandits, les possibilités de se cacher, les lieux propices aux embuscades.

Pendant ce temps, Wolfe parlait à voix basse :

— Si Slater a gardé ses bonnes habitudes de la guerre, il y aura un homme près de Willow et un autre à une trentaine de mètres du camp, là où on s'y attendrait le moins. A la première alerte, ils tireront tous les deux sur elle.

— J'ai repéré un individu dans les rochers, sur la droite, dit doucement Caleb. Je m'occuperai de lui.

Il tendit ses jumelles à Reno.

— Pareil pour celui qui est près d'elle, poursuivit-il, celui qui a les joues griffées. Je tiens tout particulièrement à me le réserver.

Reno observa la pente et les environs du campement tandis que Caleb se débarrassait de sa lourde veste, vérifiait que le six-coups était bien à sa place dans le holster.

— Tu ne pourras pas t'approcher sans te faire remarquer, dit Reno. Et si tu tires, Willow sera la victime suivante. Il faut attendre la nuit.

— Slater n'est pas un homme patient, rétorqua Caleb. Je n'ai pas l'intention de rester là à le regarder l'interroger puis la lacérer avec sa cravache quand elle ne répondra pas. Il a fait cela à Mexico à une femme qui refusait de lui dire où se trouvait son époux.

Reno allait bondir lorsque Wolfe le retint d'une poigne d'acier.

— Du calme. Cal a raison. Si quelqu'un peut sortir Willow vivante de ce campement, c'est lui.

— Tiens, dit Caleb en tendant son fusil à Wolfe. Les cartouches sont dans la poche de ma veste. A cette distance, il dévie de quelques centimètres sur la gauche. Willow et moi serons dans ta ligne de tir pendant une quinzaine de mètres. Après ça, je l'emmènerai en haut du ravin, à l'arrière du campement. Une fois de l'autre côté du sommet, nous attendrons que tu nous amènes les chevaux.

Wolfe acquiesça en soupesant sa nouvelle arme.

Caleb se tourna vers Reno :

— Tu sais marcher sans faire de bruit ?

— Mieux que bien d'autres mais pas tout à fait aussi bien que toi, intervint Wolfe. C'est comme moi, et pourtant j'ai été élevé parmi les Cheyennes.

— Bon. Tu peux rester ici, Reno, ou bien m'accompagner une partie du chemin. Nous verrons alors si tu es vraiment rapide avec ton six-coups.

Reno eut un sourire carnassier.

— Je serai là, compte sur moi.

Willow risqua un coup d'œil derrière l'écran de ses cheveux et vit qu'on promenait toujours les chevaux. Elle recommença à essayer de se libérer de ses liens, mais elle avait beau tirer, elle arrivait tout juste à se faire mal aux poignets. Pourtant cette douleur n'était rien à côté de la panique qui s'était emparée d'elle. Elle ne voulait plus jamais voir l'horrible promesse qu'elle avait lue dans les yeux de Slater. Ce type lui faisait horreur.

Malgré ses efforts, les nœuds ne se relâchaient pas. Luttant contre le désespoir, elle frotta plus fort ses poignets contre la corde; s'ils saignaient, peut-être glisseraient-ils mieux...

Un coup d'œil à son garde lui indiqua qu'il avait enfin fini de se triturer les ongles. Étendu sur le dos, la bouche ouverte, il semblait endormi.

Elle en profita pour tirer plus ouvertement sur ses liens.

— Ne bouge pas, chérie, je ne veux pas risquer de te blesser.

Un instant, elle crut qu'elle était devenue folle, qu'elle délirait. Puis ses poignets furent libérés et elle ravala un cri de soulagement.

— Passe tes chevilles sur la droite, soufflait Caleb d'une voix à peine audible.

Elle obéit et, quelques secondes plus tard, la corde était coupée.

— Maintenant, recule doucement pour te trouver derrière la butte. Non! Ne regarde pas le camp. C'est mon travail. Occupe-toi de ce que tu fais.

Willow rampa lentement jusqu'à être cachée par le tas de provisions. Caleb était à plat ventre.

— Couche-toi et glisse-toi vers ce petit repli dans l'herbe. Tu le vois?

Elle se mit lentement en route.

— Le repli mène à une ravine d'une trentaine de centimètres de profondeur, poursuivit Caleb. Suis-la vers la gauche et continue à ramper en montant jusqu'aux rochers. Ton frère est caché derrière. Quoi que tu fasses, reste couchée, surtout. Reno et Wolfe devront tirer au-dessus de nos têtes si nous sommes découverts.

Willow avait envie de poser des questions, mais elle lut dans les yeux de Caleb que ce n'était pas le moment.

Elle se mit à ramper, avec l'impression que l'on ne voyait qu'elle... Quand elle levait légèrement la tête pour se repérer, il lui semblait qu'elle n'avait pas progressé d'un pouce. Mais si elle voulait aller plus vite, Caleb la retenait par la cheville, l'obligeant à avancer si lentement qu'elle avait envie de hurler de frustration.

Lorsqu'elle atteignit enfin la ravine, elle constata que celle-ci fournissait une protection illusoire. Peu profonde, elle ne les cachait guère mieux que l'herbe... Et les rochers étaient encore à une bonne trentaine de mètres.

La joue contre le sol, elle continua à se propulser sur ses bras, tremblant de peur et de fatigue.

Ils étaient à une quinzaine de mètres de leur but quand l'un des hommes de Slater s'aperçut que Willow avait disparu.

18

Le cri d'alarme fut interrompu lorsque Wolfe ouvrit le feu avec le fusil à répétition, arrosant le campement d'un tir nourri. Caleb se jeta sur Willow pour la protéger de son corps, tandis que plus haut Reno déchargeait son six-coups. Les hommes de Slater ripostèrent aussitôt.

Aplatie au sol, terrorisée, le souffle coupé, Willow sentit le corps de Caleb tressauter, elle l'entendit jurer. La fusillade continuait, les balles s'enfonçaient dans le sol autour d'eux, mais elle ne voyait rien.

Soudain, le six-coups de Reno se tut, alors que le fusil à répétition poursuivait son travail de mort.

— Courez! hurla Reno.

Willow avait à peine eu le temps d'enregistrer cet ordre que Caleb la mettait sur ses pieds et la tirait vers les rochers.

Reno était appuyé à la paroi, en train de recharger. Caleb et Willow passèrent devant lui en trombe, tandis que le fusil à répétition cessait enfin de tirer.

Reno ouvrit aussitôt le feu pour permettre à Wolfe de recharger à son tour. Cette fois les tirs furent plus espacés, car Reno prenait le temps de viser ceux qui avaient l'imprudence de sortir la tête pour voir ce qui se passait. Il était à une distance limite, mais il excellait à manier le revolver.

— Grimpe ! dit Caleb en montrant à Willow un cours d'eau à sec. Quand tu atteindras les arbres, mets-toi à couvert et restes-y jusqu'à ce que nous venions te chercher. Maintenant, *cours !*

Willow obéit alors que le fusil à répétition recommençait à tirer. Caleb l'observa un moment pour voir si elle prenait bien la direction indiquée. Puis il se tourna vers Reno :

— Je vais te couvrir, tu peux y aller.

— Tu es blessé, rétorqua Reno sans quitter le camp des yeux. Je reste.

— C'est le bras gauche. File !

Reno tira son dernier coup et grimpa derrière Willow tout en rechargeant.

Caleb avait choisi sa cible. Dès que Reno eut disparu, il ouvrit le feu. L'un des hommes de Slater bondit pour trouver un meilleur abri. De l'autre bout du campement, quelqu'un répliqua avec un fusil à répétition. Wolfe riposta aussitôt.

Un autre fusil à répétition se fit entendre chez les bandits. Caleb comptait machinalement les coups. Huit pour l'un, neuf pour l'autre. Ce n'étaient pas les mêmes modèles que le sien. Ceux-là contenaient moins de balles et étaient plus longs à charger.

— Prêt ! hurla Reno.

Caleb courut de toutes ses forces vers le haut du

ravin, sans même essayer de recharger en route, car sa main gauche dégoulinait de sang. Il passa devant Reno, monta encore, puis enfin il remit des munitions dans son six-coups et cria à Reno de le rejoindre. Tous les deux pénétrèrent sous le couvert des arbres.

Pas de Willow.

— Cherche-la et emmène-la de l'autre côté du sommet, dit brièvement Caleb. Wolfe apportera les chevaux.

— Et toi ?

— Je vous couvre pendant que vous terminez l'ascension. Dépêche-toi !

Inutile de discuter, Reno le savait. Ils avaient pris Slater par surprise, mais cet avantage ne durerait pas. Les fusils à répétition de ses hommes étaient moins performants que celui qu'utilisait Wolfe, cependant ils en possédaient deux. En outre, ils étaient plus nombreux.

Oui, sans aucun doute, Slater était en meilleure position.

Reno courut au milieu des arbres en appelant sa sœur. Il l'aperçut à une trentaine de mètres devant lui. Il la rattrapa et lui fit monter le reste de la pente comme l'avait fait Caleb, la tirant et la portant à moitié.

Quand ils atteignirent enfin le sommet, elle respirait aussi difficilement que lorsqu'elle avait traversé le Great Divide. Reno était également essoufflé.

— Tourne-moi le dos et ouvre grands les yeux, ordonna-t-il.

Willow obéit ; peu à peu son souffle se régularisait. Le temps s'éternisait tandis qu'elle tendait l'oreille, essayant de distinguer les bruits de la nature de ce qui aurait pu être un homme en train de ramper dans les herbes. Elle entendit une détonation dans le lointain, mais ce n'était pas celle d'un revolver.

Enfin une plainte familière s'éleva derrière la jeune femme.

— Ne tire pas ! C'est Caleb !

— Je ne tire jamais sur ce que je ne vois pas, répondit calmement Reno. Approche, Homme de Yuma. Willy, surveille cette satanée prairie !

Elle se retourna vivement vers l'étendue vide.

« Cela vaut mieux, se dit-elle, amère. Je n'ai pas vraiment envie de voir Caleb me regarder avec ses yeux froids, en sachant qu'il a risqué sa vie pour moi par sens du devoir. »

Elle était glacée à l'idée des risques qu'il avait pris pour venir la chercher au campement. Elle n'avait pas eu le temps de le remercier, mais cela aussi valait mieux.

— Il n'y a personne ? demanda Reno.

— Non, répondirent ensemble Caleb et Willow.

— Bon. Est-ce que tu t'évanouis à la vue du sang, Willy ?

— Plus depuis l'âge de treize ans.

— Alors, change de place avec moi et occupe-toi de panser ton futur mari pendant que je surveille les alentours.

Willow mit un moment à enregistrer les paroles de son frère. Puis elle se tourna d'un bond et vit Caleb, à moins d'un mètre d'elle, la manche trempée de sang.

— Caleb... mon Dieu...

— Ne tombe pas dans les pommes, jeune dame du Sud. Inconsciente, tu ne me servirais à rien.

La sécheresse de son ton remit les idées de Willow en place.

Elle s'avança, les yeux fixés sur le bras de Caleb. Tout, plutôt que la clarté farouche de son regard.

— Attends, dit-il en saisissant son couteau à la lame effilée. Tu vas avoir besoin de ça.

Willow prit le poignard en tremblant. Quand elle le vit taché de sang, elle jeta un coup d'œil interrogateur à Caleb.

— Ce n'est pas mon sang, dit-il.

Willow poussa un long soupir.

— Déçue?

Elle tressaillit imperceptiblement puis glissa la lame sous la manche.

— Ne bouge pas.

— Rassure-toi, dame du Sud. Je n'ai pas l'intention de t'offrir une excuse pour me blesser davantage.

Le tissu céda aisément, et elle se mordit la lèvre en découvrant le trou qu'avait fait une balle dans son biceps.

— Oh, Caleb, murmura-t-elle, je suis désolée...

— Tu peux, rétorqua-t-il. Tes foutues idées de petite fille sur l'amour ont bien failli nous coûter la vie.

Willow leva les yeux vers lui, les détourna aussitôt. Il avait le regard d'un oiseau de proie, intense, impitoyable, et plus que jamais l'air de ce qu'il était réellement : un archange vengeur.

Rien n'avait changé, rien ne changerait. Rien ne *pouvait* changer. Elle était tombée amoureuse d'un homme qui ne connaissait que la froide balance entre le Bien et le Mal, le devoir et la nécessité. Mais elle avait aussi ses propres idées sur ces sujets. Et il n'était pas question qu'il fût forcé de l'épouser simplement parce que son frère était un redoutable tireur.

— Tu n'es pas le seul à avoir le sens des responsabilités, marmonna-t-elle.

Elle fendit également l'autre manche qu'elle déchira en lanières.

— Je ne pouvais accepter que tu m'épouses de peur que Matt ne te fasse sauter la cervelle, poursuivit-elle.

— Forcé de t'épouser à cause de ton frère? répliqua

froidement Caleb. Je suis ravi d'apprendre que tu me considères comme un lâche, en plus d'un vil séducteur qui transforme une pure jeune fille en catin...

— Un séducteur ? Ne sois pas stupide ! protesta-t-elle tout en le bandant avec une douceur qui contrastait avec son intonation. Avant même que tu m'aies embrassée, j'avais follement envie de toi.

Caleb se raidit comme s'il avait reçu un coup de fouet.

Croyant avoir serré la bande trop fort, Willow s'excusa :

— Pardonne-moi, je ne l'ai pas fait exprès... Quant à la lâcheté, aucun homme capable de se glisser dans le campement de Jed Slater en plein jour ne pourrait être traité de lâche. Tu es seulement trop raisonnable pour te précipiter vers une mort certaine, et trop fier pour t'enfuir. Il ne te restait plus que la solution du mariage.

Elle recula d'un pas.

— Ça devrait aller.

— Tu as fini ? intervint Reno en se tournant vers eux. Dans ce cas, il est temps de... *Slater !*

Le cri de Matt retentissait encore que Caleb avait fait volte-face en sortant son revolver d'un mouvement fluide, rapide comme l'éclair. Le tonnerre éclata à la droite de Willow, puis à sa gauche, tandis que Caleb et Reno vidaient leurs chargeurs sur deux hommes qui rampaient, à une dizaine de mètres au-dessus de la crête du ravin.

La célérité de Caleb et de Reno surprit les frères Slater. Ils se mirent à tirer tout en courant chercher un abri. Bien qu'il fût touché, Jed Slater pivota et fit feu une dernière fois.

Ce n'était pas les hommes qu'il visait, c'était Willow...

Une douleur épouvantable à la tête la fit tomber à genoux. Une ombre glissa du ciel, s'enroula autour d'elle tandis que Caleb criait son nom. Elle tendit la main vers lui, sentit la force de ses bras, mais même la puissance de Caleb n'aurait pu empêcher cette nuit étrange de s'emparer d'elle.

Elle essayait en vain d'articuler son nom quand elle perdit tout à fait connaissance.

Caleb la sentit mollir, vit le sang qui jaillissait sous sa chevelure blonde et il poussa un hurlement de bête sauvage.

Wolfe aperçut tout de suite les deux hommes age-nouillés près de Willow. Caleb lui jeta un bref coup d'œil, puis se tourna de nouveau vers la jeune femme comme s'il avait peur qu'elle ne mourût s'il la quittait un instant du regard. Il lui tenait la main et la caressait doucement.

Reno se dirigea vers Wolfe et les chevaux.

— J'ai entendu la fusillade. Elle est blessée ? demanda Wolfe.

— Oui.

— Gravement ?

— Nous l'ignorons. Son cœur est régulier, mais elle a perdu connaissance.

Wolfe regarda la jeune femme et son ami, près d'elle, qui lui caressait la main avec une tendresse dont il ne l'aurait jamais cru capable.

— Que s'est-il passé ? questionna-t-il en se détour-nant, comme s'il commettait une indiscrétion.

— Slater et son frère ont escaladé le ravin derrière nous. Ils étaient à une dizaine de mètres quand je les ai aperçus. Willow soignait le bras de Caleb. Nous n'avons pas eu le temps de la protéger. Quand Jed Sla-ter a compris qu'il était fichu, il a tiré sur elle. Que le diable emporte son âme !

— Ainsi soit-il. Et Kid Coyote ?

— Mort.

Reno observa les chevaux, parmi lesquels se trouvait Ishmael. A part l'écume séchée sur sa robe, il semblait ne pas se ressentir de sa pénible chevauchée.

— Merci d'être allé chercher l'étalon, souffla Reno d'une voix enrouée par l'émotion. Elle y tient tout particulièrement.

— Inutile de me remercier. J'aurais tué tous les hors-la-loi du campement pour m'emparer de ce cheval, répondit Wolfe avec calme.

Il attendit un moment, mais Reno gardait le silence.

— A-t-elle beaucoup saigné? insista le métis. Et pourquoi n'a-t-elle pas repris connaissance?

Reno eut un petit geste d'ignorance.

— La tête. Caleb dit que la blessure est superficielle. Il a vu, paraît-il, des hommes marcher avec une balle dans le crâne jusqu'à ce que la plaie cicatrise.

Reno jura entre ses dents avant d'ajouter:

— Il en a vu aussi qui mouraient sans avoir repris connaissance, et leurs blessures étaient aussi légères que celle de Willow.

Les mains de Wolfe se serrèrent sur les rênes comme s'il s'agissait du cou d'un bandit.

— Nous ferions mieux d'installer notre campement ici.

— C'est trop près des hommes de Slater.

— Il n'y en a plus un seul. Le fusil à répétition de Caleb a fait merveille. Il se recharge en un clin d'œil, et les survivants se sont évanouis dans la nature. Ils ne reviendront pas.

— Bravo. Tu es vraiment le meilleur, au fusil.

— Et toi, tu n'as pas ton égal au six-coups. Sauf peut-être Caleb.

Reno eut un sourire un peu amer.

— L'Homme de Yuma est rapide, c'est vrai. J'ai dû contourner Willow pour tirer. Pendant ce temps-là,

Caleb avait déjà vidé son chargeur. Il est aussi malin que vif. Il a vu que Kid Coyote était effrayé et lent, alors il a tiré les six balles sur Jed et m'a laissé le petit.

Wolfe hocha la tête.

— Je l'ai déjà vu tirer. Cela ne lui arrive pas souvent, remarque. Mais quand il le fait, il ne se trompe pas. Je suis content que vous ayez réglé vos différends sans avoir recours aux armes, vous deux.

Reno fixa son ami de ses yeux vert pâle.

— La rencontre n'a guère été cordiale, au début, mais c'est un type sacrément bien. Et il se reproche à mort ce qui est arrivé à Willy. Ce qui est stupide. Il n'y pouvait rien si Jed Slater était assez robuste pour tirer encore avec six balles dans le corps. Hélas, il ne veut pas m'écouter ! continua-t-il, exaspéré. Peux-tu lui faire entendre raison ?

— Je vais essayer, mais je doute d'y parvenir. Les hommes sont rarement raisonnables quand il s'agit de leurs femmes. Surtout ceux du genre de Caleb Black...

Wolfe s'approcha de son ami, mais les paroles s'étranglèrent dans sa gorge lorsque Caleb leva les yeux vers lui. Il avait l'air d'un homme qui ne croit plus en rien, pas même à l'enfer.

— Que puis-je faire ? demanda enfin Wolfe.

— Aller chercher ses juments, répondit Caleb en caressant doucement la joue de la jeune femme. Quand elle se réveillera, je veux qu'elle voie tous ses chevaux autour d'elle. Je veux qu'elle ouvre les yeux et qu'elle aperçoive...

Sa voix se brisa. Wolfe posa la main sur son épaule, la serra brièvement puis se détourna sans rien ajouter.

Caleb ne releva pas la tête quand Wolfe s'éloigna, ni quand Reno fabriqua une couche de branchages. Pourtant, lorsque celui-ci vint chercher sa sœur, Caleb le repoussa et souleva lui-même la jeune femme, en dépit de sa blessure au bras. La douleur était toujours présente, aiguë, mais il s'en moquait éperdument.

— Je vais grimper en haut de cette crête, annonça Reno. J'y serai mieux pour monter la garde.

Caleb acquiesça. Il déposa doucement Willow sur le lit improvisé, la couvrit d'une couverture et s'allongea à son côté. Il saisit de nouveau son poignet pour s'assurer qu'elle était toujours en vie. Ce battement régulier était tout ce qui l'empêchait de sombrer dans le gouffre noir qui le guettait depuis qu'il avait entendu le cri de Willow et l'avait vue tomber.

Or ce gouffre, Willow le connaissait déjà. Il l'avait vu dans ses yeux, la veille au soir, lorsqu'elle se tenait toute droite sous la lune et se traitait de catin. Il était furieux alors de l'entendre s'humilier ainsi, abîmer ce qu'ils avaient vécu ensemble.

Il secoua la tête, ses pensées devenant de plus en plus confuses. Il l'avait entendue prononcer son nom en silence, l'appeler... peut-être pour lui demander pourquoi ce qui avait commencé si merveilleusement devait se terminer en drame ?

Caleb se posait la même question depuis qu'il avait appris que Willow était la sœur de Reno. Il n'avait pas trouvé de réponse, mais seulement la douleur, une douleur plus profonde avec chaque souffle, chaque caresse, chaque instant passé à savoir que son amour se transformerait bientôt en haine.

Ce qui était arrivé.

Caleb ferma les yeux, comme pour effacer ces pénibles souvenirs. Mais cela ne marchait pas... Il entendait la voix un peu voilée de Willow l'appeler :

— *Qu'est-ce qui ne va pas ? Caleb. Que s'est-il passé ? Pourquoi ne me réponds-tu pas ? Caleb ! Caleb !*

Il s'aperçut soudain que c'était vraiment Willow qui parlait :

— Caleb...

Il ouvrit lentement les yeux. Rêvait-il ?

Willow le regardait, angoissée devant son expression. Avec une petite grimace de douleur, elle lui effleura la joue du bout des doigts.

— Tu es blessé, dit-elle en fixant le bandage taché de sang comme si elle le voyait pour la première fois.

— Une balle, répondit-il en la dévisageant intensément. Toi aussi, tu as été touchée.

Ses yeux noisette s'agrandirent, et Caleb se détendit un peu en voyant ses pupilles se contracter à la lumière. Les hommes qui mouraient d'une blessure à la tête n'avaient plus ces réactions instinctives.

— Touchée ? Mais comment ? Quand ? Je ne me souviens pas.

— Ne bouge pas !

Trop tard. Elle tentait de se redresser et poussa un gémissement sourd avant que Caleb l'allongeât de nouveau.

— J'ai mal à la tête...

Il l'embrassa doucement et lui caressa la joue. Spontanément, elle se tourna vers sa main, et il en fut grisé de soulagement. Il effleura ses lèvres.

— Reste tranquille, mon amour. Tu es faible comme l'agneau qui vient de naître.

— Quand cela s'est-il passé ? insista-t-elle.

Caleb sortit sa montre, et il eut du mal à croire que si peu de temps s'était écoulé depuis la fusillade ; il avait l'impression qu'il veillait Willow depuis des mois.

— Il y a moins d'une heure.

Elle fronça les sourcils, dans un effort pour se souvenir.

— Matt ? Matt va bien ? Et toi...

— Ton frère monte la garde en haut de la colline. Quant à ma blessure, elle ne vaut pas la peine qu'on en parle. Wolfe est allé chercher les juments, et il a ramené aussi Ishmael. Tout est parfait. Sauf toi... Que te rappelles-tu ?

Il y avait un véritable espoir dans la voix de Caleb. Parfois, les blessures à la tête étaient suivies d'amnésie. Si seulement Willow pouvait oublier ce qui s'était passé la veille !

Il sut l'instant précis où elle retrouva la mémoire. La lumière et la tendre inquiétude disparurent aussitôt de son regard, et elle tourna très lentement la tête pour échapper à son contact.

— Je me rappelle m'être enfuie avec Ishmael plutôt que de te voir obligé de m'épouser sous la menace, répondit-elle enfin.

— En effet... Et quoi d'autre ? insista-t-il d'une voix neutre.

Willow porta les doigts à ses tempes.

— Je me souviens d'avoir fait galoper Ishmael trop vite, trop longtemps.

— Il s'en est sorti à merveille. Jed Slater ne se souciait guère des gens en général, et des femmes en particulier, mais avec les chevaux, c'était bien différent. Il s'est occupé lui-même de remettre Ishmael en forme... Quoi encore ?

— Je me suis battue contre l'homme qui m'avait attrapée. Mais il m'a frappée si fort... Je ne voyais plus rien, je n'entendais plus rien.

Caleb serra les dents.

— Tu l'as quand même bien griffé !

— Oui. Je me rappelle son visage. C'était lui qui me gardait.

Willow se souvint aussi d'avoir vu du sang sur le poignard de Caleb.

— Je croyais qu'il faisait la sieste, mais c'était faux, n'est-ce pas ?

— Quoi encore? répéta Caleb sans répondre.

— Toi, répliqua-t-elle simplement. Tu as coupé mes liens, tu m'as dit de ramper hors du campement et, quand la fusillade a éclaté, tu m'as couverte de ton corps.

Elle lui jeta un coup d'œil entre ses cils.

— C'est là que tu as été blessé? Je t'ai senti faire un bond.

— Te rappelles-tu encore quelque chose?

— Je suis désolée, Caleb, dit-elle, refusant de changer de sujet. Je ne voulais pas que tu sois blessé. C'est moi qui t'ai séduit, et non le contraire. Mais Matt ne voyait pas les choses sous cet angle, et il ne fallait pas qu'il te tire dessus. Alors je suis partie. Mon frère est si rapide au...

Ces paroles s'étranglèrent dans sa gorge lorsqu'elle se rappela avoir vu Caleb faire votre-face en un éclair tandis qu'à la même seconde le tonnerre éclatait à ses oreilles.

— Tu es aussi rapide que mon frère!

— Possible, mais ce n'est pas sûr, répondit calmement Caleb. De toute façon, la rapidité n'est pas tout ce qui compte. Il faut aussi atteindre sa cible, et être prêt à recevoir une balle en retour.

— Ce que tu as fait.

— Jed Slater aussi. Avant de mourir, ce fils de chien a eu le temps de te blesser.

Willow soupira et continua sur le seul sujet qui l'intéressât vraiment :

— Puisque tu n'as pas peur de Matt, pourquoi as-tu accepté de m'épouser plutôt que de l'affronter?

— Je ne voulais pas tuer quelqu'un que tu aimais. Or tu aimes ton frère. Et tu m'avais dit que tu m'aimais. L'un de nous serait forcément mort, Willow. Et probablement les deux. C'est ce qui arrive quand deux hommes de même force ont la stupidité ou la malchance de se retrouver face à face, les armes à la main. Comme j'avais décidé de t'épouser de toute façon, je trouvais idiot de me battre avec Reno. Je préfère nettement qu'il soit en vie pour te mener à l'autel.

— Quand...

Willow avala péniblement sa salive.

— Quand as-tu compris que Matt était un excellent tireur ?

— Dès l'instant où Rebecca a prononcé le nom de Reno. Ton frère a une solide réputation dans ce domaine. Même s'il ne l'a pas recherchée, les gens parlent. Et Wolfe m'avait averti.

— Tu savais tout cela, et pourtant tu t'es lancé à la poursuite de Matt ?

Caleb fronça les sourcils.

— Évidemment ! Je croyais qu'il s'amusait à déshonorer d'innocentes jeunes filles avant de les abandonner.

— Jamais Matt n'aurait agi ainsi !

— Je sais. Je le sais maintenant. Et moi non plus je ne me conduirais pas de cette manière. Nous allons nous marier, Willow.

— Tu ne m'as pas séduite ! grinça-t-elle, les dents serrées.

— Foutaise ! jura-t-il avant d'effleurer sa joue pour se faire pardonner cette grossièreté. Aucun homme ne s'est donné autant de mal pour séduire une femme, ma chérie. Le mélange d'innocence et de passion en toi me rendait fou. J'étais déterminé à t'avoir, mais plus encore désireux que tu me supplies de te prendre. Je ne supportais pas l'idée que l'on puisse dire que je t'avais eue contre ton gré.

— C'est pourquoi tu m'as demandé de te repousser ?

— Non, ce n'est pas pour ça. Je venais d'apprendre

que tu étais la sœur de l'homme dont j'avais juré la mort. Je savais que si je te faisais l'amour, tu te haïrais autant que tu me haïrais quand tu me verrais tuer ton frère. Je ne voulais pas de ça, mais je te désirais tellement que je n'ai pas trouvé la force de me détourner de toi.

Willow écarquilla les yeux, horrifiée par le calvaire qu'avait vécu Caleb.

— Alors je t'ai dit de me repousser, poursuivit-il. L'idée que tu me détesterais un jour me déchirait, mais j'ignorais comment sortir de cette situation. Je n'aurais pas pu me regarder dans un miroir si j'avais laissé Reno continuer ce que je croyais être ses méfaits. Pourtant j'avais tellement envie de toi... Quel que soit mon choix, j'étais perdant.

Willow comprenait l'horrible dilemme. Elle aussi avait été torturée entre la perspective d'épouser un homme qui ne l'aimait pas et celle de voir celui qu'elle aimait être abattu par son frère. Elle ne pouvait supporter l'une ou l'autre idée, aussi s'était-elle enfuie. Caleb n'avait même pas eu cette échappatoire. Elle gémit tout doucement, malheureuse pour Caleb.

Il toucha de nouveau sa joue, brièvement, car il redoutait sa réaction.

— Je t'ai prise parce que je ne pouvais m'arrêter, avoua-t-il d'une voix un peu rauque. Et je me suis donné à toi tout entier, comme jamais avec aucune autre femme. Passion, paix, rire, tu m'as enseigné tout ce qui m'avait manqué jusque-là. *Et à chaque instant, je savais que je te perdrais dès que nous aurions trouvé Reno...*

Caleb luttait contre l'émotion qui lui nouait la gorge. Il respira profondément, dans une vaine tentative pour se détendre.

— Puis tu as dit que tu étais ma catin, reprit-il,

comme si nous n'avions été que des étrangers qui assouvissaient un instinct bestial, alors que pour moi c'était si... magnifique. Je t'ai donc accordé ce que tu demandais, je t'ai laissée dormir seule. Et quand je me suis réveillé, je me suis aperçu que, bien que je n'aie pas tué ton frère, tu me haïssais au point de préférer la fuite et la mort certaine au mariage.

— C'est faux ! protesta Willow en se redressant.

Elle tressaillit d'une douleur bien vite oubliée : il était plus important de s'expliquer.

— Je ne voulais pas mourir ! Je refusais simplement de passer ma vie avec un homme qui considérait les rapports avec les femmes comme une sorte de marché. Elle fait l'amour avec lui, et il lui offre le mariage ou une poignée de pièces d'argent, selon le cas... Ce qui fait de toutes les femmes des catins.

Caleb se redressa aussi, cherchant désespérément à retrouver la maîtrise légendaire dont il était si fier avant de rencontrer Willow Moran. Très doucement, en prenant garde de ne pas lui faire mal, il baisa son cou.

— Jamais je n'ai pensé à toi dans ces termes, dit-il. Quand tu t'es donnée à moi...

Il s'interrompit un instant, submergé par l'émotion.

— Ce fut le plus beau cadeau que j'aie jamais reçu. Je n'avais rien à t'offrir en retour, hormis les choix atroces qui me déchiraient. Ma seule chance était de te donner un plaisir tel que tu ne pourrais me haïr, quoi qu'il arrive.

Caleb s'interrompit de nouveau, puis poursuivit :

— Quand j'ai découvert que Reno n'avait pas déshonoré ma sœur, j'ai pensé que Dieu avait entendu mes prières. J'étais enfin libéré du piège... Pourtant tu me haïssais.

Caleb ferma les yeux, se ressaisit. Il fallait dire ce qui

devait être dit avant qu'il ne fût tout à fait incapable de parler.

— Il est possible que tu portes notre enfant aujourd'hui. Je ne peux pas te laisser partir et recommencer ta vie. Nous allons nous marier. Nous le devons à ce bébé que tu attends peut-être. Accepte, Willow. Ne résiste plus, tu ne réussirais qu'à te blesser toi-même.

— Le devoir, rétorqua Willow, amère. Ce sacré devoir ! Toute une vie de devoir... Je n'en voulais pas. C'est pourquoi je suis partie. J'espérais autre chose d'un mariage !

Caleb fut traversé d'un frisson incontrôlable.

— Je suis navré, Willow. J'en espérais tellement plus, moi aussi... Je voulais dormir en te serrant dans mes bras, me réveiller avec ton sourire. Je voulais voir l'amour dans tes yeux quand tu me regarderais. Je voulais bâtir une maison pour toi et nos enfants. Je voulais... tout.

— Moi aussi, souffla-t-elle.

— Il n'est pas trop tard, murmura-t-il contre ses cheveux. Pourras-tu me pardonner, réapprendre à m'aimer ? J'en ai besoin, Willow. Je t'aime tant...

Elle tressaillit. Elle avait envie de crier en l'entendant masquer ainsi le devoir en amour, mais elle n'en avait pas la force. Elle n'avait même pas la force de se tenir assise sans s'appuyer contre lui. Cet homme qui n'avait besoin que de lui-même, de son Dieu, de son devoir...

— Non, soupira-t-elle, très lasse. Inutile de me dire de jolis mensonges pour m'attirer dans ton lit. Je ne suis plus une innocente jeune fille, je suis une...

— Suffit, Willow ! coupa Caleb à voix basse. Je ne supporterai plus que tu te traites de catin. Je sais que tu me hais. Je sais que je n'aurais jamais dû te séduire, mais nous n'y pouvons rien changer. Je vais tenter de

vivre avec cette vérité, et m'efforcer de ne plus te blesser.

— Le devoir, résuma-t-elle.

— Au diable le devoir! *Je t'aime!*

Willow frémit en sentant une larme rouler sur sa
joue. Elle s'était crue au-delà des pleurs. Comme elle
levait la main pour l'effacer, elle s'aperçut que ce n'était
pas une larme d'elle.

Hésitante, elle effleura de ses doigts tremblants le
visage de Caleb, et soudain la vérité s'imposa dans
toute son évidence.

Par sens du devoir, un homme pouvait risquer sa vie
pour venger sa sœur, ou pour sauver Willow. Par sens
du devoir, un homme pouvait épouser la jeune femme
qu'il avait séduite.

Mais même le sens du devoir ne pourrait faire pleurer un homme aussi dur que Caleb Black.

Avec un petit cri émerveillé, Willow posa sa joue
contre celle de Caleb, puis elle baisa son visage, goûtant les larmes qui glissaient de leurs yeux à tous les
deux. Des larmes d'un homme et d'une femme liés l'un
à l'autre par l'irrésistible passion que l'on appelle
l'amour...

ÉPILOGUE

Un vent frais soufflait de la montagne, faisant danser les feuilles jaunes des trembles.

Ishmael leva la tête, reconnaissant l'odeur familière de l'homme et de la femme qui marchaient dans la prairie. Derrière eux, à l'orée du bois, se dressaient une grande maison de rondins ainsi qu'une grange. Les vitres, venues de Denver — cadeau de mariage de Wolfe —, brillaient dans le soleil comme des joyaux.

Ishmael observa ses maîtres un instant avant de se remettre à paître. Les juments se trouvaient non loin, lourdes des petits qui naîtraient au printemps.

A l'autre bout de la prairie broutait le bétail, tandis que le foin séchait, odorant, au soleil d'automne.

Caleb souleva Willow dans ses bras pour lui faire franchir le ruisseau qui descendait en chantant de la montagne. Elle sourit, noua les bras autour de son cou et plongea le regard dans ses yeux d'ambre qu'elle aimait tant. L'anneau d'or qu'elle portait à la main gauche avait été fabriqué avec des pépites trouvées par Reno dans une vallée secrète.

— Et l'année prochaine, disait Caleb, nous mettrons des clôtures. En attendant, Ishmael devra garder un œil sur ses juments.

— Il ne s'est pas mal débrouillé, jusqu'à présent.

— C'est le moins qu'on puisse dire ! Mes juments du Montana sont énormes, par rapport à ses partenaires habituelles, pourtant il ne s'est pas laissé décourager !

Des étincelles brillaient dans ses yeux, et Willow éclata de rire.

— Tu te laisseras décourager, toi, quand je serai grosse ?

Caleb s'immobilisa.

— Tu vas grossir ?

— Au printemps, je serai aussi grosse que n'importe laquelle des juments.

— Tu en es sûre ? demanda-t-il, soudain inquiet en pensant à sa sœur.

— Je suis solide, murmura Willow. Ne te tracasse pas, mon amour.

Peur et joie mêlées dans ses yeux, Caleb contempla la femme qui était devenue le centre de son existence.

— Je serai près de toi, dit-il simplement.

Et il y fut.

Leur premier enfant naquit alors que les torrents débordaient à l'arrivée du printemps. Comme les frères et sœurs qui le suivirent, il devint grand et fort, bien nourri par la riche terre de l'Ouest et par l'amour lumineux qui unissait Caleb et Willow Black.

Amour et Destin

Des femmes exception-
nelles découvrent dans
l'amour le sens de leur vie.
Elles iront jusqu'au bout de
leur quête, quel qu'en soit le
prix. Héroïnes modernes,
elles ont décidé de prendre
en main leur destin et de
l'assumer, dans un monde
trop souvent hostile.

BENNETT Elizabeth
Le balancier du cœur
3598/6
Jolie, douée mais obèse et malheureuse, Janie quitte un jour la
Nouvelle-Angleterre pour devenir directrice artistique dans une
agence de publicité new-yorkai-
se. Elle y gagnera son indépen-
dance, perdra les kilos qui la
gênaient et surtout découvrira,
après quelques errances, le véritable amour.

Cœurs et âmes
3971/5 Inédit
Que cache la mort de Miranda,
célèbre et richissime présentatri-
ce de télévision, qui lègue toute
sa fortune à sa sœur ? Cassie va
tenter de découvrir les secrets
des hommes d'affaires qui
l'entouraient. Mais elle tombe
bientôt dans les bras de son
séduisant beau-frère. Est-ce un
piège tendu à Cassie pour
détourner son attention ?

BENZONI Juliette
Le Gerfaut
– Le Gerfaut
2206/6
– Un collier pour le diable
2207/6
– Le trésor
2208/5
– Haute-Savane
2209/5

BINGHAM Charlotte
Ombre et lumière
3493/7 Inédit

BLAKE Jennifer
Les secrets du passé
3323/6
Dans le décor luxuriant de
La Nouvelle-Orléans, les pas-
sions se déchaînent autour
de Riva, prisonnière d'un mysté-
rieux passé.

Délices et fureurs
3525/6
Le parfum de la passion
3759/6

BRISKIN Jacqueline
C'est écrit dans le ciel
3139/7
Au sommet de sa gloire, Alyssia
del Mar, star secrète et fasci-
nante, convoque les Cordiner.
Elle a fait autrefois partie de
cette famille de magnats du
cinéma. Ils l'ont humiliée et elle
a décidé de se venger...

Cœurs trahis
3431/7

BROWN Sandra
French Silk
3472/7
Des secrets bien gardés
3617/6
Substitution ?
3666/6 Inédit
Texas !
– Le destin de Lucky
3282/3
– Le destin de Rocky
3432/3
– Le destin de Sally
3563/3
Le souffle du scandale
3727/7
En quelques heures, trois
voyous sans scrupules font bas-
culer la vie de Jade dans l'horreur. Désormais, elle n'aura plus
qu'un but : se venger. Dillon
parviendra-t-il à lui redonner le
goût du bonheur ?

CLARKE Brenda
Au-delà du monde
3618/5
Qui était cet homme auprès de
qui elle a vécu durant vingt-cinq
ans ? Rowland l'a-t-il vraiment
aimée ?

COOKSON Catherine
Le bonheur secret
d'Emma
3343/5
Dès son plus jeune âge, Emma a
compris qu'un seul homme
compterait pour elle : le pasteur
Henri Grainger.

Les tourments
d'Annabella
3487/7

DAILEY Janet
Le mal-aimé
1900/4
Prisonniers du bonheur
2101/4
Le triomphe de l'amour
2430/5

DEJONG Linda Renée
Illusions brisées
3395/6

DELINSKY Barbara
Une femme trahie
3396/7
Lorsque Jeff, son mari, disparaît
brusquement, Laura se trouve
confrontée à une situation finan-
cière catastrophique. Avec horreur, elle comprend alors qu'elle
vivait auprès d'un inconnu.

La quête de Chelsea Kane
3450/6
Empreintes
3576/6
Un moment d'égarement
3728/7
Le mystère de Mara
3972/7

Amour et Destin

DE MAREZ Marnie
L'épouse indésirable
3686/5 Inédit
Un mari sous contrat
4019/5 Inédit

En découvrant qu'il est ruiné, Reynald, duc de Wedgwood, se retrouve à la merci de son principal créancier. Lorsque ce dernier exige qu'il épouse une de ses filles, Reynald est contraint de s'exécuter. Et le charme de la ravissante Lydia ne parviendra pas à l'attendrir. C'est du moins ce qu'il a décidé...

DEVERAUX Jude
Entre ses mains
3544/6 Inédit
La patience récompensée
3843/2 Inédit
Accords parfaits
3942/3 Inédit

EDMONDS Lucinda
Sous le charme
4001/8 Inédit

A dix-sept ans, Maddie a hérité de la grâce et du talent de sa mère, danseuse étoile tragiquement disparue. Lorsque, marchant sur ses traces, Maddie est acceptée dans le corps de ballet de l'Opéra de Londres, ses rêves s'écroulent. Le monde de la danse est impitoyable et la jeune fille, cible des jalousies et des rivalités, va en payer le prix fort...

FIELDING Joy
Les amours déchirées
3545/5

GOLDREICH Gloria
Rencontre
3471/5

HEATH Lorraine
Entre deux flammes
4044/6 Inédit

HOAG Tami
L'homme des marais
3706/5 Inédit

JAGGER Brenda
L'amour revient toujours
3390/5

KRENTZ Jayne Ann
Le petit-fils prodigue
3707/5 Inédit
Un mariage blanc
3797/5 Inédit
Talents cachés
3943/6 Inédit

Qui aurait pu croire à une telle rencontre ? Serenity est épicière, spécialisée dans les produits bio. Calec, un jeune loup de la finance. Pourtant, Serenity va découvrir les drames secrets de cet homme, mais aussi ses talents cachés. Seul, le grand amour peut unir ces êtres que tout semble séparer.

LAIMAN Leah
La richesse du cœur
3887/4 Inédit

Héritier des usines automobiles D'Uberville Motors, Andrew est fiancé à Bethany Havenhurst : un mariage de raison plus que d'amour. Mais un soir d'été, au bord du lac de Millpond où doit être édifiée une nouvelle usine, il rencontre Samantha Miles, mécanicienne et simple employée de l'entreprise...

LAKER Rosalind
Reflets d'amour
2129/5 Inédit
Le sentier d'émeraudes
2351/6
Splendeur dorée
2549/5

LAROSA Linda
Princesse Alexandra
3358/7

Par un beau matin d'été de 1868, une jeune femme s'enfuit du domicile conjugal, en Autriche, et se réfugie à Paris, sous une fausse identité. C'est Alexandra, cousine de l'empereur François-Joseph...

MACOMBER Debbie
L'amour par petite annonce
3865/5 Inédit

Débordé par ses trois neveux orphelins, dont il a désormais la charge, Travis, célibataire endurci, se résoud à passer une annonce matrimoniale. Parmi toutes les réponses qu'il reçoit, une lettre retient son attention : celle de la timide et solitaire Mary. Mais peut-on trouver l'amour par petite annonce ?

Des anges passent
3987/5 Inédit

Ne vous posez plus de questions sur le sexe des anges : le problème est ici résolu. Ce sont de charmantes jeunes femmes que leur patron, l'archange Gabriel, envoie sur terre pour exaucer nos prières. Monica cherche un mari, Léah veut un bébé, Shirley cherche un père pour son fils. Les anges vont les aider à trouver le bonheur.

MANSELL Jill
Malentendus
3685/6 Inédit
Pour la magie d'un baiser
3779/6

Trois femmes en quête du bonheur...

Troublante différence
3904/7 Inédit

Las de ses liaisons successives avec des top models au corps parfait et au cœur vide, le photographe Guy Cassidy s'interroge sur sa vie et sur les femmes, lorsqu'il rencontre les sœurs Vaughan...

Amour et Destin

McNAUGHT JUDITH
L'homme qui haïssait
les femmes
3665/4 Inédit
Où tu iras, j'irai
3760/6
Lorsqu'un inconnu vous demande de tout abandonner pour le suivre à Porto Rico, on a certes le droit d'hésiter...

MORSI PAMELA
Amour pour rire
4043/5 Inédit
Fille d'un pasteur, en Oklahoma, Tulsa se croit laide. De plus, le médecin sur lequel elle a jeté son dévolu, vient de l'éconduire. Grave humiliation, à laquelle son ami Luther décide de remédier : pour faire cesser les commérages, les jeunes gens prétendront qu'ils sont fiancés.

PEARSON MICHAEL
Une femme d'argent
3359/6
De New York à Londres, en ce début de siècle, l'irrésistible ascension de Victoria dans le monde de la haute finance.

PLAIN BELVA
Les trésors de la vie
3524/7

QUIN-HARKIN JANET
Grace au ciel
3812/5

RENICK JEANE
Fais-moi confiance
3597/6
L'enfant de la dernière
chance
3742/6
Un bébé ! Cette idée obsède Marielle, à qui la nature ne laisse plus beaucoup de temps. Après mille péripéties, elle aura enfin ce qu'elle veut, et le bonheur en prime.

Le regard de Leanna
3844/6 Inédit

SAWYER MERYL
Méfiez-vous
des inconnus
3780/8
Promets-moi l'amour
3903/6 Inédit

SELINKO ANNEMARIE
Désirée
3374/5 & 3375/5

SIMPSON PAMELA
Revers de fortune
3451/7

SMITH DEBORAH
L'amour par Miracle
3564/7 Inédit
Le saule bleu
3645/7 Inédit
Le rubis de Pandora
3886/6 Inédit

SPENCER LAVYRLE
Doux amer
2942/7 Inédit
Demain le bonheur...
3798/8 Inédit
En 1917, Lannie rejoint son nouveau poste d'institutrice dans le Dakota. La jeune femme va découvrir les grandes plaines du Middle West, des gens simples et vrais, et trouver l'amour.

Chambre à part
3919/7 Inédit
La voix du cœur
4020/4 Inédit

TAYLOR LUCY
Les années de feu
3646/6 Inédit

THIERY ALAIN
La chirurgienne
3880/6

THOMAS ROSIE
Célébration
3357/5
Œnologue réputée, Bell est fermement décidée à faire carrière dans un monde habituellement fermé aux femmes. L'amour va, toutefois, orienter différemment son destin.

La belle conquérante
3510/9

WEBB PEGGY
Un amour de dauphin
3920/5 Inédit
Né avec la maladie bleue, Jeffy est, à quatre ans à demi-paralysé et enfermé dans un mutisme absolu. Pour le sortir de son silence et de sa dépression, Susan, sa mère, l'emmène au Centre de Recherches Océaniques, où s'ébattent les dauphins. C'est là qu'elle rencontre Paul Tyler, un chirurgien au passé douloureux.

La passion d'Aigle Noir
4060/6 Inédit
Tout juste diplômée de la faculté de médecine, Kate Malone a accepté le poste qu'on lui propose dans une réserve indienne de l'Oklaoma. Dès son arrivée, elle s'éprend d'Aigle Noir, le fils du chef de la réserve. Mais leur liaison dérange la population de la réserve, qui n'est guère favorables aux mélanges raciaux, et un incendie criminel ravage bientôt le dispensaire de Kate.

Composition Euronumérique
Achevé d'imprimer en Europe (France)
par Brodard et Taupin à La Flèche (Sarthe)
le 18ᵉ juillet 1995. 1127M-5
Dépôt légal juillet 1995. ISBN 2-277-23988-7

Éditions J'ai lu
27, rue Cassette, 75006 Paris
Diffusion France et étranger : Flammarion

3988